PRATIQUE DU THÉATRE

Collection dirigée par André Veinstein

EUGÈNE IONESCO

Notes
et contre-notes

nrf

GALLIMARD

Il a été tiré de cet ouvrage trente et un exemplaires sur
vélin pur fil des Papeteries Lafuma-Navarre numérotés
de 1 à 31.

Préface

Il y a beaucoup de répétitions dans ce livre. Ce n'est pas seule-
ment ma faute; elle est aussi celle des journalistes, interviewers,
spécialistes et politiciens du théâtre qui, depuis des années, en proie
aux mêmes obsessions, me font les mêmes critiques de principe
auxquelles j'essaye de répondre, à mon tour, par des arguments
toujours les mêmes. En réalité, j'ai surtout combattu pour sauve-
garder ma liberté d'esprit, ma liberté d'écrivain. Il est évident qu'il
s'est agi, en grande partie, d'un dialogue de sourds car les murs
n'ont pas d'oreilles et les gens sont devenus des murs les uns pour
les autres : personne ne discute plus avec personne, chacun voulant
de chacun faire son partisan ou l'écraser.

Je regrette un peu d'avoir essayé de donner des réponses, d'avoir
fait des théories, d'avoir trop parlé alors que mon affaire était tout
simplement d'« inventer », sans me soucier des camelots qui me
tiraient par la manche. Je suis un peu tombé dans leurs pièges et
j'ai souvent cédé aux sollicitations de la polémique. Non pas que
l'on ne doive polémiquer. Mais l'œuvre d'art doit contenir en elle-
même et cristalliser une plus grande complexité des débats dont
elle est la réponse ou l'interrogation plus ample.

Tout en ayant l'air de me défendre, je me suis peut-être mal
défendu. C'est-à-dire, j'ai perdu trop de temps à vouloir me défendre,
mais il fallait bien essayer d'expliquer que les explications des
autres étaient fausses car tendancieuses. J'ai peut-être aussi attaché
trop d'importance à mes pièces de théâtre mais, là encore, j'ai une
excuse puisque ce sont les autres qui ont attaché de l'importance
à mon œuvre. De toute façon, ces Notes *et* Contre-Notes *sont*
le reflet d'un combat mené au jour le jour, elles sont écrites au

*hasard de la bataille, elles pourront peut-être servir de documents,
montrant ainsi ce qu'on pensait pouvoir demander ou reprocher
à un auteur de notre époque et aussi ce que pouvait être le point de
vue d'un auteur cerné qui, voulant répliquer de tous les côtés à la
fois, s'est trouvé pris, parfois, dans des contradictions que l'on
remarquera, sans doute, et dont les lecteurs voudront bien m'excuser.*

*Pourtant, une bonne part de mes critiques sont devenus des amis
au cours de ces dix ou douze années de confrontation, de cohabitation
dans le même temps. Nous sommes liés les uns aux autres et
maintenant, lorsque j'écris une pièce de théâtre, je ne puis m'empêcher
de penser à tel ou tel d'entre eux, ils sont les images de mon vrai
public et que je le veuille ou non, c'est bien à eux que je pense tout
de même quand j'écris en me demandant ce qu'ils vont dire, quelle
tête ils feront quand ils verront « cela ».*

*Je dois avouer que j'oublie vite les critiques favorables et que,
par contre, les mauvaises me sautent aux yeux ; ce sont elles que
j'oublie le moins facilement. En tout cas, les pages de* Notes et
Contre-Notes *qui sont consacrées aux critiques ne sont malgré
tout pas l'expression de ma rancune ou elles le sont très peu. Elles
tendent plutôt à illustrer la thèse de Jean Paulhan sur l'impossibilité de la critique, non plus d'une façon théorique mais, chez moi,
plus simplement par des exemples vivants, des citations précises
tâchant de mettre en évidence la difficulté de juger, l'absence de
critères, l'illogisme déterminé par le côté passionnel, dans l'actualité,
des affirmations et des négations qui s'enchevêtrent et se neutralisent.
On parle beaucoup dans les pages qui suivent, comme on parle
beaucoup autour de nous, d'incommunicabilité ou de crise de langage.
Cette crise de langage est le plus souvent artificielle, volontaire. La
propagande a bouleversé consciemment la signification des mots
pour jeter le trouble dans les esprits. C'est une méthode de guerre
moderne. Lorsqu'on dit que le blanc est noir et le noir est blanc,
il est en effet bien difficile de s'y retrouver. Je constate parfois la
destruction ou la déformation volontaires du langage et je le dénonce ;
je constate aussi son usure naturelle ; je constate encore son auto-
matisation qui fait que le langage se sépare de la vie ; je conçois
donc qu'il ne faut pas tellement le réinventer que le rétablir. Cela
revient peut-être au même mais c'est évidemment la mauvaise foi
qui est la chose la plus dangereuse. Et je me rends compte que,
par exemple, j'ai été bien naïf de m'acharner à vouloir prouver
qu'il y a des activités désintéressées alors que n'importe qui le sait*

qui a joué au foot-ball, aux cartes, aux échecs, au jeu de l'oie, etc...
Seulement, les politiciens ne veulent pas que l'activité théâtrale
soit désintéressée et gratuite ; ils détestent qu'elle soit libre et
qu'elle leur échappe. C'était donc une dépense considérable d'énergie
de ma part de m'attarder si longtemps sur ces questions. Mais
puisque, en fin de compte, tout est gratuit — et même la non-
gratuité — mettons que cela fut de ma part encore une activité
gratuite.

Peut-être que mes pièces de théâtre vont un peu plus loin que
mes propres commentaires sur les pièces de théâtre ; j'espère qu'elles
en disent plus malgré moi car si elles devaient être épuisées par
cette polémique, contenues en elle, tout entières, elles ne seraient
pas grand-chose.

Mais si la littérature est une chose importante, si elle est encore,
de nos jours, et pour l'avenir une chose importante, c'est un autre
problème angoissant. Le monde nouveau qui semble s'ouvrir à nous,
les perspectives de mort ou, au contraire, de transformation totale
de la vie et de la pensée, paraissent devoir conduire à une ère dans
laquelle ce genre de manifestations sera totalement remis en question.
Nous ne pouvons prévoir quelles formes prendra la poésie, la
création, l'art. En tout cas, d'ores et déjà, la littérature est en
dessous de la vie, l'expression artistique est trop faible, l'imagina-
tion trop pauvre pour égaler l'atrocité et le miracle de cette vie,
de la mort, trop insuffisante aussi pour pouvoir en rendre compte.
J'ai fait ce que j'ai pu, en attendant, en attendant... J'ai passé mon
temps. Mais il faut savoir se séparer de soi-même, des autres,
regarder et rire, malgré tout, rire.

J'espère que mon théâtre a plus d'humour que mes polémiques.
J'espère.

                                                    E. I.

I

Expérience
du théâtre

Expérience du théâtre

Quand on me pose la question : « Pourquoi écrivez-vous des pièces de théâtre ? » je me sens toujours très embarrassé, je ne sais quoi répondre. Il me semble parfois que je me suis mis à écrire du théâtre parce que je le détestais. Je lisais des œuvres littéraires, des essais, j'allais au cinéma avec plaisir. J'écoutais de temps à autre de la musique, je visitais les galeries d'art, mais je n'allais pour ainsi dire jamais au théâtre.

Lorsque, tout à fait par hasard, je m'y trouvais, c'était pour accompagner quelqu'un, ou parce que je n'avais pas pu refuser une invitation, parce que j'y étais obligé.

Je n'y goûtais aucun plaisir, je ne participais pas. Le jeu des comédiens me gênait : j'étais gêné pour eux. Les situations me paraissaient arbitraires. Il y avait quelque chose de faux, me semblait-il, dans tout cela.

La représentation théâtrale n'avait pas de magie pour moi. Tout me paraissait un peu ridicule, un peu pénible. Je ne comprenais pas comment l'on pouvait être comédien, par exemple. Il me semblait que le comédien faisait une chose inadmissible, réprobable. Il renonçait à soi-même, s'abandonnait, changeait de peau. Comment pouvait-il accepter d'être un autre ? de jouer un personnage ? C'était pour moi une sorte de tricherie grossière, cousue de fil blanc, inconcevable.

Le comédien ne devenait d'ailleurs pas quelqu'un d'autre, il faisait semblant, ce qui était pire, pensais-je. Cela me paraissait pénible et, d'une certaine façon, malhonnête.

« Comme il joue bien », disaient les spectateurs. D'après moi, il jouait mal, et c'était mal de jouer.

Aller au spectacle, c'était pour moi aller voir des gens, apparemment sérieux, se donner en spectacle. Pourtant je ne suis pas un esprit absolument terre à terre. Je ne suis pas un ennemi de l'imaginaire. J'ai même toujours pensé que la vérité de la fiction est plus profonde, plus chargée de signification que la réalité quotidienne. Le réalisme, socialiste ou pas, est en deçà de la réalité. Il la rétrécit, l'atténue, la fausse, il ne tient pas compte de nos vérités et obsessions fondamentales : l'amour, la mort, l'étonnement. Il présente l'homme dans une perspective réduite, aliénée; notre vérité est dans nos rêves, dans l'imagination; tout, à chaque instant, confirme cette affirmation. La fiction a précédé la science. Tout ce que nous rêvons, c'est-à-dire tout ce que nous désirons, est vrai (le mythe d'Icare a précédé l'aviation, et si Ader et Blériot ont volé, c'est parce que tous les hommes avaient rêvé l'envol). Il n'y a de vrai que le mythe : l'histoire, tentant de le réaliser, le défigure, le rate à moitié; elle est imposture, mystification, quand elle prétend avoir « réussi ». Tout ce que nous rêvons est réalisable. La réalité n'a pas à être réalisable : elle n'est que ce qu'elle est. C'est le rêveur, ou le penseur, ou le savant, qui est le révolutionnaire, c'est lui qui tente de changer le monde.

La fiction ne me gênait pas du tout dans le roman et je l'admettais au cinéma. La fiction romanesque ainsi que mes propres rêves s'imposaient à moi tout naturellement comme une réalité possible. Le jeu des acteurs de cinéma ne provoquait pas en moi ce malaise indéfinissable, cette gêne produite par la représentation au théâtre.

Pourquoi la réalité théâtrale ne s'imposait-elle pas à moi? Pourquoi sa vérité me semblait-elle fausse? Et le faux, pourquoi me semblait-il vouloir se donner pour vrai, se substituer au vrai? Était-ce la faute des comédiens? du texte? la mienne? Je crois comprendre maintenant que ce qui me gênait au théâtre, c'était la présence sur le plateau des personnages en chair et en os. Leur présence matérielle détruisait la fiction. Il y avait là comme deux plans de réalité, la réalité concrète, matérielle, appauvrie, vidée, limitée, de

ces hommes vivants, quotidiens, bougeant et parlant sur
scène, et la réalité de l'imagination, toutes deux face à face,
ne se recouvrant pas, irréductibles l'une à l'autre : deux
univers antagonistes n'arrivant pas à s'unifier, à se
confondre.

En effet, c'était bien cela : chaque geste, chaque attitude,
chaque réplique dite sur scène détruisait, à mes yeux, un
univers que ce geste, cette attitude, cette réplique se proposait justement de faire surgir; le détruisait avant même de le
faire surgir : c'était pour moi un véritable avortement, une
sorte de faute, une sorte de niaiserie. Si vous vous bouchez
les oreilles pour ne pas entendre la musique de danse que
joue l'orchestre, mais que vous continuiez à regarder les
danseurs, vous pouvez voir combien ils vous paraissent
ridicules, et leurs mouvements insensés; de même, si quelqu'un se trouvait pour la première fois à la célébration d'un
culte religieux, tout le cérémonial lui paraîtrait incompréhensible et absurde.

C'est avec une conscience en quelque sorte désacralisée
que j'assistais au théâtre, et c'est ce qui fait que je ne l'aimais
pas, ne le sentais pas, n'y croyais pas.

Un roman, c'est une histoire que l'on vous raconte;
inventée ou non, cela n'a pas d'importance, rien ne vous
empêche d'y croire; un film, c'est une histoire imaginaire
que l'on vous fait voir. C'est un roman en images, un roman
illustré; un film est donc aussi une histoire racontée, visuel-
lement, bien sûr, cela ne change rien à sa nature, on peut y
croire; la musique, c'est une combinaison de sons, une
histoire de sons, des aventures auditives; un tableau, c'est
une organisation ou une désorganisation de formes, de
couleurs, de plans, il n'y a pas lieu d'y croire ou de n'y pas
croire; il est là, il est évidence. Il suffit que ses éléments
correspondent aux exigences idéales de la composition, de
l'expression picturales. Roman, musique, peinture, sont des
constructions pures, ne contenant pas d'éléments qui leur
soient hétérogènes; voilà pourquoi elles tiennent et sont
admissibles. Le cinéma lui-même peut tenir, puisqu'il est
une suite d'images, c'est ce qui fait que lui aussi est pur,
alors que le théâtre me semblait essentiellement impur :
la fiction y était mêlée à des éléments qui lui étaient étran-

gers; elle était imparfaitement fiction, oui, une matière brute n'ayant pas subi une indispensable transformation, une mutation. En somme tout m'exaspérait au théâtre. Lorsque je voyais les comédiens s'identifier totalement aux personnages dramatiques et pleurer, par exemple, sur scène, avec de vraies larmes, cela m'était insupportable, je trouvais que c'était proprement indécent.

Lorsque, au contraire, je voyais le comédien trop maître de son personnage, hors de son personnage, le dominant, se séparant de lui, comme le voulaient Diderot ou Jouvet, ou Piscator, ou, après lui, Brecht, cela me déplaisait autant. Cela aussi me paraissait être un mélange inaccep- table de vrai et de faux, car je sentais le besoin de cette néces- saire transformation ou transposition de la réalité que seule la fiction, la création artistique peut rendre significative, plus « vraie », plus dense et que les didactismes réalistes ne font qu'alourdir et appauvrir à la fois, au niveau de la sous- idéologie. Je n'aimais pas l'acteur, la vedette, que je considérais comme un principe anarchique, dissolvant, détruisant à son profit l'unité de l'organisation scénique, et qui tire tout à soi au détriment de l'intégration cohérente des éléments du spectacle. Mais la déshumani- sation du comédien, telle que la pratiquaient Piscator ou Brecht, ce disciple de Piscator, qui faisaient du comédien un simple pion du jeu d'échecs du spectacle, un instrument sans vie, sans feu, sans participation ni invention personnelle, au profit, cette fois, de la mise en scène qui, à son tour, tirait tout à elle, cette primauté de l'organisation m'exaspérait autant; me donnait, littéralement, la sensation d'un étouffe- ment : annuler l'initiative du comédien, tuer le comédien, c'est tuer la vie et le spectacle.

Plus tard, c'est-à-dire tout dernièrement, je me suis rendu compte que Jean Vilar, dans ses mises en scène, avait su trouver le dosage indispensable, en respectant la nécessité de la cohésion scénique sans déshumaniser le comédien, rendant ainsi au spectacle son unité, au comédien sa liberté, à mi-chemin entre le style de l'Odéon (au-delà donc des exagérations déclamatoires genre Sarah Bernhardt ou Mou- net-Sully) aussi bien que de la caserne brechtienne ou piscatoresque. Mais c'est là, chez Vilar, affaire de tact, sens instinctif du théâtre, non pas expression de théories sur le théâtre, ni de dogmes immuables.

Je ne voyais pas toutefois assez comment échapper à ce véritable malaise que me procurait la conscience de l'impureté du théâtre joué. Je n'étais vraiment pas un spectateur agréable, mais, au contraire, maussade, grognon, toujours mécontent. Était-ce dû à une sorte d'infirmité qui ne tenait que de moi ? ou tenait-elle du théâtre ?

Les textes mêmes de théâtre que j'avais pu lire me déplaisaient. Pas tous ! Car je n'étais pas fermé à Sophocle ou à Eschyle, ni à Shakespeare, ni par la suite à certaines pièces de Kleist ou de Büchner. Pourquoi ? Parce que tous ces textes sont extraordinaires à la lecture pour des qualités littéraires qui ne sont peut-être pas spécifiquement théâtrales, pensais-je. En tout cas, depuis Shakespeare et Kleist, je ne crois pas avoir pris de plaisir à la lecture des pièces de théâtre. Strindberg me semblait insuffisant, maladroit. Molière lui-même m'ennuyait. Ces histoires d'avares, d'hypocrites, de cocus, ne m'intéressaient pas. Son esprit amétaphysique me déplaisait. Shakespeare mettait en cause la totalité de la condition et du destin de l'homme. Les problèmes moliéresques me semblaient, tout compte fait, relativement secondaires, parfois douloureux, certes, dramatiques même, jamais tragiques ; car pouvant être résolus. On ne peut trouver de solution à l'insoutenable, et seul ce qui est insoutenable est profondément tragique, profondément comique, essentiellement théâtre.

D'autre part, les pièces de Shakespeare, dans leur grandeur, me semblaient diminuées à la représentation. Aucun spectacle shakespearien ne me captivait autant que la lecture de *Hamlet*, d'*Othello*, de *Jules César*, etc. Peut-être, comme j'allais rarement au spectacle, n'ai-je pas vu les meilleures représentations du théâtre shakespearien ? En tout cas, la représentation me donnait l'impression de rendre soutenable l'insoutenable. C'était un apprivoisement de l'angoisse.

Je ne suis donc vraiment pas un amateur de théâtre, encore moins un homme de théâtre. Je détestais vraiment le théâtre. Il m'ennuyait. Et pourtant, non. Je me souviens

encore que, dans mon enfance, ma mère ne pouvait m'arracher
du guignol au jardin du Luxembourg. J'étais là, je pouvais
rester là, envoûté, des journées entières. Je ne riais pas pourtant. Le spectacle du guignol me tenait là, comme stupéfait,
par la vision de ces poupées qui parlaient, qui bougeaient,
se matraquaient. C'était le spectacle même du monde, qui,
insolite, invraisemblable, mais plus vrai que le vrai, se
présentait à moi sous une forme infiniment simplifiée et
caricaturale, comme pour en souligner la grotesque et brutale
vérité. Plus tard aussi, jusqu'à quinze ans, n'importe quelle
pièce de théâtre me passionnait, et n'importe quelle pièce me
donnait le sentiment que le monde est insolite, sentiment
aux racines si profondes qu'il ne m'a jamais abandonné.
Chaque spectacle réveillait en moi ce sentiment de l'étrangeté du monde, qui ne m'apparaissait nulle part mieux qu'au
théâtre. J'ai pourtant écrit à treize ans une pièce, ma première œuvre, qui n'avait rien d'insolite. C'était une pièce
patriotique : l'extrême jeunesse excuse tout.

Quand n'ai-je plus aimé le théâtre ? A partir du moment où,
devenant un peu lucide, acquérant de l'esprit critique, j'ai
pris conscience des ficelles, des grosses ficelles du théâtre,
c'est-à-dire à partir du moment où j'ai perdu toute naïveté.
Quels sont les monstres sacrés du théâtre qui pourraient nous
la restituer ? Et au nom de quelle magie valable aurait-il le
droit de prétendre nous envoûter ? Il n'y a plus de magie;
il n'y a plus de sacré : aucune raison, aucune justification
n'est suffisante pour le faire renaître en nous.

D'ailleurs, rien n'est plus difficile que d'écrire pour le
théâtre. Les romans, les poèmes demeurent. Leur efficacité
n'est pas émoussée, même après des siècles. On prend intérêt
à la lecture de beaucoup d'œuvres mineures du xixe, du
xviiie, du xviie siècle. Combien d'œuvres plus anciennes
encore ne nous intéressent-elles pas ? Et toute la peinture,
toute la musique résistent. Les moindres têtes sculptées
de tant de cathédrales ont conservé vivantes une intacte
fraîcheur, une naïveté émouvante, et nous continuerons
d'être sensibles aux rythmes architecturaux des monuments
des civilisations les plus reculées qui, par ces monuments,
se révèlent à nous, parlent un langage direct et précis. Mais
le théâtre ?

Certains reprochent aujourd'hui au théâtre de ne pas être de son temps. A mon avis, il l'est trop. C'est ce qui fait sa faiblesse et son éphémérité. Je veux dire que le théâtre est de son temps tout en ne l'étant pas assez. Chaque temps demande l'introduction d'un « hors temps » incommunicable, dans le temps, dans le communicable. Tout est moment circonscrit dans l'histoire, bien sûr. Mais dans chaque moment est toute l'histoire : toute histoire est valable lorsqu'elle est transhistorique; dans l'individuel on lit l'universel.

Les thèmes que beaucoup d'auteurs choisissent ne relèvent que d'une certaine mode idéologique, ce qui est moins que l'époque. Ou alors ces thèmes expriment telle ou telle pensée politique très particulière, et les pièces qui les illustrent mourront avec cette idéologie dont ils sont tributaires, car les idéologies se périment. N'importe quel tombeau chrétien, n'importe quelle stèle grecque ou étrusque touchent davantage, en disent plus sur le destin de l'homme que tant de pièces laborieusement engagées, qui se font l'instrument de disciplines, de systèmes d'expression, de langages, autres que ceux qui leur sont propres.

Il est vrai que tous les auteurs ont voulu faire de la propagande. Les grands sont ceux qui ont échoué, qui, consciemment ou non, ont accédé à des réalités plus profondes, plus universelles. Rien de plus précaire que les œuvres théâtrales. Elles peuvent se soutenir un temps très court et vite s'épuisent, ne révélant plus que leurs ficelles.

Corneille, sincèrement, m'ennuie. Nous ne l'aimons peut-être (sans y croire) que par habitude. Nous y sommes forcés. Il nous a été imposé en classe. Schiller m'est insupportable. Les pièces de Marivaux m'ont paru longtemps des jeux futiles. Les comédies de Musset sont minces, celles de Vigny injouables. Les drames sanglants de Victor Hugo nous font rire aux éclats; en revanche, quoi qu'on en dise, on a assez de mal à rire à la plupart des pièces comiques de Labiche. Dumas fils, avec sa *Dame aux Camélias*, est d'une sentimentalité ridicule. Et les autres! Oscar Wilde? facile; Ibsen? lourdaud; Strindberg? maladroit. Un auteur contemporain dont la tombe est encore fraîche, Giraudoux, ne passe plus toujours la rampe; autant que le théâtre de Cocteau, il nous paraît factice, superficiel. Son brillant s'est terni :

procédés théâtraux trop évidents chez Cocteau ; procédés et
ficelles de langage, ficelles distinguées, bien sûr, mais ficelles
tout de même chez Giraudoux.

Pirandello lui-même est dépassé, son théâtre étant fondé
sur des théories de la personnalité ou de la vérité aux faces
multiples, théories qui, depuis la psychanalyse et les psychologies des profondeurs, semblent claires comme le jour.
En confirmant la justesse des théories pirandelliennes, la
psychologie moderne, allant nécessairement plus loin que
Pirandello dans l'exploration de la psyché humaine, donne
une valabilité certaine à Pirandello, mais en même temps
rend Pirandello insuffisant et inutile : puisqu'elle dit mieux,
plus scientifiquement que Pirandello, ce qui a été dit par
Pirandello. La valeur du théâtre de celui-ci ne tient donc pas
à son apport en psychologie, mais à sa qualité théâtrale,
qui est nécessairement ailleurs : ce n'est plus, chez cet auteur,
la découverte des antagonismes de la personnalité qui nous
intéresse, mais ce qu'il en fait, dramatiquement. Son intérêt
proprement théâtral est extra-scientifique, il est au-delà de
son idéologie. Seule, reste chez Pirandello sa mécanique
théâtrale, son jeu : preuve encore que le théâtre qui n'est
bâti que sur une idéologie, une philosophie, et qui ne doit
tout qu'à cette idéologie et à cette philosophie, est bâti
sur du sable, s'effondre. C'est son langage théâtral, son instinct purement théâtral qui fait que Pirandello est aujour-
d'hui encore vivant.

De même, ce n'est pas la vérité psychologique des passions,
chez Racine, qui maintient son théâtre ; mais bien ce que
Racine a fait, en tant que poète et homme de théâtre, de ces
vérités.

Si on comptait les dramaturges qui peuvent émouvoir
encore le public, on en trouverait, à travers les siècles, une
vingtaine... une trentaine tout au plus. Mais les tableaux, les
poèmes et les romans qui nous parlent se comptent par milliers. La naïveté nécessaire à l'œuvre d'art manque au théâtre.
Je ne dis pas qu'un poète dramatique ne puisse apparaître,
un grand naïf ; mais, pour le moment, je ne le vois pas poindre
à l'horizon. J'entends une naïveté lucide, jaillissant des sources
profondes de l'être, les révélant, nous les révélant à nous-
mêmes, nous restituant notre naïveté, notre être secret.

Pour le moment, plus de naïfs, ni parmi les spectateurs, ni parmi les auteurs.

Qu'y a-t-il donc à reprocher aux auteurs dramatiques, aux pièces de théâtre? Leurs ficelles, disais-je, c'est-à-dire leurs procédés trop évidents. Le théâtre peut paraître un genre littéraire inférieur, un genre mineur. Il fait toujours un peu gros. C'est un art à effets, sans doute. Il ne peut s'en dispenser et c'est ce qu'on lui reproche. Les effets ne peuvent être que gros. On a l'impression que les choses s'y alourdissent. Les nuances des textes de littérature s'éclipsent. Un théâtre de subtilités littéraires s'épuise vite. Les demi-teintes s'obscurcissent ou disparaissent dans une clarté trop grande. Pas de pénombre, pas de raffinement possible. Les démonstrations, les pièces à thèse sont grossières, tout y est approximatif. Le théâtre n'est pas le langage des idées. Quand il veut se faire le véhicule des idéologies, il ne peut être que leur vulgarisateur. Il les simplifie dangereusement. Il les rend primaires, les rabaisse. Il devient « naïf », mais dans le mauvais sens. Tout théâtre d'idéologie risque de n'être que théâtre de patronage. Quelle serait, non pas son utilité, mais sa fonction propre, si le théâtre était condamné à faire uniquement double emploi avec la philosophie, ou la théologie, ou la politique, ou la pédagogie? Un théâtre psychologique est insuffisamment psychologique. Mieux vaut lire un traité de psychologie. Un théâtre idéologique est insuffisamment philosophique. Au lieu d'aller voir l'illustration dramatique de telle ou telle politique, je préfère lire mon quotidien habituel ou écouter parler les candidats de mon parti.

Mécontents de la grosse naïveté, du caractère rudimentaire du théâtre, des philosophes, des littérateurs, des idéologues, des poètes raffinés, des gens intelligents essaient de rendre le théâtre intelligent. Ils écrivent avec intelligence, avec goût, avec talent. Ils y mettent ce qu'ils pensent, ils expriment leurs conceptions sur la vie, sur le monde, considèrent que la pièce de théâtre doit être une sorte de présentation d'une thèse, dont apparaît, sur scène, la solution. Ils donnent parfois à leurs œuvres la structure d'un syllogisme dont les prémisses seraient les deux premiers actes et dont le troisième acte serait la conclusion.

On ne peut nier que la construction ne soit parfois excellente. Pourtant, cela ne correspond pas à notre exigence théâtrale puisque cela ne fait pas sortir le théâtre de cette zone intermédiaire qui n'est ni tout à fait l'art, auquel la pensée discursive ne peut servir que d'aliment, ni tout à fait le plan supérieur de la pensée.

Doit-on renoncer au théâtre si l'on refuse de lui assigner un rôle de patronage, ou de l'asservir à d'autres formes des manifestations de l'esprit, à d'autres systèmes d'expression ? Peut-il avoir son autonomie comme la peinture ou la musique ?

Le théâtre est un des arts les plus anciens. Je pense tout de même que l'on ne peut s'en passer. On ne peut pas ne pas céder au désir de faire apparaître sur une scène des personnages vivants, à la fois réels et inventés. On ne peut pas résister à ce besoin de les faire parler, vivre devant nous. Incarner les phantasmes, donner la vie, c'est une aventure prodigieuse, irremplaçable, au point qu'il m'est arrivé à moi-même d'être ébloui, en voyant soudain se mouvoir sur le plateau des « Noctambules », à la répétition de ma première pièce, des personnages sortis de moi. J'en fus effrayé. De quel droit avais-je fait cela ? Était-ce permis ? Et Nicolas Bataille, mon interprète, comment pouvait-il devenir M. Martin ?... C'était presque diabolique. Ainsi ce n'est que lorsque j'ai écrit pour le théâtre, tout à fait par hasard et dans l'intention de le tourner en dérision, que je me suis mis à l'aimer, à le redécouvrir en moi, à le comprendre, à en être fasciné ; et j'ai compris ce que, moi, j'avais à faire.

Je me suis dit que les écrivains de théâtre trop intelligents ne l'étaient pas assez, que les penseurs ne pouvaient, au théâtre, trouver le langage du traité philosophique ; que, lorsqu'ils voulaient apporter au théâtre trop de subtilités et de nuances, c'était à la fois trop et pas assez ; que, si le théâtre n'était qu'un grossissement déplorable des nuances, qui me gênait, c'est qu'il n'était qu'un grossissement insuffisant. Le trop gros n'était pas assez gros, le trop peu nuancé était trop nuancé.

Si donc la valeur du théâtre était dans le grossissement

des effets, il fallait les grossir davantage encore, les souligner, les accentuer au maximum. Pousser le théâtre au-delà
de cette zone intermédiaire qui n'est ni théâtre, ni littérature,
c'est le restituer à son cadre propre, à ses limites naturelles.
Il fallait non pas cacher les ficelles, mais les rendre plus
visibles encore, délibérément évidentes, aller à fond dans le
grotesque, la caricature, au-delà de la pâle ironie des spirituelles comédies de salon. Pas de comédies de salon, mais
la farce, la charge parodique extrême. Humour, oui, mais
avec les moyens du burlesque. Un comique dur, sans finesse,
excessif. Pas de comédies dramatiques, non plus. Mais revenir à l'insoutenable. Pousser tout au paroxysme, là où sont
les sources du tragique. Faire un théâtre de violence : violemment comique, violemment dramatique.

Éviter la psychologie ou plutôt lui donner une dimension
métaphysique. Le théâtre est dans l'exagération extrême
des sentiments, exagération qui disloque la plate réalité
quotidienne. Dislocation aussi, désarticulation du langage.

Si d'autre part les comédiens me gênaient parce qu'ils
me paraissaient trop peu naturels, c'est peut-être parce qu'eux
aussi étaient ou voulaient être trop naturels : en renonçant
à l'être, ils le redeviendront peut-être d'une autre manière.
Il faut qu'ils n'aient pas peur de ne pas être naturels.

Pour s'arracher au quotidien, à l'habitude, à la paresse
mentale qui nous cache l'étrangeté du monde, il faut recevoir
comme un véritable coup de matraque. Sans une virginité
nouvelle de l'esprit, sans une nouvelle prise de conscience,
purifiée, de la réalité existentielle, il n'y a pas de théâtre,
il n'y a pas d'art non plus; il faut réaliser une sorte de dislocation du réel, qui doit précéder sa réintégration.

A cet effet, on peut employer parfois un procédé : jouer
contre le texte. Sur un texte insensé, absurde, comique,
on peut greffer une mise en scène, une interprétation grave,
solennelle, cérémonieuse. Par contre, pour éviter le ridicule
des larmes faciles, de la sensiblerie, on peut, sur un texte
dramatique, greffer une interprétation clownesque, souligner,
par la farce, le sens tragique d'une pièce. La lumière rend
l'ombre plus obscure, l'ombre accentue la lumière. Je n'ai
jamais compris, pour ma part, la différence que l'on fait
entre comique et tragique. Le comique étant intuition de

l'absurde, il me semble plus désespérant que le tragique. Le comique n'offre pas d'issue. Je dis : « désespérant », mais, en réalité, il est au-delà ou en deçà du désespoir ou de l'espoir.

Pour certains, le tragique peut paraître, en un sens, réconfortant, car, s'il veut exprimer l'impuissance de l'homme vaincu, brisé par la fatalité par exemple, le tragique reconnaît, par là même, la réalité d'une fatalité, d'un destin, de lois régissant l'Univers, incompréhensibles parfois, mais objectives. Et cette impuissance humaine, cette inutilité de nos efforts peut aussi, en un sens, paraître comique.

J'ai intitulé mes comédies « anti-pièces », « drames comiques », et mes drames « pseudo-drames », ou « farces tragiques », car, me semble-t-il, le comique est tragique, et la tragédie de l'homme, dérisoire. Pour l'esprit critique moderne, rien ne peut être pris tout à fait au sérieux, rien tout à fait à la légère. J'ai tenté, dans *Victimes du Devoir*, de noyer le comique dans le tragique; dans *Les Chaises*, le tragique dans le comique ou, si l'on veut, d'opposer le comique au tragique pour les réunir dans une synthèse théâtrale nouvelle. Mais ce n'est pas une véritable synthèse, car ces deux éléments ne se fondent pas l'un dans l'autre, ils coexistent, se repoussent l'un l'autre en permanence; se mettent en relief l'un par l'autre; se critiquent, se nient mutuellement, pouvant constituer ainsi, grâce à cette opposition, un équilibre dynamique, une tension. Ce sont, je crois, mes pièces : *Victimes du Devoir* et *Le Nouveau Locataire*, qui ont le mieux répondu à ce besoin.

De même, on peut opposer le prosaïque au poétique, et le quotidien à l'insolite. C'est ce que j'ai tenté de faire dans *Jacques ou la Soumission*, que j'ai intitulée aussi « Comédie naturaliste », parce qu'en partant d'un ton naturaliste j'ai essayé de dépasser le naturalisme.

De même, *Amédée ou comment s'en débarrasser*, dont l'action se passe dans l'appartement d'un ménage de petits-bourgeois, est une pièce réaliste dans laquelle j'introduisais des éléments fantastiques, servant à la fois à détruire et à souligner, par contraste, le « réalisme ».

Dans ma première pièce : *La Cantatrice chauve*, qui tentait d'être, au départ, une parodie du théâtre et, par là, une paro-

die d'un certain comportement humain, c'est en m'enfon-
çant dans le banal, en poussant à fond, jusque dans leurs
dernières limites, les clichés les plus éculés du langage de
tous les jours que j'ai essayé d'atteindre à l'expression de
l'étrange où me semble baigner toute l'existence. Tragique
et farce, prosaïsme et poétique, réalisme et fantastique,
quotidien et insolite, voilà peut-être les principes contradictoires (il n'y a de théâtre que s'il y a des antagonismes)
qui constituent les bases d'une construction théâtrale possible. De cette façon, peut-être, le non-naturel peut apparaître, dans sa violence, naturel, et le trop naturel apparaître non naturaliste.

Dois-je ajouter qu'un théâtre primitif n'est pas un théâtre
primaire; que refuser d' « arrondir les angles », c'est donner
des contours nets, des formes plus puissantes, et qu'un
théâtre utilisant des moyens simples n'est pas forcément
un théâtre simpliste.

Si l'on pense que le théâtre n'est que théâtre de la parole,
il est difficile d'admettre qu'il puisse avoir un langage autonome. Il ne peut être que tributaire des autres formes de
pensée qui s'expriment par la parole, tributaire de la philosophie, de la morale. Les choses sont différentes si l'on considère que la parole ne constitue qu'un des éléments de choc
du théâtre. D'abord le théâtre a une façon propre d'utiliser
la parole, c'est le dialogue, c'est la parole de combat, de
conflit. Si elle n'est que discussion chez certains auteurs,
c'est une grande faute de leur part. Il existe d'autres moyens
de théâtraliser la parole : en la portant à son paroxysme,
pour donner au théâtre sa vraie mesure, qui est dans la
démesure; le verbe lui-même doit être tendu jusqu'à ses
limites ultimes, le langage doit presque exploser, ou se
détruire, dans son impossibilité de contenir les significations.

Mais il n'y a pas que la parole : le théâtre est une histoire
qui se vit, recommençant à chaque représentation, et c'est
aussi une histoire que l'on voit vivre. Le théâtre est autant
visuel qu'auditif. Il n'est pas une suite d'images, comme le
cinéma, mais une construction, une architecture mouvante
d'images scéniques.

Tout est permis au théâtre : incarner des personnages,

mais aussi matérialiser des angoisses, des présences inté-
rieures. Il est donc non seulement permis, mais recommandé
de faire jouer les accessoires, faire vivre les objets, animer
les décors, concrétiser les symboles.

De même que la parole est continuée par le geste, le jeu,
la pantomime, qui, au moment où la parole devient insuffisante, se substituent à elle, les éléments scéniques matériels
peuvent l'amplifier à leur tour. L'utilisation des accessoires
est encore un autre problème. (Artaud en a parlé.)

Quand on dit que le théâtre doit être uniquement social,
ne s'agit-il pas, en réalité, d'un théâtre politique et, bien
sûr, dans tel sens ou dans tel autre. Être social est une chose;
être « socialiste » ou « marxiste » ou « fasciste » est autre
chose, — c'est l'expression d'une prise de conscience insuffisante : plus je vois les pièces de Brecht, plus j'ai l'impression que le temps, et son temps, lui échappent : son homme a
une dimension en moins, son époque est falsifiée par son
idéologie même qui rétrécit son champ; c'est un défaut
commun aux idéologues et aux gens diminués par leur
fanatisme.

Puis on peut être social malgré soi, puisque nous sommes
pris, tous, dans une sorte de complexe historique et que
nous appartenons à un certain moment de l'histoire — qui,
cependant, est loin de nous absorber entièrement et qui, au
contraire, n'exprime et ne contient que la part la moins
essentielle de nous-mêmes.

J'ai parlé surtout d'une certaine technique, du langage
de théâtre, le langage qui est le sien. La matière, ou les
thèmes sociaux, peuvent très bien constituer, à l'intérieur de
ce langage, matière et thèmes du théâtre. On est peut-être
objectif à force de subjectivité. Le particulier rejoint la
généralité et la société est évidemment une donnée objective : cependant, je vois le social, c'est-à-dire plutôt l'expression historique du temps auquel nous appartenons, ne
serait-ce que par le langage (et tout langage est aussi historique, circonscrit dans son temps, c'est indéniable), je vois
cette expression historique impliquée tout naturellement
dans l'œuvre d'art, qu'on le veuille ou non, consciente ou

non, mais plus vivante, plus spontanée, que délibérée ou idéologique.

D'ailleurs le temporel ne va pas à l'encontre de l'intemporel et de l'universel : il s'y soumet au contraire.

Il y a des états d'esprit, des intuitions, absolument extratemporelles, extra-historiques. Lorsque je me réveille, par un matin de grâce, aussi bien de mon sommeil nocturne que du sommeil mental de l'accoutumance, et que je prends soudain conscience de mon existence, et de la présence universelle, que tout me paraît étrange, et à la fois familier, lorsque l'étonnement d'être m'envahit, ce sentiment, cette intuition appartient à n'importe quel homme, à n'importe quel temps. Cet état d'esprit, on peut le retrouver exprimé presque avec les mêmes mots chez des poètes, des mystiques, des philosophes, qui le ressentent exactement comme je le ressens, et comme l'ont certainement ressenti tous les hommes, s'ils ne sont pas morts spirituellement ou aveuglés par les besognes de la politique; on peut retrouver cet état d'esprit, clairement exprimé, absolument le même, aussi bien au Moyen Age que dans l'Antiquité ou à n'importe quel siècle « historique ». Dans cet instant éternel, le cordonnier et le philosophe, l' « esclave » et le « maître », le prêtre et le profane se rencontrent, s'identifient.

Historique et anhistorique se soudent, se rejoignent également dans la poésie, la peinture. L'image de la femme qui se coiffe est identique dans certaines miniatures persanes et dans des stèles grecques et étrusques, dans des fresques égyptiennes; un Renoir, un Manet, des peintres du XVIIe ou du XVIIIe siècle n'ont pas eu besoin de connaître les peintures des autres époques, pour retrouver et exprimer la même attitude, ressentir la même émotion devant cette attitude habitée par la même inaltérable grâce sensuelle. Il s'agit là, comme dans le premier exemple, d'une permanence affective. Le style pictural dans lequel cette image est rendue est différent (souvent à peine), suivant les époques. Pourtant ce « différent », qui se révèle secondaire, n'est qu'un soutien lumineux du permanent. Les preuves sont là pour nous dire comment le temporel, ou l' « historicité », pour employer un mot à la mode, se joint, s'identifie à l'intemporel, à l'universel, à la sur-historicité, comment l'un et l'autre se soutiennent.

Pour choisir un grand exemple dans notre domaine : au théâtre, lorsque, déchu, Richard II est prisonnier dans sa cellule, abandonné, ce n'est pas Richard II que j'y vois, mais tous les rois déchus de la terre; et non seulement tous les rois déchus, mais aussi nos croyances, nos valeurs, nos vérités désacralisées, corrompues, usées, les civilisations qui s'effondrent, le destin. Lorsque Richard II meurt, c'est bien à la mort de ce que j'ai de plus cher que j'assiste; c'est moi-même qui meurs avec Richard II. Richard II me fait prendre une conscience aiguë de la vérité éternelle que nous oublions à travers les histoires, cette vérité à laquelle nous ne pensons pas et qui est simple et infiniment banale : je meurs, tu meurs, il meurt. Ainsi, ce n'est pas de l'histoire, en fin de compte, que fait Shakespeare, bien qu'il se serve de l'histoire; ce n'est pas de l'histoire, mais il me présente *mon* histoire, *notre* histoire, *ma* vérité au-delà des temps, à travers un temps allant au-delà du temps, rejoignant une vérité universelle, impitoyable. En fait, le chef-d'œuvre théâtral a un caractère supérieurement exemplaire : il me renvoie mon image, il est miroir, il est prise de conscience, histoire — orientée au-delà de l'histoire vers la vérité la plus profonde. On peut trouver que les raisons, données par tel ou tel auteur, des guerres, des luttes civiles, des rivalités pour le pouvoir, sont justes ou non, on peut être d'accord ou non avec ces explications. Mais on ne peut nier que tous les rois se soient effondrés, qu'ils soient morts, et la prise de conscience de cette réalité, de cette évidence permanente, de l'éphémérité de l'homme, conjuguée avec son besoin d'éternité, se fait, évidemment, avec l'émotion la plus profonde, avec la conscience tragique la plus aiguë, avec passion. L'art est le domaine de la passion, non pas celui de l'enseignement scolaire; il s'agit — dans cette tragédie des tragédies — de la révélation de la plus douloureuse réalité; j'apprends ou je réapprends ce à quoi je ne pensais plus, je l'apprends de la seule manière poétique possible, en participant avec une émotion qui n'est pas mystifiée ou dénaturée, et qui a rompu les barrages en papier des idéologies, du maigre esprit critique ou « scientifique ». Je ne risque d'être

berné que lorsque j'assiste à une pièce à thèse, non à évidence :
une pièce idéologique, engagée, pièce d'imposture et non
pas poétiquement, profondément vraie, comme seules la
poésie, la tragédie peuvent être vraies. Tous les hommes
meurent dans la solitude; toutes les valeurs se dégradent
dans le mépris : voilà ce que me dit Shakespeare. « La cellule
de Richard est bien celle de toutes les solitudes. » Peut-être
Shakespeare a-t-il voulu raconter l'histoire de Richard II :
s'il n'avait raconté que cela, cette *histoire d'un autre*, il ne
me toucherait pas. Mais la prison de Richard II est une vérité
qui n'a pas sombré avec l'histoire : ses murs invisibles tiennent toujours, alors que tant de philosophies, de systèmes
se sont effondrés à jamais. Et tout cela tient parce que ce
langage est celui de l'évidence vivante, non pas celui de la
pensée discursive et démonstrative; la prison de Richard
est là, devant moi, au-delà de toute démonstration; le théâtre
est cette présence éternelle et vivante; il répond, sans aucun
doute, aux structures essentielles de la vérité tragique, de
la réalité théâtrale; son évidence n'a rien à voir avec les
vérités précaires des abstractions, ni avec le théâtre dit idéologique : il s'agit là d'archétypes théâtraux, de l'essence du
théâtre, du langage théâtral. D'un langage qui est perdu de
nos jours, où l'allégorie, l'illustration scolaire semblent se
substituer à l'image de la vérité vivante, qu'il faut retrouver.
Tout langage évolue mais évoluer, se renouveler, ce n'est
pas s'abandonner et devenir autre chose; c'est se retrouver,
à chaque fois, à chaque moment historique. On évolue
conformément à soi-même. Le langage de théâtre ne peut
jamais être que langage de théâtre.

Le langage de la peinture, celui de la musique ont évolué
et se sont toujours encadrés dans le style culturel de leur
temps, mais sans jamais perdre leur caractère pictural ou
musical. Et cette évolution de la peinture, par exemple, n'a
jamais été que redécouverte de la peinture, de son langage,
de son essence. La démarche de la peinture moderne nous
le montre clairement. Depuis Klee, Kandinsky, Mondrian,
Braque, Picasso, la peinture n'a fait qu'essayer de se libérer
de ce qui n'était pas peinture : littérature, anecdote, histoire,
photographie; les peintres tentent de redécouvrir les schèmes
fondamentaux de la peinture, les formes pures, la couleur en

soi. Là non plus, il ne s'agit pas d'esthétisme ni de ce qu'on
appelle aujourd'hui, un peu improprement, le formalisme,
mais bien de la réalité qui s'exprime picturalement, *dans
un langage aussi révélateur que celui de la parole ou des sons.* Si
l'on a pu croire d'abord qu'il s'agissait d'une certaine désa-
grégation du langage pictural, il ne s'agissait, dans le fond,
que d'une ascèse, d'une purification, du rejet d'un langage
parasitaire. De même, c'est après avoir désarticulé des personnages et des caractères théâtraux, après avoir rejeté
un faux langage de théâtre, qu'il faut tenter, comme on
l'a fait pour la peinture, de le réarticuler — purifié, essentialisé.

Le théâtre ne peut être que théâtre, bien que, pour certains docteurs actuels en « théâtralogie », cette identité
à soi-même soit considérée fausse, ce qui me paraît le plus
invraisemblable, le plus ahurissant des paradoxes.

Pour ces docteurs, le théâtre, étant autre chose que du
théâtre, est idéologie, allégorie, politique, conférences,
essais ou littérature. C'est aussi aberrant que si l'on prétendait que la musique doit être archéologie; la peinture,
physique ou mathématiques. Et le jeu de tennis n'importe
quoi, sauf un jeu de tennis.

En admettant que ce que j'ai avancé ne soit pas faux,
on peut me dire que ce n'est pas neuf du tout. Si on allait
jusqu'à dire que ce sont des vérités premières, j'en serais
tout heureux, car rien n'est plus difficile que de retrouver
les vérités premières, les données fondamentales, les certitudes. Les philosophes eux-mêmes ne cherchent qu'à découvrir les données sûres. Les vérités premières sont justement
ce que l'on perd de vue, ce que l'on oublie. Voilà pourquoi
l'on arrive à la confusion et pourquoi l'on ne s'entend plus.

D'ailleurs, ce que je viens de dire ne constitue pas une
théorie préconçue de l'art dramatique. Cela n'a pas précédé,
mais a suivi mon expérience toute personnelle du théâtre.
Ces quelques idées sont issues de ma réflexion sur mes
propres créations, bonnes ou mauvaises. Elles sont venues
après coup. Je n'ai pas d'idées avant d'écrire une pièce. J'en
ai une fois que j'ai écrit la pièce, ou pendant que je n'en

écris pas. Je crois que la création artistique est spontanée. Elle l'est pour moi. Encore une fois tout ceci est valable surtout pour moi; mais si je pouvais croire avoir découvert en moi-même les schèmes instinctifs permanents de la nature objective du théâtre, avoir tant soit peu dégagé l'essence de ce qui est théâtre, je serais bien fier. Toute idéologie est empruntée à une connaissance indirecte, secondaire, détournée, fausse; rien n'est vrai, pour l'artiste, en dehors de ce qu'il n'emprunte pas aux autres.

Pour un auteur dénommé d' « avant-garde », je vais encourir le reproche de n'avoir rien inventé. Je pense que l'on découvre en même temps qu'on invente, et que l'invention est découverte ou redécouverte; et si on me considère comme auteur d'avant-garde, ce n'est pas ma faute. C'est la critique qui me considère ainsi. Cela n'a pas d'importance. Cette définition en vaut une autre. Elle ne veut rien dire. C'est une étiquette.

Le surréalisme non plus n'est pas neuf. Il n'a fait que découvrir, tout en réinventant, mettre à jour un certain mode de connaissance ou certaines tendances de l'être humain que des siècles de rationalisme ont brimées et refoulées. Que veut libérer en somme le surréalisme? L'amour et le rêve. Comment peut-on avoir oublié que l'homme est animé par l'amour? Comment ne pas s'être aperçu que l'on rêvait? La révolution surréaliste était, comme toute révolution, un retour, une restitution, l'expression de besoins vitaux et spirituels indispensables. Si, finalement, il s'est figé, si on peut parler d'un académisme surréaliste, c'est que tout langage finit par s'user; de traditionnel et vivant il devient traditionaliste, sclérosé, il est « imité » : lui aussi, à son tour, doit être redécouvert; d'ailleurs, comme on sait, le surréalisme est lui-même un rajeunissement du romantisme; il a ses sources, entre autres, dans les puissances de rêve des romantiques allemands. C'est à partir d'une méthode redécouverte et d'un langage rajeuni que l'on peut élargir les frontières du réel connu. Si avant-garde il y a, elle ne peut être valable que si elle n'est pas une mode. Elle ne peut être que découverte instinctive, puis prise de conscience de modèles oubliés qui demandent, à chaque instant, d'être de nouveau découverts et rajeunis.

Je crois que l'on avait un peu oublié, ces derniers temps, ce que c'est que le théâtre. C'est moi le premier qui l'avais oublié; je pense l'avoir à nouveau découvert, pour moi, pas à pas, et je viens de décrire simplement mon expérience du théâtre.

Évidemment, une quantité de problèmes n'ont pas été abordés. Il reste à préciser comment il se fait, par exemple, qu'un écrivain de théâtre comme Feydeau, bien qu'il ait une technique, une mécanique parfaite, est beaucoup moins grand que d'autres écrivains de théâtre qui ont une technique parfaite, eux aussi, ou moins parfaite quelquefois. C'est que, en un sens, tout le monde est philosophe : c'est-à-dire que tout le monde découvre une partie du réel, celle qu'il peut découvrir par soi-même. Quand je dis philosophe, je n'entends pas le technicien de la philosophie, qui, lui, ne fait qu'exploiter les visions du monde des autres. En ce sens, puisque l'artiste appréhende directement le réel, il est un véritable philosophe. Et c'est de l'ampleur, de la profondeur, de l'acuité de sa vision vraiment philosophique, de sa philosophie vivante, que résulte sa grandeur. La qualité de l'œuvre artistique vient justement du fait que cette philosophie est « vivante », qu'elle est vie et non pas pensée abstraite. Une philosophie dépérit au moment où une philosophie nouvelle, un système nouveau la dépasse. Les philosophies vivantes que sont les œuvres d'art, au contraire, ne sont pas infirmées les unes par les autres. C'est pourquoi elles peuvent coexister. Les grands chefs-d'œuvre, les grands poètes, semblent se justifier, se compléter, se confirmer les uns les autres; Eschyle n'est pas annulé par Calderon, ni Shakespeare par Tchékov, ni Kleist par les « nô » japonais. Une théorie scientifique peut annuler une autre théorie scientifique, mais les vérités des œuvres d'art se soutiennent les unes les autres. C'est l'art qui semble justifier la possibilité d'un libéralisme métaphysique.

N. R. F., février 1958.

2

Controverses
et témoignages

L'Auteur n'enseigne pas : il invente.

Seul le théâtre impopulaire a des chances de devenir populaire. Le « populaire » n'est pas le peuple.

Discours
sur l'avant-garde[1]

Je suis, paraît-il, un auteur dramatique d'avant-garde.
La chose me paraît même évidente puisque je me trouve ici,
aux entretiens sur le théâtre d'avant-garde. Cela est tout
à fait officiel.

Maintenant, que veut dire avant-garde? Je ne suis pas
docteur en théâtralogie, ni en philosophie de l'art, à peine
ce qu'on appelle un homme de théâtre.

Si j'arrive à avoir certaines pensées sur le théâtre, elles
se réfèrent surtout à mon théâtre, car elles sont issues de
mon expérience créatrice; elles sont à peine normatives,
elles sont plutôt descriptives. J'espère, bien entendu, que
les règles qui me concernent doivent aussi concerner les
autres, car les autres sont en chacun de nous.

De toute façon les lois théâtrales que je crois découvrir
sont provisoires, mouvantes; elles ne précèdent pas, elles
suivent l'évolution de la création artistique. Que j'écrive
une nouvelle pièce de théâtre, et mon point de vue peut
être profondément modifié. Il arrive que je sois obligé de
me contredire et de ne plus savoir si je pense toujours ce
que je pense.

J'espère tout de même que quelques principes fondamentaux demeurent, sur lesquels consciemment et instinctivement je m'appuie. Encore une fois donc, je ne puis vous
faire part que d'une expérience toute personnelle.

1. Discours d'inauguration des *Entretiens de Helsinki sur le Théâtre d'Avant-
Garde*, organisés par l'Institut international du Théâtre, en juin 1959.

Toutefois, pour être sûr de ne pas faire de trop grosses erreurs, je me suis tout de même documenté avant de me présenter devant vous. J'ai ouvert mon dictionnaire Larousse au mot : Avant-garde. Et j'ai appris que l'avant-garde ce sont « les éléments précédant une force armée, de terre, de mer ou de l'air, pour préparer son entrée en action ».

Ainsi, analogiquement, l'avant-garde, au théâtre, serait constituée par un petit groupe d'auteurs de choc — quelquefois de metteurs en scène de choc — suivis, à quelque distance, par le gros de la troupe des acteurs, auteurs, animateurs. L'analogie est peut-être valable, si, comme le constate, à son tour, après beaucoup d'autres, Albérès, dans son livre sur *L'Aventure intellectuelle du XXe Siècle* : « par un phénomène que personne ne s'est jamais soucié d'expliquer (ce qui, en effet, semble difficile) la sensibilité littéraire (et artistique, bien entendu) a toujours, dans notre siècle, précédé les événements historiques qui devaient la confirmer. » En effet, Baudelaire, Kafka, Pirandello (« qui avait démonté le mécanisme des bons sentiments sociaux, familiaux et autres »), Dostoïevski ont été, avec juste raison, considérés comme des écrivains-prophètes.

Ainsi, l'avant-garde serait donc un phénomène artistique et culturel précurseur : ce qui correspondrait au sens littéral du mot. Elle serait une sorte de pré-style, la prise de conscience et la direction d'un changement... qui doit s'imposer finalement, un changement qui doit vraiment tout changer. Cela revient à dire que l'avant-garde ne peut être généralement reconnue qu'après coup, lorsqu'elle aura réussi, lorsque les écrivains et artistes d'avant-garde auront été suivis, lorsqu'ils auront créé une école dominante, un style culturel qui se serait imposé et aurait conquis une époque. Par conséquent, on ne peut s'apercevoir qu'il y a eu avant-garde que lorsque l'avant-garde n'existe plus en tant que telle, lorsqu'elle est devenue arrière-garde; lorsqu'elle aura été rejointe et même dépassée par le reste de la troupe. D'une troupe allant vers quoi ?

Je préfère définir l'avant-garde en termes d'opposition et de rupture. Tandis que la plupart des écrivains, artistes, penseurs s'imaginent être de leur temps, l'auteur rebelle a conscience d'être contre son temps. En réalité, les penseurs, artistes, ou personnalités de tous ordres n'épousent plus, à partir d'un certain moment, que des formes sclérosées; ils ont l'impression de s'installer de plus en plus solidement dans un ordre idéologique, artistique, social quelconque, — qui leur semble actuel mais qui déjà s'ébranle, a des fissures qu'ils ne soupçonnent pas. En effet, par la force même des choses, dès qu'un régime est installé, il est déjà dépassé. Dès qu'une forme d'expression est connue, elle est déjà périmée. Une chose dite est déjà morte, la réalité est au delà d'elle. Elle est une pensée figée. Une façon de parler — donc une façon d'être — imposée ou simplement admise est déjà inadmissible. L'homme d'avant-garde est comme un ennemi à l'intérieur même de la cité qu'il s'acharne à disloquer, contre laquelle il s'insurge, car, tout comme un régime, une forme d'expression établie est aussi une forme d'oppression. L'homme d'avant-garde est l'opposant vis-à-vis d'un système actuel. Il est un critique de ce qui est, le critique du présent, — non pas son apologiste. Critiquer le passé est facile, surtout lorsque les régimes au pouvoir vous y encouragent ou le tolèrent; ce n'est qu'une solidification de l'état actuel des choses, une sanctification de la sclérose, une courbure d'échine devant la tyrannie et les pompiérismes.

Mais limitons nos propos. Je me rends compte évidemment que je n'ai pas éclairci le problème. En effet, le mot avant-garde est pris dans divers sens. Ainsi, il peut être tout simplement assimilé au théâtre d'art, c'est-à-dire à un théâtre plus littéraire, plus exigeant, plus hardi par rapport à ce qu'on appelle, en France surtout, le théâtre du Boulevard. C'est ce que semble entendre Georges Pillement qui, dans son anthologie du théâtre, publiée en 1946, groupait les auteurs en deux catégories : ceux du Boulevard, parmi lesquels Robert de Flers voisinait avec François de Curel; ceux de l'avant-garde, parmi lesquels se trouvaient Claude-André Puget, aussi bien que Passeur, Jean Anouilh et Giraudoux. Cela semble aujourd'hui assez curieux : ces auteurs sont devenus presque des classiques. Mais Maurice Donnay, de son temps, aussi bien que Bataille, étaient des auteurs d'avant-garde puisqu'ils exprimaient une rupture, une nouveauté, une opposition. Finalement, ils se sont intégrés dans la tradition théâtrale et c'est ce qui doit arriver à toute avant-garde. En tout cas, ils ont représenté une protestation et la preuve en est que, au départ, la critique a mal accueilli ces auteurs et a protesté contre leurs protestations. La protestation de l'auteur d'avant-garde peut être une réaction contre le réalisme, lorsque c'est le réalisme qui représente l'expression la plus courante et abusive de la vie théâtrale; elle peut être une protestation contre un certain symbolisme, lorsque c'est le symbolisme qui est devenu abusif, arbitraire, ne cernant plus la réalité. De toute façon, ce qu'on appelle le théâtre d'avant-garde ou le théâtre nouveau, et qui est comme un théâtre en marge du théâtre officiel ou généralement agréé, est un théâtre semblant avoir par son expression, sa recherche, sa difficulté, une exigence supérieure.

Puisque c'est son exigence et sa difficulté qui le caractérisent, il est évident qu'avant de s'intégrer et de devenir facile, il ne peut être que le théâtre d'une minorité. Le théâtre d'avant-garde, ou plutôt tout art et tout théâtre nouveaux sont impopulaires.

Il est certain que toute tentative de rénovation voit de toutes parts se dresser contre elle les conformismes et la paresse mentale. Il n'est évidemment pas indispensable qu'un auteur dramatique se veuille impopulaire. Mais il n'est pas non plus indispensable qu'il se veuille populaire. Son effort, sa création, sont en dehors de ces considérations d'opportunité. Ou bien ce théâtre restera toujours impopulaire, ne sera pas reconnu et alors, il n'aura rien été. Ou bien il deviendra populaire, reconnu par la majorité, par la force des choses, tout naturellement, dans le temps.

Tout le monde aujourd'hui comprend les lois élémentaires de la physique ou de la géométrie qui devaient certainement être, à leur époque, accessibles uniquement à des savants, qui n'ont jamais pensé faire de la géométrie ou de la physique populaires. On ne peut certainement pas leur reprocher d'avoir exprimé la vérité d'une certaine caste limitée, car ils ont exprimé des vérités indiscutablement objectives. Le problème des ressemblances qu'il peut y avoir entre la science et l'art n'est pas de notre ressort. Nous savons tous également que les différences sont plus grandes encore que les ressemblances entre ces deux domaines de l'esprit. Toutefois, c'est au nom de la vérité que chaque auteur nouveau pense combattre. Boileau voulait exprimer la vérité. Dans sa préface de *Cromwell*, Victor Hugo pensait que l'art romantique était plus vrai et plus complexe que la vérité classique. Le réalisme, le naturalisme voulaient également étendre le domaine du réel ou en révéler des aspects nouveaux, encore inconnus. Le symbolisme et, plus tard, le surréalisme ont également voulu découvrir et exprimer des réalités cachées.

Le problème qui doit se poser est donc tout simplement pour un auteur de découvrir des vérités et de les dire. Et la façon de dire est naturellement inattendue puisque ce dire même, est, pour lui, la vérité. Il ne peut le dire que pour lui. C'est en le disant pour lui qu'il le dit pour les autres. Non pas le contraire.

Si je veux à tout prix faire du théâtre populaire, je risque de transmettre des vérités que je n'aurais pas découvertes par moi-même, des vérités qui me sont déjà transmises par ailleurs et dont je ne serais qu'un véhicule de second ordre. L'artiste n'est pas un pédagogue, n'est pas un démagogue. La création théâtrale répond à une exigence de l'esprit, cette exigence doit suffire en elle-même. Un arbre est un arbre, il n'a pas besoin de mon autorisation pour être un arbre ; l'arbre ne se pose pas le problème d'être un tel arbre, de se faire reconnaître comme arbre. Il ne s'explicite pas. Il existe et se manifeste par son existence même. Il ne cherche pas à se faire comprendre. Il ne se donne pas une forme plus compréhensible : autrement, il ne serait plus un arbre. Il serait l'explication d'un arbre. De même, l'œuvre d'art existe en soi et je conçois parfaitement un théâtre sans public. Le public viendra de lui-même et reconnaîtra le théâtre comme il a su nommer l'arbre un arbre.

Les chansons de Béranger étaient bien plus populaires que les poèmes de Rimbaud qui étaient parfaitement incompréhensibles à son époque. Faut-il, pour cela, exclure la poésie rimbaldienne? Eugène Sue était populaire, par excellence. Proust ne l'était pas. Il n'était pas compris. Il ne parlait pas « à tout le monde ». Il apportait tout simplement sa vérité, utile à l'évolution de la littérature et de l'esprit.

Fallait-il interdire Proust et recommander Eugène Sue ?
Aujourd'hui, c'est Proust qui est riche de vérités ; c'est
Eugène Sue qui est vide. Heureusement que les pouvoirs
n'ont pas interdit à Proust d'écrire en langue proustienne.

Une vision ne s'exprime que par les moyens d'expression
qui lui conviennent, à tel point qu'elle est cette expression
même, unique.

Mais il y a populaire et populaire. On considère, à tort, que
le théâtre « populaire » doit être un théâtre pour intellectuellement faibles : et nous avons le théâtre de patronage ou
didactique, un théâtre d'édification, primaire (et non pas
primitif, qui est autre chose que le primaire), instrument d'une
politique, d'une idéologie quelconque qui fait double emploi
avec celle-ci, — répétition inutile et conformiste.

Une œuvre d'art, donc une œuvre théâtrale aussi, doit
être une véritable intuition originelle, plus ou moins profonde, plus ou moins vaste selon le talent ou le génie de
l'artiste, mais bien une intuition originelle qui ne doit rien
d'autre qu'à elle-même. Mais pour que celle-ci puisse surgir, se contourer, il faut laisser l'imagination courir librement, bien au delà des considérations extérieures, secondaires, comme sont celles du destin de l'œuvre, de sa popu-
larité, ou du besoin d'illustrer une idéologie. Dans ce développement imaginaire, les significations apparaissent d'elles-
mêmes, éloquentes pour les uns, moins éloquentes pour les
autres. Je ne comprends guère, pour ma part, comment on
peut avoir l'ambition de parler pour tout le monde, d'avoir
avec soi l'adhésion unanime du public, alors que, à l'intérieur d'une même classe, si vous voulez, les uns préfèrent les
fraises, les autres le fromage, les uns de l'aspirine pour
leurs maux de tête, les autres du bismuth contre leurs maux
d'estomac. En tout cas, je n'ai pas à m'inquiéter du problème
de l'adhésion d'un public. Ou alors, si..., peut-être..., mais
une fois que la pièce de théâtre aura été écrite et que je me
poserai le problème de son placement. L'adhésion viendra
ou ne viendra pas, tout naturellement. Il est certain que l'on
ne parle jamais pour tout le monde. On peut tout au plus
parler pour la plus grande majorité et, dans ce cas, on ne
peut faire que du théâtre démagogique ou du théâtre de
confection. Lorsqu'on veut parler à tout le monde, on ne

parle en réalité à personne : les choses qui intéressent tout le monde en général intéressent très peu chaque homme en particulier. D'ailleurs, une création artistique est, par sa nouveauté même, agressive, spontanément agressive; elle va contre le public, contre la grande partie du public, elle indigne par son insolite, qui est lui-même une indignation. Il ne peut en être autrement puisque, ne suivant pas les chemins battus, elle s'en ouvre toute seule à travers champs. C'est dans ce sens qu'une œuvre artistique est impopulaire, comme je le disais tout à l'heure. Mais l'art nouveau n'est qu'apparemment impopulaire; il ne l'est pas par essence, il l'est par son apparition inattendue. Le théâtre soi-disant populaire est bien plus impopulaire en réalité. C'est un théâtre orgueilleusement imposé, de haut en bas, par une « aristocratie » dirigeante, par une catégorie d'initiés qui savent à l'avance, ou croient savoir, ce dont le peuple a besoin et lui imposent même de ne pas avoir besoin d'autre chose que de ce dont ils veulent qu'il ait besoin et de ne penser que ce qu'ils pensent. L'œuvre d'art libre est, paradoxalement, par son caractère individualiste même, au delà de son apparence insolite, la seule à jaillir du cœur des hommes, à travers le cœur d'un homme; elle est la seule à exprimer vraiment « le peuple ».

On dit que le théâtre est en danger, en crise. Cela est dû à plusieurs causes. Tantôt, on veut que les auteurs soient les apôtres de toutes sortes de théologies, ils ne sont pas libres, on leur impose de ne défendre, de n'attaquer, de n'illustrer que ceci ou cela. S'ils ne sont pas des apôtres, ils sont des pions. Ailleurs, le théâtre est prisonnier non pas de systèmes, mais de conventions, de tabous, d'habitudes mentales sclérosées, de fixations. Alors que le théâtre peut être le lieu de la plus grande liberté, de l'imagination la plus folle, il est devenu celui de la contrainte la plus grande, d'un système de conventions, appelé réaliste ou pas, figé. On a peur de trop d'humour (l'humour, c'est la liberté). On a peur de la liberté de pensée, peur aussi d'une œuvre trop tragique ou désespérée. L'optimisme, l'espoir, sont obligatoires sous peine de mort. Et on appelle quelquefois l'*absurde* ce qui n'est que la dénonciation du caractère dérisoire d'un langage vidé de sa substance, stérile, fait de clichés et de slogans; d'une action théâtrale connue à l'avance. Mais je veux, moi, faire paraître sur scène une tortue, la transformer en cheval de course; puis métamorphoser celui-ci en chapeau, en chanson, en cuirassier, en eau de source. On peut tout oser au théâtre, c'est le lieu où on ose le moins.

Je ne veux avoir d'autres limites que celles des possibilités techniques de la machinerie. On m'accusera de faire du music-hall, du cirque. Tant mieux : intégrons le cirque! On peut accuser l'auteur d'être arbitraire : mais l'imagination n'est pas arbitraire, elle est révélatrice. Sans la garantie d'une liberté totale, l'auteur n'arrive pas à être soi-même, il n'arrive pas à dire autre chose que ce qui est déjà formulé : je me suis proposé, pour ma part, de ne reconnaître d'autres lois que celles de mon imagination; et puisque l'imagination a des lois, cela est une nouvelle preuve que finalement elle n'est pas arbitraire.

Ce qui caractérise l'homme, a-t-on dit, c'est qu'il est l'animal qui rit; il est surtout l'animal créateur. Il introduit dans l'univers des choses qui n'existent pas dans l'univers : temples ou cabanes à lapins, brouettes, locomotives, symphonies, poèmes, cathédrales, cigarettes. L'utilité de la création de toutes ces choses n'en est très souvent que le prétexte. A quoi sert d'exister? à exister. A quoi sert une fleur? à être une fleur. A quoi servent un temple, une cathédrale? A abriter les fidèles? Il me semble que non, puisque les temples sont désaffectés et que l'on continue de les admirer. Ils servent à nous révéler les lois de l'architecture et peut-être celles de la construction universelle que vraisemblablement notre esprit reflète, puisque l'esprit les retrouve en lui-même. Mais le théâtre se meurt de manque d'audace : on semble ne plus se rendre compte que le monde que l'on invente, ne peut pas être faux. Il ne peut être faux que si je veux faire du vrai, si j'imite le vrai, et par là en faisant du faux vrai. J'ai la conscience d'être vrai lorsque j'invente et que j'imagine. Rien de plus évident et « logique » que la construction imaginative. Je pourrais même dire que c'est le monde qui me semble irrationnel, qui se fait irrationnel, et échappe à ma raison. C'est dans mon esprit que je retrouve les lois auxquelles j'essaie, en permanence, de le réadapter, de le soumettre. Mais cela encore dépasse notre propos.

Quand un auteur écrit une œuvre, une pièce de théâtre, par exemple, il a, nous l'avons dit, l'impression claire ou confuse, qu'il livre un combat, que si lui-même a quelque chose à dire, c'est que les autres n'ont pas bien dit cette chose; ou qu'on ne sait plus bien la dire; et qu'il veut dire quelque chose de nouveau. Autrement, pourquoi écrirait-il? Dire ce qu'il a à dire, imposer son univers, c'est cela même le combat. Un arbre pour pousser doit vaincre l'obstacle de la matière. Pour un auteur, cette matière c'est le déjà fait, le déjà dit. Ou plutôt, ce n'est pas pour ou contre quelque chose qu'il écrit — c'est malgré ce quelque chose. C'est en ce sens que chaque artiste est plus ou moins, selon ses forces, un révolutionnaire. S'il copie, s'il reproduit, s'il exemplifie, il n'est rien. Il semble donc que le poète combat (souvent involontairement, par le fait même de son existence) une tradition.

Pourtant, dans la mesure où le poète a le sentiment que le langage ne cerne plus le réel, n'exprime plus une vérité, son effort est justement de cerner ce réel, de le mieux exprimer d'une façon plus violente, plus éloquente, plus nette, plus précise, plus adéquate. En cela, il essaie de rejoindre, en la modernisant, une tradition vivante, qui s'est perdue. Un auteur d'avant-garde peut avoir le sentiment — en tout cas il en a le désir — de mieux faire du théâtre qu'on ne le fait autour de lui. Sa démarche est donc une véritable tentative de retour aux sources. Quelles sources? Celles du théâtre. Un retour à un modèle intérieur de théâtre; c'est en soi-même que l'on retrouve les figures et les schèmes permanents, profonds, de la théâtralité.

Pascal avait trouvé en lui-même les principes de la géométrie; Mozart enfant avait découvert en lui-même les fondements de la musique. Bien sûr, très peu d'artistes peuvent se comparer à ces deux géants. Cependant, il me paraît certain que l'on n'a pas ce qu'on appelle, d'une façon si éloquente, le théâtre dans le sang si on ne peut pas le réinventer un petit peu soi-même. Il me semble également à peu près sûr que si toutes les bibliothèques sombraient dans un grand cataclysme, ainsi que tous les musées, les rescapés

tôt ou tard redécouvriraient d'eux-mêmes la peinture,
la musique, le théâtre, qui sont des fonctions aussi naturelles, aussi indispensables et instinctives que la respiration.
Celui qui ne découvre pas en lui-même, tant soit peu, la
fonction théâtrale n'est donc pas fait pour le théâtre.
Pour la découvrir, il faut peut-être une certaine ignorance,
une certaine naïveté, une audace qui vient de cette naïveté,
mais il s'agit d'une naïveté qui n'est pas simplicité d'esprit,
d'une ignorance qui ne supprime pas le savoir : elle l'assi-
mile, le rajeunit. L'œuvre d'art n'est pas dépourvue d'idées.
Mais puisqu'elle est la vie ou son expression, ce sont les
idées qui se dégagent d'elle, ce n'est pas l'œuvre d'art qui
est une émanation des idéologies. L'auteur nouveau est
celui qui contradictoirement tâche de rejoindre ce qui est
le plus ancien : langage et thème nouveaux, dans une composition dramatique qui se veut plus nette, plus dépouillée,
plus purement théâtrale; refus du traditionalisme pour
retrouver la tradition; synthèse de la connaissance et de
l'invention, du réel et de l'imaginaire, du particulier et de
l'universel ou, comme on le dit aujourd'hui, de l'individuel
et du collectif; expression, par delà les classes, de ce qui les
transcende. En exprimant mes obsessions fondamentales,
j'exprime ma plus profonde humanité, je rejoins tout le
monde spontanément au delà de toutes les barrières des
castes et psychologies diverses. J'exprime ma solitude et
je rejoins toutes les solitudes; ma joie d'exister ou mon
étonnement d'être sont ceux de tout le monde même si,
pour le moment, tout le monde refuse de s'y reconnaître.
Une pièce comme *Le Client du Matin* de l'Irlandais Bren-
dan Behan est issue d'une expérience particulière de l'auteur :
la prison. Pourtant je me sens concerné, car cette prison
devient toutes les prisons, elle devient le monde et toutes
les sociétés. Dans cette prison anglaise, il y a, évidemment,
des prisonniers, et il y a des gardiens. Donc, des esclaves
et des maîtres, des dirigeants et des dirigés. Les uns et les
autres sont enfermés dans les mêmes murs. Les prisonniers
haïssent leurs gardiens, les gardiens méprisent leurs prisonniers. Mais les prisonniers se détestent aussi entre eux;
et les gardiens ne s'entendent guère non plus entre eux.
S'il y avait un conflit simple entre les gardiens d'une part,

les prisonniers de l'autre, si la pièce s'était bornée à ce conflit très évident, il n'y aurait rien eu de nouveau, de profond, de révélateur, mais une réalité grossière et schématique. Par cette pièce, on nous fait voir que la réalité est bien plus complexe. Dans cette prison, un homme doit être exécuté. Le condamné ne paraît pas sur la scène. Il est pourtant présent à notre conscience, infiniment obsédant. C'est le héros de la pièce. Ou plutôt, c'est la mort qui est ce héros. Gardiens et prisonniers ressentent ensemble cette mort. L'humanité profonde de l'œuvre réside dans la communion terrible de cette hantise, de cette angoisse qui est celle de tous, au delà de la catégorie des gardiens ou des prisonniers. C'est une communion au delà des séparations, une fraternité presque inconsciente mais dont l'auteur nous fait prendre conscience. L'identité essentielle de tous les hommes nous est révélée. Cela peut aider à rapprocher tous les camps ennemis. En effet, les prisonniers et les gardiens nous apparaissent soudain comme des mortels, unis, régis par un même problème qui dépasse tous les autres. Voilà un théâtre populaire, celui d'une communion dans la même angoisse. C'est une pièce ancienne, car elle traite d'un problème fondamental et permanent; c'est une pièce nouvelle et localisée, car il s'agit de la prison d'un certain moment actuel de l'histoire dans un pays déterminé.

Il y a eu, au début de ce siècle, plus particulièrement vers les années 1920, un vaste mouvement d'avant-garde universel dans tous les domaines de l'esprit et de l'activité humaine. Un bouleversement dans nos habitudes mentales. La peinture moderne, de Klee à Picasso, de Matisse à Mondrian, du cubisme à l'abstraction, exprime ce bouleversement, cette révolution. Elle s'est manifestée dans la musique, le cinéma, elle a conquis l'architecture. La philosophie, la psychologie se sont transformées. Les sciences (mais je ne suis pas compétent pour en parler) nous ont donné une nouvelle vision du monde. Un style nouveau s'est créé et continue de se créer. Une époque se caractérise par l'unité de son style — synthèse des diversités —, qui fait que des correspondances évidentes existent entre l'architecture et la poésie, les mathématiques et la musique. Une unité essentielle existe entre le château de Versailles et la pensée car-

tésienne, par exemple. La littérature et le théâtre d'André Breton à Maïakovski, de Marinetti à Tristan Tzara ou Apol-
linaire, du théâtre expressionniste au surréalisme, jusqu'aux
romans plus récents de Faulkner et Dos Passos et tout récemment ceux de Nathalie Sarraute et Michel Butor, ont parti-
cipé à ce renouveau. Mais toute la littérature n'a pas suivi
le mouvement et, pour le théâtre, il semble qu'il se soit arrêté
à 1930. C'est le théâtre qui est le plus en retard. L'avant-
garde a été stoppée au théâtre, sinon dans la littérature. Les
guerres, les révolutions, le nazisme et les autres formes de
la tyrannie, le dogmatisme, la sclérose bourgeoise aussi dans
d'autres pays, l'ont empêché de se développer, pour le
moment. Cela doit reprendre. Pour ma part, j'espère être un
des modestes artisans qui tentent de reprendre ce mouvement. En effet, cette avant-garde, abandonnée, n'a pas été
dépassée mais enterrée par le retour réactionnaire des vieilles
formules théâtrales qui, parfois, osaient se prétendre nouvelles. Le théâtre n'est pas de notre temps : il exprime une
psychologie périmée, une construction boulevardière, une
prudence bourgeoise, un réalisme qui peut ne pas s'intituler
conventionnel mais qui l'est, une soumission à des dogmatismes menaçants pour l'artiste.

La jeune génération française du cinéma est bien plus en
avance que celle du théâtre. Les jeunes cinéastes ont été
formés dans les cinémathèques, les ciné-clubs. C'est là qu'ils
ont reçu leur instruction. Ils y ont vu les films d'art, les
classiques du cinéma, les films d'avant-garde, *non commerciaux*,
non populaires, qui souvent n'ont jamais passé dans les
grandes salles ou qui y ont séjourné peu de temps, du fait
de leur non-commercialité.

Le théâtre aussi a besoin (mais c'est bien plus difficile
pour le théâtre) de ces locaux d'expérience, de ces salles de
laboratoire à l'abri de la superficialité du grand public.
Un danger dans certains pays, et c'est un mal encore nécessaire, hélas, est le producteur. C'est lui qui, ici, fait figure
de tyran. Le théâtre doit faire des recettes; pour en avoir,
il faut éliminer toute audace, tout esprit créateur, afin de ne
déranger personne. Un producteur me demandait de
tout changer dans mes pièces et de les rendre accessibles.
Je lui ai demandé de quel droit il s'immisçait dans les

problèmes de mes constructions dramatiques qui ne devaient
regarder que moi et mon metteur en scène; car il me
semblait que le fait de donner de l'argent pour produire
le spectacle n'était pas une raison suffisante pour dicter,
aménager mon œuvre. Il m'a déclaré qu'il représentait le
public. Je lui ai répondu que justement nous avions à lutter
contre le public, c'est-à-dire contre lui, le producteur. A
lutter contre, ou à ne pas tenir compte.

Il nous faut un État libéral, ami de la pensée et des arts,
croyant à leur nécessité et à la nécessité des laboratoires.
Avant qu'une invention ou une théorie scientifique soit
répandue, elle a été préparée, expérimentée, pensée dans les
laboratoires. Je revendique pour les dramaturges la même
possibilité que pour les savants de faire leurs expériences.
On ne peut pas dire qu'une découverte scientifique soit,
pour cela, impopulaire. Je ne crois pas que des réalités
spirituelles surgissant du plus profond de mon être soient
impopulaires. Avoir du public, ce n'est pas toujours être
populaire. L'aristocratie du poète n'est pas une aristocratie
fausse comme est fausse l'aristocratie d'une caste. En France,
nous avons des auteurs passionnants : Jean Genêt, Beckett,
Vauthier, Pichette, Schehadé, Audiberti, Ghelderode, Adamov, Georges Neveux qui continuent, en s'y opposant, les
Giraudoux, les Anouilh, les Jean-Jacques Bernard, et tant
d'autres. Ils ne constituent encore que les points de départ
d'un développement possible d'un théâtre vivant et libre.

L'avant-garde, c'est la liberté.

(Juin 1959, Helsinki, sept. 1959, Théâtre dans le Monde.)

Toujours
sur l'avant-garde

Que veut dire *théâtre d'avant-garde* ? Une grande confusion, volontaire ou non, née surtout de partis pris, s'est créée autour de ces vocables. Cette locution elle-même est confuse et le « ridicule » du théâtre d'avant-garde pourrait même n'être qu'un ridicule causé par définition. Un critique d'un des pays étrangers où mes pièces eurent la chance d'être jouées — favorable, d'ailleurs, à mon théâtre, se posait toutefois la question de savoir si ce théâtre ne constituait pas, malgré tout, simplement, une transition, une étape. Voilà donc ce que veut dire l'avant-garde : un théâtre qui prépare un autre théâtre, définitif — celui-là. Mais rien n'est définitif, tout n'est qu'une étape, notre vie elle-même est essentiellement transitoire : tout est, à la fois, aboutissement de quelque chose, annonciateur d'autre chose. Ainsi, on peut dire que le théâtre français du XVIIe siècle prépare le théâtre romantique (qui ne vaut pas grand-chose, d'ailleurs, en France) et que Racine et Corneille sont à l' « avant-garde » du théâtre de Victor Hugo, lui-même « avant-garde » de ce qui lui a succédé en le reniant.

Et encore : le mécanisme des positions et oppositions est bien plus compliqué que ne se l'imaginent les simplistes de la dialectique. Il y a des « avant-gardes » fructueuses qui sont nées de l'opposition à des réalisations des générations précédentes ou, encore, qui sont permises ou facilitées par un retour à des sources, à des œuvres anciennes et oubliées. Shakespeare est toujours bien plus

actuel que Victor Hugo (déjà cité); Pirandello bien plus
à l'avant-garde que Roger Ferdinand; Büchner infiniment
plus vivant, plus poignant que, par exemple, Bertolt Brecht
et ses imitateurs de Paris.

Et voilà où les choses semblent se préciser : l'avant-
garde, en réalité, n'existe pas; ou, plutôt, elle est tout à
fait autre chose que ce qu'on pense qu'elle est.

L' « avant-garde » étant, bien entendu, révolutionnaire,
elle a été, et continue d'être jusqu'à présent, comme la
plupart des événements révolutionnaires, un retour, une
restitution. Le changement n'est qu'apparent : cet « apparent » compte énormément car c'est lui qui permet (à travers
et au-delà le nouveau) la revalorisation, le rafraîchissement
du permanent. Exemples : les bouleversements politiques
survenant aux moments où un régime fatigué, « libéralisé »
— dont la structure s'est relâchée à tel point que l'effondrement est d'ailleurs imminent, prêt à se produire, pour ainsi
dire, presque de lui-même — préparent, favorisent la recons-
titution, le raffermissement de la structure sociale selon un
modèle archétypique, inchangé : le changement existe dans
le personnel, évidemment, dans les conditions superficielles,
dans le langage : c'est-à-dire, les choses — en essence,
identiques — adoptent d'autres noms, sans que la réalité
profonde, le modèle de l'organisation sociale se soit modifié.
Que s'est-il passé ? Simplement ceci : l'autorité s'est raffermie
(qui s'était détendue), l' « ordre » se rétablit, la tyrannie
reprend le pas sur les libertés, les dirigeants retrouvent
le goût, la vocation du pouvoir avec bonne conscience,
investis qu'ils se sentent par une autre « grâce de Dieu »
ou l'alibi d'une justification idéologique sûre et plus ferme
du cynisme inhérent au pouvoir. Et il y a, nettement réaffir-
mée, reconstituée, la structure hiérarchique sociale fondamentale, avec le roi (les chefs politiques) soutenu par les
dogmes et l'Église (les idéologues, les écrivains, les artistes,
les journalistes, les propagandistes redevenus obéissants)
suivie ou subie par la majorité — le peuple (les croyants,
les fidèles ou les passifs) qui ne sait plus s'insurger.

Pour les révolutions artistiques, c'est à peu près le même
phénomène qui se produit quand il y a vraiment révolution

ou essai, ou expérience révolutionnaire de l'avant-garde.
Celle-ci apparaît nécessairement, pour ainsi dire d'elle-même,
au moment où certains systèmes d'expression se sont fati-
gués, usés; lorsqu'ils se sont corrompus; lorsqu'ils se sont
éloignés d'un modèle oublié. Ainsi, en peinture, les modernes
ont pu *retrouver*, chez ceux qu'on appelle les primitifs, des
formes pures et permanentes, les schèmes fondamentaux
de leur art. Et cette redécouverte, nécessitée par l'histoire
artistique dans laquelle les modèles, les formes se sont
détériorés — s'est faite grâce à un art, un *langage* tirant sa
source d'une réalité extra-historique.

En effet, c'est dans la conjugaison de l'histoire et de la
non-histoire, de l'actuel et du non-actuel (c'est-à-dire du
permanent) que se révèle ce fonds commun inaltérable que
l'on peut arriver à découvrir aussi, directement, en soi-
même : sans lui, aucune œuvre ne peut avoir de valeur,
c'est lui qui alimente tout. Si bien que, en fin de compte,
je ne crains nullement d'affirmer que le véritable art dit
d'avant-garde ou révolutionnaire, est celui qui, s'opposant
audacieusement à son temps, se révèle comme *inactuel*. En
se révélant comme inactuel, il rejoint ce fonds commun
universel dont nous avons parlé et, étant universel, il peut
être considéré classique, étant entendu que ce côté classique
doit être retrouvé au-delà du nouveau, à travers le nouveau
dont il doit être imprégné. Le retour à un classicisme « historique » quelconque en tournant le dos au nouveau ne pourrait favoriser qu'un style révolu, académique. Exemple : *Fin
de partie* de Beckett, œuvre théâtrale dite d'avant-garde, est
beaucoup plus près des lamentations de *Job*, des tragédies
de Sophocle ou de Shakespeare que du théâtre de pacotille
dit engagé ou dit de boulevard. Le théâtre d'actualité ne
dure pas (par définition) et ne dure pas pour la raison qu'il
n'intéresse pas vraiment, profondément les hommes.

Il est également à remarquer que les changements sociaux
ne concordent pas toujours avec la révolution artistique.
Ou plutôt : lorsque la mystique révolutionnaire devient
régime, elle retourne à des formes artistiques (donc à une
mentalité) dépassées, si bien que le réalisme nouveau rejoint
les clichés de l'esprit que l'on appelle bourgeois et réactionnaires. Les pompiérismes se rejoignent et les portraits

académiques à moustaches de la nouvelle réaction ne diffèrent
pas — stylistiquement — des portraits académiques avec
ou sans moustaches de l'époque bourgeoise qui ne compre-
nait pas Cézanne. On peut donc dire, d'une façon peut-être
paradoxale, *que c'est l' « histoire » qui se sclérose, que c'est la
non-histoire qui demeure vivante.*

Tchékhov nous montre, au théâtre, des hommes mourant
avec une certaine société; la déperdition, dans le temps
qui s'écoule et qui use, des hommes d'une époque; Proust
aussi l'avait fait dans ses romans — et Gustave Flaubert
aussi, dans l'*Éducation sentimentale*, avec, chez lui, à l'arrière-
fond de ses personnages, une société non pas qui déclinait mais
qui montait. C'est donc non pas l'écroulement ou la désarticulation ou l'usure d'une société qui est le thème principal,
la *vérité* de ces œuvres : mais l'usure de l'homme dans le
temps, sa perdition à travers une histoire, mais vraie pour
toute l'histoire : nous sommes tous tués par le temps.

Je me méfie des pièces pacifistes qui ont l'air de nous
montrer que la guerre c'est la perdition de l'humanité et
que nous ne mourons qu'à la guerre. C'est à peu près ce
qu'avait l'air de dire un jeune critique, dogmatiquement
entêté, commentant *Mère Courage*.

On meurt davantage à la guerre : vérité d'actualité.
On meurt : vérité permanente, non-actuelle et toujours
actuelle, cela concerne tout le monde, c'est-à-dire aussi
les gens qui ne vont pas à la guerre : *Fin de partie* de Beckett
est plus vraie, plus universelle, que l'*Histoire de Vasco*,
de Schehadé (ce qui toutefois n'empêche pas cette œuvre
d'avoir des qualités poétiques).

Puisque « ce qui nous concerne tous fondamentalement »
est curieusement moins accessible, au premier abord, que
ce qui ne concerne qu'une partie des gens ou que ce qui
nous concerne moins — il est évident que les œuvres d'avant-
garde, dont le but est (je m'excuse d'insister si lourdement)
de retrouver, de dire la vérité oubliée — et de la réintégrer,
inactuellement, dans l'actuel — il est évident que ces œuvres
ne peuvent être qu'incomprises, à leur apparition, par la
majorité des gens. Elles sont donc non populaires. Cela
ne les infirme nullement. Les réalités évidentes, le poète

les découvre dans sa solitude, dans son silence. Le philosophe aussi découvre, dans le silence de la bibliothèque, des vérités difficilement communicables : combien de temps a-t-il fallu pour que l'on comprenne Karl Marx lui-même et *tout le monde* peut-il, encore à présent, le comprendre ? Il n'est pas *populaire*. Combien de gens ont pu assimiler Einstein ? Le fait que quelques personnes seulement sont en mesure de voir clair dans les théories des physiciens modernes ne me fait pas douter de leur vérité ; et cette vérité, qu'ils ont découverte, n'est ni invention, ni vision subjective, mais réalité objective, hors du temps, éternelle, à laquelle l'esprit scientifique vient à peine d'accéder. Nous ne faisons jamais que nous approcher, nous éloigner, puis nous rapprocher d'une vérité immuable.

Il y a également — puisque nous devons parler de théâtre — un langage de théâtre, une démarche théâtrale, un chemin à défricher pour accéder à des réalités objectivement existantes : et ce chemin à défricher (ou retrouver) n'est autre que celui qui convient au théâtre pour des réalités qui ne peuvent se révéler que théâtralement. C'est ce qu'il est convenu d'appeler du travail de laboratoire.

On peut très bien faire du théâtre populaire (je ne sais pas très bien ce qu'est le peuple, si ce n'est la majorité des gens, les non-spécialistes), de boulevard, de propagande, édifiant, dans un langage conventionnel : c'est un théâtre de vulgarisation. Il ne faut pas, pour cela, empêcher l'autre théâtre de se faire : de recherche, de laboratoire, d'avant-garde. S'il n'est pas suivi par le grand public, cela ne signifie nullement qu'il ne soit une nécessité absolue de l'esprit, au même titre que la recherche artistique, littéraire ou scientifique. On ne sait pas toujours *à quoi cela peut servir* — mais puisqu'il répond à une exigence de l'esprit il est, c'est entendu, vraiment indispensable. Si ce théâtre a un public de cinquante personnes tous les soirs (et il peut les avoir) sa nécessité est prouvée. Ce théâtre est en danger. La politique, l'apathie, la méchanceté, la jalousie menacent, hélas, dangereusement, de tous les côtés, Beckett, Vauthier, Schehadé, Weingarten, d'autres encore, et leurs défenseurs.

Arts, janvier 1958.

Propos
sur mon théâtre
et sur les propos
des autres

Lorsqu'on entend parler d'une œuvre littéraire, plastique, musicale, théâtrale, on désire, tout naturellement, en avoir une connaissance plus précise et savoir ce que l'on dit de ce dont on parle. On demande à l'auteur de nous confier ce qu'il pense de son œuvre. Après que l'œuvre a été exposée, jouée ou éditée, on peut savoir ce qu'en pensent les critiques : on se précipite, donc, sur ce que ceux-ci ont écrit puis on va de nouveau à l'auteur pour lui demander de dire ce qu'il pense de ce qu'on pense de son œuvre et de lui-même. Fatalement, il y a très souvent des contradictions entre les déclarations de ce dernier et les jugements des critiques, dont on ira voir quelques-uns pour leur demander de nous dire ce qu'ils pensent de ce que l'auteur pense de ce qu'ils pensent eux-mêmes. Et ainsi de suite : de ce fait, des discussions passionnées ont lieu; on est pour, on est contre; des discours savants seront là pour établir que l'œuvre vient confirmer telle théorie, telle philosophie ou qu'elle tendrait plutôt à vouloir s'y opposer, ce qui fait que l'on doit être pour ou contre l'œuvre, ou contre ou pour, selon que l'on est ou que l'on n'est pas un adepte de la théorie dont il s'agit, ... ou dont il ne s'agit pas car certains peuvent prétendre que c'est plutôt cette théorie-ci que cette théorie-là que l'œuvre, d'après ce qu'on en dit, paraîtrait défendre.

Dans le tumulte du débat, on n'entend plus la voix de l'œuvre; dans les développements des points de vue de toutes sortes, c'est toujours l'œuvre qui est perdue de vue. Il semble qu'il ne soit plus utile d'aborder l'œuvre puisqu'on s'en fait une opinion d'après les opinions des autres et si, parfois, tout de même, l'on juge de quelque chose, ce sont les opinions que l'on juge, que l'on repousse, que l'on adopte.

Peut-être une œuvre n'est-elle que ce que l'on en pense. Mais plutôt que de ne la penser qu'à travers les autres, vaudrait-il mieux la penser elle-même sans tenir compte des interdictions, avertissements, encouragements que l'on prodigue à son propos.

Il m'arrive de recevoir la visite de gens intéressés par mon théâtre, ou par les remous créés autour de lui. Ainsi, dernièrement, j'ai reçu trois jeunes intellectuels, intelligents et bien renseignés qui, eux aussi, voulaient savoir ce que je pensais de mes propres œuvres. Ils étaient au courant de tout ce qu'on en avait dit, en bien et en mal; le premier partageait les avis des critiques favorables, le second me laissait entendre amicalement qu'il partageait les prises de position de mes ennemis; le troisième, enfin, ne partageait tout à fait ni le point de vue des uns, ni celui des autres, il tentait de les départager, en toute lucidité et objectivité. Dans le courant de la conversation, je pus me rendre compte que mes trois visiteurs connaissaient peu, par la lecture ou le spectacle, mes pièces de théâtre. Ils discutaient donc autour de la chose, indifférents à la chose elle-même, ce qui, à leur avis, était tout à fait normal car ce n'est pas la chose qui importe mais uniquement ses répercussions collectives. C'est une idée qui peut être défendue, encore que l'on puisse remarquer qu'il n'est pas rare que les répercussions des publics soient faussées ou dirigées, visiblement ou subtilement. Un des maîtres de pensée actuels n'a-t-il pas — maladroitement d'ailleurs — déclaré qu'il fallait « mystifier pour démystifier », selon le mot qui court? A partir de quel moment la démystification succède-t-elle à cette mystification, qui serait donc, si l'on peut dire, une mystification honnête, de bonne foi? Et le démystificateur n'est-il pas lui-même mystifié? Qui peut le dire, qui en est le juge qualifié? Il faut être bien sûr de soi pour prétendre pouvoir mener les gens par le bout du nez sur le chemin du bien et de la vérité et encore plus sûr de soi pour prétendre

savoir quel est ce chemin, ce bien, cette vérité, fût-elle
relative et historique. Il y a, de notre temps, des dogmes,
des penseurs dogmatiques : ces dogmatismes ou ces doctrines, ne seraient-ce pas les armatures des subjectivités ?

Je n'affirmerai point que de nos jours l'on ne pense pas.
Mais on pense sur ce que quelques maîtres vous donnent
à penser, on pense sur ce qu'ils pensent si on ne pense pas
exactement ce qu'ils pensent, en répétant ou en paraphrasant.
En tout cas, on peut observer que trois ou quatre penseurs
ont l'initiative de la pensée et choisissent leurs armes, leur
terrain; et les milliers d'autres penseurs croyant penser se
débattent dans les filets de la pensée des trois autres, prisonniers des termes du problème qu'on leur impose. Le
problème imposé peut avoir son importance. Il y a aussi
d'autres problèmes, d'autres aspects de la réalité, du monde :
et le moins qu'on puisse dire des maîtres à penser c'est
qu'ils nous enferment dans leur doctorale ou moins doctorale subjectivité qui nous cache, comme un écran,
l'innombrable variété des perspectives possibles de l'esprit.
Mais penser par soi-même, découvrir soi-même les problèmes
est une chose bien difficile. Il est tellement plus commode
de se nourrir d'aliments prédigérés. Nous sommes ou
avons été les élèves de tel ou tel professeur. Celui-ci nous a
non seulement instruits, il nous a fait subir son influence,
sa façon de voir, sa doctrine, sa vérité subjective. En un
mot, il nous a «formés». C'est le hasard qui nous a formés :
car si le même hasard nous avait inscrits à une autre école,
un autre professeur nous aurait façonnés intellectuellement
à son image, et nous aurions sans doute pensé de manière
différente. Il ne s'agit certainement pas de repousser les
données qu'on nous présente et de mépriser les choix, les
formules, les solutions des autres : cela n'est d'ailleurs pas
possible; mais on doit repenser tout ce qu'on nous veut
faire penser, les termes dans lesquels on veut nous faire
penser, tâcher de voir ce qu'il y a de subjectif, de particulier
dans ce qui est présenté comme objectif ou général; il
s'agit de se méfier et de soumettre nos propres examinateurs
à notre libre examen, et d'adopter ou non leur point de
vue qu'après ce travail fait. Je crois qu'il est préférable de

penser maladroitement, courtement, comme on peut, que de répéter les slogans inférieurs, moyens ou supérieurs qui courent les rues. Un homme fût-il sot, vaut quand même mieux qu'un âne intelligent et savant; mes petites découvertes et mes platitudes ont davantage de valeur, contiennent plus de vérités pour moi que n'ont de signification pour un perroquet les brillants ou subtils aphorismes qu'il ne fait que répéter.

Les jeunes, surtout, sont l'objet de sollicitations de toutes sortes, et les foules. Les politiciens veulent obtenir des voix, les maîtres à penser sont en quête de disciples : un maître à penser prêchant dans le désert, ce serait trop risible; on veut agir sur les autres, on veut les avoir, on veut être suivi, on veut forcer les autres de vous suivre alors qu'au lieu d'imposer ses idées ou ses passions, sa personnalité, c'est la personnalité des autres qu'un bon maître devrait essayer d'aider à développer. Il est, je sais, bien difficile de se rendre compte dans quelle mesure l'idéologie d'un idéologue est ou n'est pas l'expression d'un désir d'affirmation de soi, d'une volonté de puissance personnelle; c'est bien pour cela qu'il n'en faut être que plus vigilant.

Je me demande si tout ce que je viens de dire ne dépasse pas le but de mon exposé. Nous le verrons tout à l'heure. Je ne suis pas venu vous endoctriner : bien que l'on puisse répondre qu'affirmer qu'il ne faut pas faire la leçon, c'est encore faire la leçon. Dans ce cas, tant pis, c'est la seule leçon que je pourrais me permettre de donner; mais plutôt qu'une leçon c'est une mise en garde, un appel amical à la vigilance et j'accepte qu'elle puisse se retourner contre moi. Cet entretien ne devrait pas s'intituler « propos sur mon théâtre » car il sera plutôt, j'espère, « propos sur les propos des autres sur mon théâtre ».

Ainsi donc les docteurs veulent qu'on leur obéisse. Ils ragent qu'on ne leur obéisse point. Ils n'aiment pas que vous soyez ce que vous êtes, ils voudraient que vous fussiez ce qui leur plaît. Ils veulent que vous fassiez leur jeu, que vous vous conformiez à leur politique, que vous soyez leur instrument. Et si cela n'est pas, ils aimeraient bien vous supprimer à moins qu'ils ne parviennent à démontrer que vous êtes tout

de même ce qu'ils veulent que vous soyez, bien que vous
ne le soyez pas.

Qui sont, pour un auteur de théâtre, pour moi, par exemple,
ces docteurs? Et bien, ce sont les docteurs doctes et les
docteurs moins doctes aussi bien que les docteurs pas doctes
du tout. C'est-à-dire, ces critiques, engagés ou enragés, qui ne
veulent absolument pas vous admettre tel que vous êtes :
les uns au nom de leur doctrine, les autres au nom de leurs
habitudes mentales déterminées, les autres encore au nom
de leur tempérament, de leurs allergies, c'est-à-dire d'une
subjectivité plus simple et capricieuse. Mais aussi bien ceux-ci
que ceux-là sont tous plus ou moins docteurs même s'ils
ne le sont point. Il est très évident qu'on ne peut vous juger
qu'à travers soi ou ses principes, encore qu'il faille faire
l'effort suprême, désirable, d'admettre l'autre, de l'accepter
comme tel. C'est là la première règle d'un libéralisme qui,
aujourd'hui, est passé de mode, même chez les libéraux.

Toutefois, la question n'est pas exactement là, ou, plutôt,
elle est aussi ailleurs que dans les sectarismes qui limitent
aussi bien la propre humanité des sectaires que l'horizon de
notre intelligence à nous tous, qu'ils s'acharnent à obstruer
ou réduire. Il s'agit de savoir quel crédit nous pouvons
accorder à l'incohérence de la subjectivité même de ces critiques déterminant des contradictions passionnelles à l'intérieur de leurs propres critères ou de leurs réactions élémentaires et à la confusion des divers plans d'appréciation. Il
s'agira aussi, bien que cela soit moins essentiel peut-être,
de l'extrême variété des jugements, tout de même embar-
rassante pour un auteur qui voudrait prendre conseil de la
critique aussi bien que pour les spectateurs qui voudraient être
guidés dans le choix des spectacles qu'ils désireraient voir.

Ce n'est pas cette variété des opinions qui est gênante
même si elles me sont défavorables; au contraire, l'uniformi-
té des approbations serait de nature à inquiéter. Jean Paulhan dans sa *Petite préface à toute critique* n'a-t-il pas dit
que « le blâme des critiques, de nos jours, sert une œuvre
mieux encore que l'éloge. Si le marquis de Sade, Baudelaire,
Rimbaud, Lautréamont nous parviennent dans leur étonn-
nante fraîcheur, c'est grâce à quelques dénigrements ou
diffamations : Jules Janin, Brunetière, Maurras, France,

Faguet, Gourmont. L'éreintement conserve un auteur
mieux que l'alcool ne fait d'un fruit. Et tout se passe comme
si nous étions sensibles, bien plus encore qu'à la part avouée
de la critique, explications, broderies et le reste, à cette part
secrète (secrète, peut-on supposer, faute de preuves) où le
critique admet d'abord qu'un auteur vaut d'être examiné,
contesté, démoli... » et démoli, surtout. Bien sûr, mais ce
qu'un auteur trouve désagréable c'est qu'on ne veuille pas
l'entendre attentivement avant de prendre parti, aussi bien
que la malhonnêteté des partis pris : la moindre chose que
l'on puisse attendre de la part des critiques ce serait l'objectivité dans la subjectivité, c'est-à-dire la bonne foi.

En Angleterre, deux ou trois critiques dramatiques donnent le ton. Ce sont les critiques les plus éclairés, les plus
compétents et les plus écoutés par les amateurs de théâtre et
les intellectuels. Ils sont, pour le public tant soit peu supérieur, les guides du théâtre. L'un d'entre eux a une formation
artistique et littéraire. Il a le sens de la littérature, ce qui est
une chose de plus en plus rare de nos jours, il est libre, il
est ouvert, il admet la pluralité des tendances. L'autre critique, dandy, marxisant, est plus jeune, de formation légèrement plus philosophique, ancien élève d'Oxford, très
soucieux des idéologies, très attentif aux modes intellec-
tuelles. Aussi bien l'un que l'autre m'ont fait, à Londres,
l'honneur de s'occuper de mon théâtre et de le faire
connaître, dès la représentation, en anglais, de mes premières
pièces, des *Chaises*, par exemple.

Quelque temps après la parution d'un article très élogieux
du plus jeune des deux sur la pièce, je rencontre celui-ci
chez un ami. Je lui exprime mes remerciements, une conversation s'engage au cours de laquelle il me déclare, soudain,
que je pouvais être, si je le voulais bien, le plus grand auteur
de théâtre actuel : « Je ne demande pas mieux », lui dis-je,
fiévreusement, « donnez-moi vite la recette! »
— « C'est bien simple », me répondit-il, « on attend de
vous que vous nous déliveriez un message. Pour le moment,
vos pièces n'apportent pas le message que nous espérons de
vous. Soyez brechtien et marxiste! »

Je répondis que ce message avait déjà été apporté; qu'il était donc connu, adopté par les uns, répudié par d'autres, que de toute façon la question était posée, que si j'avais à le dire je ne ferais que le redire et que n'apportant rien de neuf je ne pourrais certainement pas devenir, comme il le disait, « le plus grand auteur de théâtre contemporain ».

Le critique m'en a beaucoup voulu. Il l'a fait voir. A la reprise, quelques mois plus tard, des mêmes *Chaises*, il fit un papier assez long, dans lequel il s'acharnait à démontrer qu'il s'était trompé la première fois dans ses éloges et qu'en voyant la pièce une seconde fois, il s'était rendu compte que, finalement, elle ne tenait pas le coup. A peu près la même chose m'est arrivée à Paris même, avec un jeune critique moins docte que dogmatique. Ce critique m'avait demandé si j'étais d'accord avec ce qu'il avait dit sur quelques-unes de mes premières pièces qu'il considérait être des critiques de la petite bourgeoisie. Je lui ai répondu que je n'étais d'accord qu'en partie avec ses affirmations. En effet, il s'agissait peut-être, dans mes pièces, d'une critique de la petite bourgeoisie, mais la petite bourgeoisie à laquelle je pensais, n'était pas une classe liée à telle ou telle société car le petit bourgeois était pour moi un être se trouvant dans toutes les sociétés, dites révolutionnaires ou réactionnaires; le petit bourgeois n'est pour moi que l'homme des slogans, ne pensant plus par lui-même, mais répétant les vérités toutes faites, et par cela mortes, que d'autres lui ont imposées. Bref, le petit bourgeois, c'est l'homme dirigé. Je considérai que ce jeune critique même, anti-bourgeois, pouvait être un petit bourgeois. Du jour au lendemain, les articles de ce critique sur les mêmes pièces devinrent défavorables et pourtant je n'avais pas changé une seule réplique dans les textes en question. J'avais, tout simplement, refusé d'admettre, en tous points, son interprétation; j'avais refusé d'entrer dans son jeu. Ce même critique avait fait, sur mon théâtre et sur celui d'un confrère, un grand article dans un grand hebdomadaire, illustré, — l'article! — par nos deux photos au beau milieu de la page. Ce que ces deux dramaturges, disait le critique, ont écrit jusqu'à présent c'est très bien, c'est très utile : ils ont « détruit » un certain langage, maintenant ils doivent recons-

truire; ils ont critiqué, ils ont nié, dorénavant ils doivent
affirmer. Affirmer quoi? Ce que le critique docteur voulait,
bien sûr, qu'on affirmât. Je n'ai pas suivi l'itinéraire que ce
docteur voulait me tracer. L'autre auteur l'a suivi : toutes
les louanges l'ont accompagné sur cette route fleurie; moi,
je fus excommunié, je me suis attiré des foudres sur
la tête, de sa part et de ses amis, car pour eux, une seule
espèce de théâtre est admissible, la coexistence est un mot
qu'ils ne comprennent pas.

Si j'avais été malin, j'aurais pu, au moins, en acceptant,
verbalement, son interprétation de mes premières pièces,
les sauver à ses yeux. Certains auteurs aiment être appréciés
de tout le monde même par malentendu. Mon manque de
diplomatie a fait que ces premières pièces aussi sont devenues,
pour quelques docteurs, sujettes à caution. En fait, elles furent
invalidées, par effet rétroactif : cela fait terriblement douter
non seulement de l'objectivité de ces critiques mais aussi, et
surtout, cela met en cause la possibilité de toute critique,
puisque celle-ci peut affirmer, d'une même œuvre, deux
opinions contradictoires, à la fois ou presque.

Et cela est d'autant plus irritant, ou angoissant, que lorsque le critique est suffisamment ingénieux, un jugement aussi
bien que l'autre semble également recouvrir l'œuvre, semble
l'expliquer parfaitement, et satisfait l'esprit de celui qui lit
ce critique. Des esprits éminents se sont demandé, avant moi,
si la critique était possible. On pourrait aussi se poser le
problème de la validité de toute idéologie. Du moment
que l'on peut affirmer indifféremment, selon un critère
idéologique ou un autre, d'une œuvre d'art, d'un événement,
d'un système politique ou économique, de l'histoire, de la
condition humaine, qu'ils sont ceci ou cela, du moment
que plusieurs interprétations, sans contradictions internes
majeures paraissent expliquer et intégrer les faits dans leur
système, et toutes paraissent les expliquer; du moment qu'on
peut trouver, et l'on trouve toujours, si on veut, que ces
faits historiques confirment, apportent de l'eau à ce moulin
idéologique-ci, mais encore à ce moulin idéologique-là,
cela peut prouver qu'aucune idéologie n'est contraignante,
qu'elle n'est qu'une vue de l'esprit, un choix personnel,

qu'elle n'est pas une vérité objective. Reste la science. Et reste la création artistique qui, en tant que construction, univers autonome, monument, devient une réalité objective, même si, bien sûr, elle est subjectivement interprétée.

Pour en revenir à nos moutons, je veux dire : à nos critiques, je citerai un autre cas d'incohérence chez un de mes juges littéraires. Il s'agit d'un académicien, le type même de l'homme de lettres, humaniste et impressionniste. Évidemment, un impressionniste a plus de droit à l'incohérence que celui qui prétend se soumettre à des critères idéologiques bien établis. Cependant, l'incohérence du critique dramatique en question était trop grave pour ne pas être choquante. Son impressionnisme, ou plutôt ses impressions, étaient facilement prévisibles lorsqu'il allait avoir à critiquer une catégorie d'œuvres dont on savait qu'elles appartenaient à un style auquel il était habitué : pièces classiques; ou dites « de boulevard »; ou même d'une écriture différente, mais déjà consacrées. Une œuvre qui ne ressemblait pas tout à fait aux modèles qu'il connaissait déjà, une telle pièce, fût-elle bonne ou mauvaise aux yeux des critiques plus jeunes ou plus hardis, — lui était incompréhensible, il ne la saisissait pas. Au sujet de ma première pièce, *La Cantatrice chauve*, il disait, il y a plusieurs années, à l'occasion de sa parution « qu'elle méritait tout au plus un haussement d'épaules ». Plus tard, après avoir assisté à la représentation d'une autre pièce, *Les Chaises*, au Studio des Champs-Élysées, il écrivit que cela lui rappelait, en beaucoup plus mauvais, bien entendu, un conte d'Anatole France, mais sans fantaisie, sans invention, sans esprit. Il terminait son article en disant qu'il ne s'expliquait pas comment cette œuvre si terne avait pu être écrite par l'auteur « plein de fantaisie et d'humour de la brillante *Cantatrice chauve* ». Presque à chacune de mes pièces nouvellement représentées, il regrettait l'éblouissant auteur de la pièce précédente. L'année dernière, on a donné, au Théâtre Récamier, mon *Tueur sans gages*. Il nous administra un long, soutenu, motivé éreintement, disant que la pièce était anti-théâtrale, inaudible, illisible, incompréhensible. Il terminait sa chronique par la déclaration qu'il ne pouvait être accusé de parti pris, puisqu'il avait aimé et défendu *La Cantatrice chauve*, *La Leçon*, *Les Chaises* lors de leur création. Il avait, il est vrai, écrit une critique plutôt favorable, en 1953, de *Victimes du devoir*. Nous redonnâmes cette pièce, avec Jacques Mauclair, trois semaines après la générale de *Tueur sans gages*. Cette fois, nous étions certains d'avoir une bonne critique pour nos *Victimes du devoir*, puisque notre académicien n'avait qu'à se référer à ce qu'il avait lui-même déjà écrit là-dessus : déception! Le critique ne pouvait pas, bien entendu, ne pas admettre qu'il avait écrit ce qu'il avait écrit. Volontairement ou non, il trouva un subterfuge pour justifier son article méchant. Les acteurs criaient trop fort, disait-il, ils jouaient moins bien que ceux qui avaient créé, quatre ans auparavant, le même spectacle. Pourtant, à la reprise, nous avions les mêmes comédiens qu'à la création, le même metteur en scène.

C'est toujours cet académicien qui lors de la création, tout de suite après l'autre guerre, de la première pièce, en France, de Pirandello avait déclaré, à propos de cet auteur : c'est un fumiste dont on ne parlera plus. La sincérité de notre critique peut difficilement, pourtant, être mise en doute puisqu'il affirmait, candidement, à un journaliste : « Je ne me suis jamais trompé. » Un tel, lui aussi, avait écrit à propos de mes *Chaises :* « Cela ne vaut rien, ce ne sont que discussions à bâtons rompus », — ce qui ne l'a pas empêché, par la suite, à l'occasion d'un autre spectacle d'affirmer que ce dernier était détestable et que cela l'avait d'autant plus étonné, « qu'il avait tant aimé *Les Chaises* ».

Mais je m'habitue de plus en plus, à tel point qu'il me semble que cela doit être la règle, de me voir traîné dans la boue, pour la nouvelle pièce, par des admirateurs inespérés des anciennes pièces, au nom de ces anciennes pièces qu'ils ont oublié avoir pourtant également traînées dans la boue.

Si un auteur assez naïf pouvait encore nourrir l'espoir de se faire des amis prompts à le censurer et de la critique desquels il voudrait profiter pour être éclairé sur son propre métier, et s'il était l'auteur de la pièce *Rhinocéros*, son esprit s'emplirait de confusion et de désespoir, tellement les avis au sujet de cette pièce différaient du tout au tout et s'opposaient, comme jamais encore, aussi bien sur sa valeur dramatique et sur sa construction, que sur la signification qui pouvait s'en dégager, sur sa portée, sur la mise en scène, sur l'identification possible entre l'auteur et le personnage principal de la pièce. Enfin, les uns ont reproché à l'auteur d'avoir fait un théâtre engagé et d'apporter un « message », tandis que d'autres l'ont loué pour les mêmes raisons, tandis que d'autres encore concluaient qu'il n'y avait pas de message, ce qui est un bien, selon celui-ci, un mal, selon celui-là !

Pour un jeune critique d'une nouvelle revue de théâtre, mon texte ne vaut rien; il constituerait une véritable abdication de ma part : heureusement, l'excellente mise en scène de Jean-Louis Barrault et le jeu des comédiens réussissent, tant bien que mal, à sauver la face du spectacle; pour un autre, la pièce aurait pu avoir une portée considérable et une grande force : malheureusement, elle a été amoindrie par le metteur en scène, — qui avait réduit la portée de cette œuvre; pour une femme de théâtre, critique très connue, la pièce aurait une rigueur, une vigueur, une progression sans bavure, d'une construction parfaite, d'une facture classique; c'est un chef-d'œuvre, dit un autre; c'est bien loin d'être un chef-d'œuvre (comme si chaque œuvre ne pouvait être que chef-d'œuvre ou rien), dit un autre encore car il — c'est-à-dire « moi » — ignore la technique de la conversation, les méandres où une action dramatique peut lentement se promener..., les alternances de rythmes, l'emploi des temps morts, etc. Des critiques de province ou des correspondants parisiens de journaux du Maroc ou d'Algérie sont plus catégoriques, plus précis : c'est une honte, disent-ils, de présenter un tel canular stupide et sans aucune signification, cette lamentable guignolade qui nous fait bâiller et qui est indigne du Théâtre de France et d'une troupe comme celle de Jean-Louis Barrault, etc... Je vous livre aussi le point de vue d'un contribuable qui est, sans doute, celui de plusieurs autres contribuables et qui, lors d'une des premières représentations de la pièce, confiait à sa voisine puis écrivait : « C'est malheureux quand on pense que c'est un théâtre subventionné par l'État, que c'est avec notre argent à nous que l'on fait cela, que nous payons des impôts ! »
Pour certains critiques, qui ont fait des objections modérées, la première partie de la pièce est bonne : « le délire

verbal cher à Ionesco, ses raccourcis temporels, l'analyse
féroce du mécanisme des lieux communs ne portent vraiment qu'au cours de la première partie du spectacle », et
pour le reste « il ne faut pas se le dissimuler, il y a de longs
moments de bavardage et d'ennui », — et la mise en scène
de cette première partie est excellente : car elle est « cocasse
et mobile ». Pour un autre critique, qui est un philosophe, au contraire, le premier acte lui a semblé être un
amoncellement d'inepties, « bien qu'une mise en scène
et une interprétation de tout premier ordre, dit-il, m'aient
malgré tout diverti. Mais à partir du milieu du second
acte, il s'est produit pour moi, — et sûrement pour d'autres,
— une sorte de phénomène magique. C'est comme si j'étais
brusquement passé de l'autre côté du rideau, comme si
ce qui n'avait été encore qu'un spectacle absurde s'était
soudain intériorisé et avait pris un sens et une valeur irré-
cusables; et à partir de là, jusqu'à la fin, j'ai été continuellement pris et même captivé... J'estime que c'est un spectacle
qu'il faut absolument voir. Mais naturellement, il est bon
d'être préparé à se sentir quelque peu éberlué ou même irrité
par la première partie... En tout cas, théâtralement, il y a là
une réussite surprenante à laquelle une mise en scène extraor-
dinairement ingénieuse contribue, d'ailleurs, de la façon
la plus efficace... » Ce n'est pas l'avis d'un autre critique,
philosophe également, qui, favorable à l'ensemble de la
pièce pense que : « l'interprétation de l'Odéon est brillante
mais ni le cadre de ce grand théâtre, ni la présentation ne
servent l'ouvrage. Un premier acte trop long, des décors
trop compliqués, une musique trop lourdement concrète
donnent l'aspect d'une « grande machine » à cette pièce...
dont la profondeur serait d'autant plus sensible que la
hauteur et la largeur seraient moins imposantes ».
Ce n'est pas du tout l'avis d'un autre, qui conclut : « Chacun se demandait si le Ionesco des petits théâtres se retrou-
verait aux dimensions du Théâtre de France. Que l'on se
rassure, l'auteur n'a pas changé, il n'a pas cherché à s'adapter
à de nouvelles conditions et à un nouveau public, il apporte
simplement la preuve d'une plus grande maîtrise de son
métier d'auteur dramatique. Son accession aux « Subvention-
nés » a été l'autre soir une montée triomphale... » Et pourtant,

dit encore un chroniqueur : « Quel besoin avait-on de transformer une charmante et courte nouvelle de Ionesco en une
trop longue farce aux prétentions philosophiques... l'auteur
qui, paraît-il, avait voulu trouver l'insolite de la banalité,
est tombé, hélas, dans la banalité de l'insolite... Cette pièce,
dont l'idée aurait pu être amusante... n'était que le prétexte
d'un canular... méritant à peine quarante minutes de spectacle; on nous a présenté un rhinocéros édenté ». Voici
celui-ci qui précise : « la philosophie de la pièce est courte...
comme dans toutes les autres pièces de cet auteur », et
celui-là qui affirme que « la portée philosophique de la
pièce est considérable et, de ce fait, nous avons affaire à une
œuvre importante ». Un critique qui ne m'a jamais gâté
et qui, s'il m'avait toujours traité jusqu'à ce jour de fumiste,
mauvais petit plaisantin, demeuré, aliéné mental et autres
gracieusetés, constate bien, en effet, cette fois, que *Rhinocéros* est « l'étude clinique du conformisme, de la contami-
nation », et que « l'ouvrage montre comment naissent les mouvements, comment un fanatisme gagne de proche en proche,
comment, par le consentement unanime, se forment les dictatures, comment les hommes participent à la fondation des
régimes qui les écraseront » (et je suis tenté moi-même
de penser que telle est, comme il dit, « la signification de
cette farce ») : pourtant le critique n'approuve pas ce théâtre
car, il n'y a « aucune vertu charnelle, dans un tel jeu idéologique et purement démonstratif... aucune vie, aucune âme,
c'est, répète-t-il, une simple observation médicale et sociale,
un labeur cérébral et canularesque quand même », ce qui ne
concorde pas avec le sentiment du philosophe cité il y a
quelques instants qui, lui au contraire, n'est-ce pas « avait été
pris et même captivé » et qui comprend très bien que *Rhinocéros* ait pu avoir, en Allemagne, « un succès foudroyant ».
Pas étonnant pour l'Allemagne peut-être mais en France
ce qui déçoit au théâtre, remarque un professeur, « c'est
la grosse invention de ces pièces si peu françaises où s'illustrent Beckett, Adamov, Ionesco, métaphysiciens d'intention,
dont la métaphysique ne consiste guère que dans une parodie
de la vie et qui la réalisent sur les planches avec les procédés
du Grand-Guignol », — car, en effet, appuie un journaliste :
« Ce théâtre, sous des dehors cocasses et farfelus, tombe

dans le décevant conformisme de toute pièce à thèse », — et
ce n'est, au dire d'un autre journaliste : « qu'un symbolisme
aussi puéril que démodé ». En plus, le défaut de la pièce,
dit un autre « est dans sa totale absence d'invention, c'est
monotone, ça s'alanguit » bien qu'un autre encore puisse
affirmer : « l'auteur, partant d'une donnée toute gratuite,
s'élance dans la satire avec une liberté superbe, une verve
qui s'enchante de ses propres trouvailles. Cette verve ne
cessera de se renouveler au long des deux premiers actes
de l'ouvrage, elle se fortifiera même à mesure que l'intrigue
se développera ». Hélas, apprend-on d'autre part, « cet auteur
n'était grand que dans les petits théâtres, *Rhinocéros* n'est
qu'une prétention d'épopée », car, pouvons-nous lire dans
une autre publication, « l'importance des œuvres de cet
auteur a été considérablement exagérée, il ne nous a pas
apporté grand-chose; Allais, Jarry sont allés beaucoup plus
loin; somme toute, la contribution que Ionesco a apportée
au théâtre est des plus modestes, il faut la réduire à ses justes
dimensions. » Ce qui n'est pas l'avis d'un historien littéraire
qui constate : « l'ascension de Ionesco aura duré dix ans.
C'est fort peu si l'on songe à l'ampleur de la révolution
idéologique et technique dont son théâtre est le véhicule
et à l'intervalle immense qui sépare la stupeur incrédule
de ses premiers spectateurs et la consécration que constitue
son actuel succès à l'Odéon. En 1950, son premier metteur
en scène, Nicolas Bataille avait eu du mal à trouver le style
juste, mi-comique, mi-sérieux qui convenait à *La Cantatrice
chauve*. Le public et la critique furent, dans leur ensemble,
lents à comprendre la portée de ce théâtre », qui, nous venons
de le voir par la citation précédente, est encore parfaitement
contesté. Et ainsi de suite. Et j'avoue que l'attention que
l'on veut bien me porter, bienveillante ou malveillante,
m'honore, m'exaspère dans mes moments de faiblesse, me
trouble, m'inquiète et parfois je suis tenté de croire
que le dernier article qui m'est consacré est le seul juste :
si bien que je me précipite, après l'avoir lu, sur un article
précédent, exprimant une attitude opposée, afin que je ne
sombre ni dans la fatuité et l'auto-confiance excessive, ni
dans la dépression et le découragement, chaque critique
étant pour moi l'antidote de l'autre, ce qui me permet de

suivre mon chemin, dans l'équilibre que me donnent les poussées contraires, qui, de cette façon, se neutralisent tout en me servant : car quel est le service qu'elles peuvent me rendre? De s'annuler pour ne pas me desservir.

Je ne voudrais pas ne pas signaler une sorte de véritable renversement des alliances, provisoire, je n'en doute pas, qui s'est produit à l'occasion de la création de *Rhinocéros*, chez certains des critiques : « Enfin, ça y est! Depuis des années que nous attendions : ce jour, celui où Ionesco renonçant à ses jeux stériles, deviendrait un auteur digne d'être classique, il s'est enfin levé. Cette fois, plus d'erreur possible : Ionesco écrit en français. Et son *Rhinocéros* est une œuvre d'autant plus grande que tous peuvent en saisir la signification! » Ce n'est pas l'avis d'un autre : « Je comprends pourquoi *Rhinocéros* a eu un tel retentissement en Allemagne : c'est parce que c'est une pièce essentiellement germanique. » Ou bien : « Enfin, pour la première fois, j'ai été conquis par une œuvre de cet auteur. » Tandis que pour d'autres, c'est l'abomination des abominations : « *La Leçon* est devenue du mauvais Labiche; *Amédée*, du pâle Bernstein; un fervent des catacombes a le droit de déplorer qu'après avoir génialement découvert l'insolite de la banalité Ionesco soit tombé dans le symbolisme prédicant qu'il exécrait. »

« Mal écrite et mal jouée, cette pièce n'est pas du Ionesco... » car Ionesco « au lieu de progresser dans cette voie magnifique » (celle qu'il avait suivie jusqu'à présent); au lieu de réaliser le « Ionesco au carré » dont on rêvait, s'est copié lui-même en défigurant... son génial pantin d'autrefois. » Pourtant le Ionesco au carré se serait réalisé, à en croire un autre article où il est écrit textuellement : « Cette pièce c'est une fable, c'est un mythe, à la fois Panurge et Prométhée », ce sont « *Les Chaises* à la puissance deux, *Rhinocéros* a gagné la bataille ».

Je ne sais pas, moi, si j'ai gagné ou non la bataille mais je constate que sur le champ de bataille des critiques, la mêlée est inextricable.

Un thème ressort sans doute de *Rhinocéros*, celui de la réprobation du conformisme, puisque la majorité de la critique le relève. Là, les réactions peuvent se grouper plus facilement. Le conformisme a mauvaise presse. Chacun trouve

que « les autres » sont conformistes, mais pas lui-même.
Accuser quelqu'un de conformisme, c'est l'accuser de manquer d'intelligence ou de personnalité, cela ne se fait pas,
c'est la faiblesse de l'armure de chacun, car chacun se
demande s'il n'est pas sot et a peur de l'être.

Lorsqu'on assiste donc à un spectacle où il semble que
le conformisme soit dénoncé, on se sent déconcerté; ou
vexé ou, au contraire, encouragé, approuvé, dans une attitude que l'on a et qu'on juge soi-même être non-conformiste : quelques jours après la générale de *Rhinocéros*, un
critique d'art traditionaliste ou modérément moderne écrit
dans un hebdomadaire, un grand papier contre les « Rhinocéros » qui sont, à son avis, « les peintres non-figuratifs
et les amateurs de l'art abstrait qui envahissent la peinture
actuelle »; lui « il n'aimera jamais cette peinture, il résistera
à la rhinocérite ». Les rhinocéros, pour un critique dramatique connu de la grande presse bourgeoise ce sont les
auteurs et les partisans du théâtre d'avant-garde (ou dits
d'avant-garde) que lui, personnellement, quitte à rester le
dernier homme, n'acceptera jamais.

Puis, l'accusation se précise de la part de ceux qui se sont
sentis touchés et leur réaction est enfantine : « Les rhinocéros », explique un éminent critique non-bourgeois pour
faire pendant au critique bourgeois : « les rhinocéros ce sont
les ionesquiens ».

La contre-accusation se précise davantage et l'on écrit :
« Je ne capitule pas! crie le héros de *Rhinocéros*, face aux tenta-
tions du conformisme; pour son héros c'est, malheureusement, chose faite ». Ou bien, un autre : « Lorsque le non-
conformisme commence à être approuvé par la masse des
conformistes, il se révèle ce qu'il était, un conformisme qui
se dissimulait... » car, n'est-ce pas, il est évident que « ce
théâtre est un théâtre qui rassure, confortable, un théâtre
qui ne touche personne. Jugez-en... » Mais alors, pourquoi
toute cette bagarre? Jugeons-en, en effet. Et le même critique poursuit : « Pourquoi les hommes ont-ils été amenés, dans
différents cas, à choisir la condition de rhinocéros?...
et si c'était de la vie médiocre, confinée, que les hommes voulaient s'évader en devenant rhinocéros? Et si certains totalitarismes offraient un humanisme... plus vivifiant? » En

effet, c'est peut-être ce que mon héros voulait dire : « Le nazisme était bien un de ces totalitarismes vivifiants, très vivifiant même et très tuant. »

En constatant ma présence sur le plateau de l'Odéon, théâtre subventionné, les uns, qui ont bon caractère, ont considéré cela comme une plaisanterie de la part d'un auteur « non-conformiste »; les autres, de plus méchante humeur, ont considéré que cela constituait une faute grave de nature à invalider toute mon œuvre. Je souligne, en passant, que personne n'a jamais considéré que le fait de monter des spectacles au Palais de Chaillot également subventionné, devant des ministres qui assistaient aux générales et que Jean Vilar venait saluer, en même temps que tous les gens qui se trouvaient dans la salle, — diminuait la portée de l'esthétique théâtrale de ce grand metteur en scène. Personne ne dit que Roger Planchon et l'auteur qu'il met en scène à l'Odéon sont des conformistes dont les créations, de ce fait, seraient dévalorisées. Deux poids, deux mesures. Peut-être que je n'apporte pas le même message (puisqu'on me reproche ou l'on me loue d'en apporter un), mais, ainsi que nous l'avons vu, la critique elle-même (celle qui dit que j'apporte un message, car il y en a une autre qui prétend que je n'ai pas apporté de message idéologique), ne sait pas elle-même de quel message idéologique il s'agit.

Ce n'est pas à moi de le dire : c'est aux critiques de s'en apercevoir; c'est à eux d'être pénétrants.

Le public populaire attendait autrefois, à la sortie du spectacle, le comédien qui avait joué le rôle de l'intrigant, pour le lyncher. Aujourd'hui, c'est l'auteur que les critiques identifient grossièrement à ses personnages.

On confond aussi ce que pense l'auteur de son œuvre, — avec l'œuvre elle-même. Un critique anglais concluait qu'Arthur Miller était un grand auteur, car ce que Miller disait de son propre théâtre était intéressant : mais la réussite artistique n'était même pas mise en question; comme s'il était tout à fait secondaire que Miller eût écrit des pièces ou non, encore moins qu'elles fussent bonnes ou mauvaises.

Un professeur, à son tour, me reproche aimablement

de m'établir sur le plan des principes au moins dans un nihilisme terroriste que je défends avec une vigueur digne d'une meilleure cause. Mais dit-il : mon théâtre ne serait pas si fort, s'il était vide. Alors pourquoi m'en veut-il?

L'homme n'est solitaire et angoissé qu'à certaines époques, la nôtre, par exemple, où il y a, dit le même, clivage de la société en deux groupes au moins. Mais le personnage de Hamlet n'exprime-t-il pas la solitude et l'angoisse; et la cellule de Richard II n'est-elle pas celle de toutes les solitudes? Il me semble que la solitude et surtout l'angoisse caractérisent la condition fondamentale de l'homme. Et ce professeur qui pense que c'est une révolution économique et politique qui va automatiquement résoudre tous les problèmes de l'homme est un utopiste, et moins intelligent que mon perroquet.

Ce critique me reproche encore de vouloir m'évader du cadre social, car, dit-il, « tout homme vit dans une certaine civilisation qui le nourrit, mais, qui, ajoute-t-il, ne l'explique pas totalement ».

Mes pièces n'ont jamais voulu dire autre chose. Mais simplement que l'homme n'est pas seulement un animal social prisonnier de son temps, mais qu'il est aussi, et surtout, dans tous les temps, différent historiquement, dans ses accidents, identique dans son essence. Ainsi si nous dialoguons avec Shakespeare, avec Molière, avec Sophocle, si nous les comprenons, c'est parce qu'ils sont, profondément, en leur essence, comme nous. Je trouve que l'homme universel n'est pas celui d'une humanité générale abstraite mais vraie, concrète; et l'homme « en général » est plus vrai que l'homme limité à son époque, mutilé. Et j'ai dit, plusieurs fois, que c'est dans notre solitude fondamentale que nous nous retrouvons et que plus je suis seul, plus je suis en communion avec les autres, alors que dans l'organisation sociale, qui est organisation des fonctions, l'homme ne se réduit qu'à sa fonction aliénante.

J'ajouterais que l'œuvre d'art a de la valeur par la puissance de sa fiction, puisqu'elle est fiction, avant tout, puisqu'elle est une construction imaginaire; on la saisit, d'abord, bien sûr, par tout ce qu'elle a d'actuel, de moral, d'idéologique, etc... mais c'est la saisir par ce qu'elle a de

moins essentiel. Est-elle inutile, cette construction imaginaire, faite, bien sûr, avec les matériaux tirés du réel? Pour
certains, oui. Mais pourquoi la construction littéraire serait-
elle moins admissible que les constructions picturales ou
musicales? Parce que ces dernières peuvent moins facilement être des instruments de propagande : dès qu'on en
fait de la propagande, d'une part, elles se dénaturent, d'autre
part, elles se dévoilent trop clairement comme propagande.
En littérature, l'ambiguïté est plus facile.

Et si certains n'aiment pas les constructions de l'imagination il n'en est pas moins qu'elles sont là, qu'elles se font
parce qu'elles correspondent à une exigence profonde de
l'esprit.

Si la confusion est si grande dans l'appréciation d'une
œuvre d'art, d'une pièce de théâtre, c'est que personne en
somme ne sait ce qu'est exactement une œuvre littéraire,
une pièce de théâtre. Relisez la *Petite préface à toute critique*,
de Jean Paulhan : il vous dit, infiniment mieux que moi,
quelles sont les différentes façons de ne pas le savoir.

En somme, qu'y a-t-il eu de gênant dans les jugements des
autres? Je pense que ce qui m'ennuyait surtout, et ce qui
continue de m'ennuyer, c'est que je n'étais pas jugé sur la
question. J'ai l'impression d'avoir été jugé non pas par des
critiques littéraires ou par des critiques de théâtre mais par
des moralistes. J'entends par moralistes, les théologiens,
fanatiques, dogmatiques, idéologues de tous bords.
C'est-à-dire, hors du problème. J'ai la conviction absolue
que ce n'est pas ce genre de jugement passionnel qui, en
fin de compte, aura le dessus. Je constate également qu'il
est, sur le moment, extrêmement irritant. La subjectivité
moraliste des contemporains, pris dans la tempête des passions de toutes sortes, ne me semble donc pas seulement
irritante mais surtout aveuglée et aveuglante. Pour ce qui
est de la subjectivité de la postérité, elle peut sembler
aussi inacceptable, si bien qu'on ne sait plus comment en
sortir. J'espère toutefois que le temps viendra de l'objectivité relativement absolue, si je puis dire, après les tempêtes.

Je vais essayer de préciser certaines choses. Lorsque je
déclare, par exemple, qu'une œuvre d'art, une pièce de
théâtre en l'occurrence n'a pas à être idéologique, je ne veux

certainement pas dire qu'il ne faut pas y trouver des idées, des opinions. Je crois simplement que ce ne sont pas les opinions exprimées qui comptent. Ce qui compte, c'est la chair et le sang de ces idées, leur incarnation, leur passion, leur vie.

Une œuvre d'art ne peut pas faire double emploi avec une idéologie car, dans ce cas, elle serait l'idéologie, elle ne serait plus l'œuvre d'art, c'est-à-dire une création autonome, un univers indépendant vivant sa propre vie, selon ses propres lois. Je veux dire qu'une œuvre théâtrale, par exemple, est elle-même sa propre démarche, est elle-même une exploration, devant arriver par ses propres moyens à la découverte de certaines réalités, de certaines évidences fondamentales, qui se révèlent d'elles-mêmes, dans le cheminement de cette pensée créatrice qui est l'écriture, évidences intimes (ce qui n'empêche pas de joindre les évidences intimes des autres, ce qui fait que la solitude finit ou peut finir par s'identifier à la communauté), évidences intimes inattendues au départ, et qui sont surprenantes pour l'auteur lui-même et souvent surtout pour l'auteur lui-même. Cela signifie peut-être que l'imagination est révélatrice, qu'elle est chargée de multiples significations que le « réalisme » étroit et quotidien ou l'idéologie limitative ne peuvent plus révéler : en effet, celle-ci imposant à l'œuvre de n'être que son illustration, l'œuvre n'est plus création en marche, action, surprise; elle est connue à l'avance. Des œuvres réalistes ou idéologiques ne peuvent plus que nous confirmer ou nous enferrer dans des positions préalables trop fermement établies. On cherche trop, dans les œuvres, la défense et l'illustration, la démonstration de ce qui était déjà démontré, donc de ce qui n'était plus à démontrer. L'horizon est bouché, c'est la prison ou le désert, plus d'événements inattendus, donc plus de théâtre. Si bien que j'arrive à avancer que le réalisme, par exemple, est faux ou irréel et que seul l'imaginaire est vrai. Une œuvre vivante est donc celle qui surprend tout d'abord son propre auteur, qui lui échappe, qui met l'auteur et les spectateurs en déroute, en quelque sorte, en contradiction avec eux-mêmes. Autrement, l'œuvre créatrice serait inutile car pourquoi donner un message qui a déjà été donné? Une œuvre d'art est, pour moi, l'expression d'une intuition originaire ne devant presque rien aux autres : en créant un monde, en l'inventant, le créateur le découvre.

Un auteur de théâtre, trop maître de ce qu'il fait, ou un poète dont l'œuvre créatrice veut n'être que démonstration de ceci ou de cela aboutit à faire une œuvre fermée sur elle-même, isolée de ses mérites profonds. Ce n'est plus un poète, c'est un pion. Je me méfie profondément du théâtre que l'on appelle didactique, car le didactisme tue l'art... et aussi l'enseignement : la même leçon toujours rabâchée est inutile! Des idéologues plus staliniens que ne l'était Staline lui-même, des auteurs de théâtre parfois considérables veulent absolument sauver le monde ou l'éduquer. Mais nous savons très bien que lorsque les religions vous parlent du salut de l'âme, c'est surtout à l'enfer qu'elles pensent où devront aller les âmes rebelles au salut; nous savons également que lorsque l'on parle d'éducation, on aboutit très vite à la rééducation et nous savons tous ce que cela veut dire. Les pions de tous les côtés, les éducateurs et rééducateurs, les propagandistes de tant de croyances, les théologiens et les politiciens finissent par constituer des forces oppressives contre lesquelles l'artiste doit combattre. J'ai cru devoir affirmer plusieurs fois que deux dangers menaçaient la vie de l'esprit et le théâtre en particulier : la sclérose mentale bourgeoise d'une part, les tyrannies des régimes et directions politiques d'autre part, c'est-à-dire les bourgeoisies de tous les côtés. J'entends par esprit bourgeois, le conformisme d'en haut, d'en bas, de gauche, de droite, l'irréalisme bourgeois aussi bien que l'irréalisme socialiste, les systèmes de convention figés. Souvent, hélas, les pires bourgeois sont les bourgeois anti-bourgeois. Je me demande si l'art ne pourrait pas être cette libération, le réapprentissage d'une liberté d'esprit dont nous sommes déshabitués, que nous avons oubliée, mais dont l'absence fait souffrir aussi bien ceux qui se croient libres sans l'être (les préjugés les en empêchant) que ceux qui pensent ne pas l'être ou ne pas pouvoir l'être.

Je crois pouvoir penser tout de même qu'un théâtre d'avant-garde serait justement ce théâtre qui pourrait contribuer à la redécouverte de la liberté. Je dois dire tout de suite que la liberté artistique n'est pas du tout méconnaissance des lois, des normes. La liberté d'imagination n'est pas une fuite dans l'irréel, elle n'est pas une évasion, elle est audace, invention. Inventer n'est pas démissionner, n'est pas s'évader. Les routes de l'imagination sont innombrables, les puissances de l'invention n'ont pas de bornes. Au contraire, le fait de se trouver dans les limites étroites de ce qu'on appelle une thèse quelconque, et le réalisme, socialiste ou non, constituent justement cette impasse. Celui-ci est déjà desséché, ses révélations sont fanées, il est une académie et un pompiérisme, il est une prison.

(Conférence prononcée en Sorbonne en mars 1960
dans le cadre de la « Maison des lettres ».)

Mes critiques
et moi

Il y a déjà quelques années, j'eus l'idée, un beau jour, de mettre, l'une à la suite de l'autre, les phrases les plus banales, faites des mots les plus vides de sens, des clichés les plus éculés que j'ai pu trouver dans mon propre vocabulaire, dans celui de mes amis ou, d'une manière plus réduite, dans des manuels de conversation étrangère.

Malheureuse initiative : envahi par la prolifération de cadavres de mots, abruti par les automatismes de la conversation, je faillis succomber au dégoût, à une tristesse innommable, à la dépression nerveuse, à une véritable asphyxie. Je pus tout de même mener à bout la tâche insensée que je m'étais proposée. Un jeune metteur en scène dans les mains duquel tomba, tout à fait par hasard, ce texte, considéra que c'était une œuvre théâtrale et en fit un spectacle : nous lui donnâmes pour titre : *La Cantatrice chauve* et la pièce fit beaucoup rire les gens. J'en fus tout étonné, moi, qui avais cru écrire la « Tragédie du langage! »

Pour empêcher toute confusion possible, je fis une seconde pièce dans laquelle on voyait comment un professeur, atroce, sadique, s'y prenait, pour tuer, une à une, toutes ses malheureuses élèves. Le public trouva que cela était franchement gai.

Pensant alors comprendre mon erreur et que j'étais un auteur inconsciemment comique j'écrivis des farces : celle, entre autres, de deux personnes presque centenaires, drôlement gâteuses, qui organisent une soirée à laquelle des quantités de gens sont invités, qui ne viennent pas, pour lesquels on entasse une énorme quantité de chaises inutiles. Situation classique de vaudeville : les spectateurs savent qu'il n'y a personne, les héros de la pièce ne le savent pas et prennent les chaises vides pour des êtres en chair et en os, auxquels ils confient, comiquement pathétiques, tout ce qu'ils ont « sur le cœur ». Les spectateurs trouvèrent que la chose était particulièrement macabre.

Je m'étais donc, encore une fois, trompé. Je crus, malgré cela, pouvoir trouver une solution qui ne prêterait plus à confusion aucune : ne pas écrire une comédie, ni un drame, ni une tragédie, mais simplement un texte lyrique, du « vécu »; je projetai sur scène mes doutes, mes angoisses profondes, les dialoguai; incarnai mes antagonismes; écrivis avec la plus grande sincérité; arrachai mes entrailles : j'intitulai cela *Victimes du devoir*. On me traita de fumiste, de petit plaisantin.

Soyons plaisantin, me dis-je, tout en recousant ma peau.

Je me mis au travail, composai sept petits sketches qui furent représentés dans un de ces théâtres de la rive gauche que l'on appelle du nom bizarre d' « avant-garde ».

Des critiques écrivirent à cette occasion que la tentative de théâtre abstrait que j'avais faite était sérieuse, posait de subtils problèmes; cependant, pour intéressante qu'elle fût, elle ne pouvait mener à rien. On me fit observer que le théâtre n'est pas abstrait car il est concret. Je trouvai que l'objection — un peu en dehors de la question — était juste.

Je voulus savoir alors, de façon précise, si je devais persévérer, oui ou non, et dans quelle direction. A qui demander conseil ? A mes critiques, évidemment. Il n'y avait qu'eux à pouvoir m'éclairer. Je relus donc, et étudiai avec la plus grande attention et le plus grand respect ce que ces derniers avaient bien voulu penser de mes pièces. J'appris ainsi que j'avais du talent : un peu, beaucoup, passionnément, pas du tout; que j'avais de l'humour; que j'en étais absolument dépourvu; que j'étais un maître de l'insolite, un tempérament mystique; que mes pièces avaient des prolongements métaphysiques; que — selon un autre — j'étais, dans le fond, un esprit réaliste, psychologue, un bon observateur du cœur humain, et que c'est en ce sens que je devais diri-

ger ma création; que j'étais assez flou; que j'avais une écriture nette, claire; que j'avais une langue pauvre; une langue
riche; que j'étais un critique violent de la société actuelle;
que le plus grave défaut de mon théâtre consistait dans
le fait que je ne dénonçais pas l'ordre social injuste, le désordre établi; on me reprochait vivement d'être asocial; je sus
encore que je n'étais pas du tout poétique, or il le fallait
car « pas de théâtre, sans poésie »; que j'étais poétique, et
justement il ne le fallait pas, car « la poésie, qu'est-ce que cela
veut dire? »; que mon théâtre était trop conscient, trop cérébral, froid; au contraire, primitif, simple, élémentaire; que
je suis dénué d'imagination, schématique, sec; que je ne sais
pas canaliser une imagination excessive, indisciplinée et que
— au lieu d'être sec et dépouillé comme il se doit — je suis
prolixe; que, ce qui est intéressant dans mon cas, je serais
un des créateurs de la dramaturgie des objets; « pas d'accessoires au théâtre », prônait un autre, « c'est mauvais, ce qui
compte c'est le texte »; mais si, mais si, les accessoires,
cela est très important, cela visualise, théâtralise le thème
de la pièce; pas du tout; mais si; mais non...

Je pris ma tête dans mes mains. Je me dis qu'il valait mieux
écouter un seul juge. Je lus les chroniques successives
d'un de mes critiques, choisi au hasard : celui-ci reprochait
à mon théâtre d'être trop facile, sans secrets; deux mois
plus tard, le même m'objectait d'être surchargé de lourds
et obscurs symboles et défiait quiconque d'y comprendre
quoi que ce soit.

« Voyons-en un autre », me dis-je. Ce second critique
chatouillait agréablement mon orgueil : j'appris que j'avais
brisé toutes les vieilles conventions théâtrales, que je faisais
des pièces tout à fait neuves, originales, hardies, innovais,
étais révolutionnaire. Hélas, revenant sur ces propos, ce
second critique déclara que je ne faisais que continuer une
tradition périmée et répétais tout ce qui avait été dit et
redit mille fois avant moi. On me prouva que j'étais très
influencé par Strindberg. Cela m'obligea à lire le dramaturge
scandinave : je me rendis compte, en effet, que cela était
vrai. Non pas par Strindberg, affirmèrent les autres, mais
plutôt par Jarry, et que c'était bien, parce que j'avais aussi
un apport personnel; et que ce n'était pas bien, parce que je

n'avais aucun apport personnel; et par Tchékhov, Molière, Flaubert, Monnier, Vitrac, Queneau,Picasso, Raymond Roussel, Pirandello, Courteline, Alphonse Allais, Kafka, Lewis Carroll, les élisabéthains, les expressionnistes, les distanciationnistes avec un côté Synge, un côté Artaud, sans compter le côté Lautréamont, le côté Rimbaud, le côté Daumier, le côté Napoléon, le côté Richelieu, le côté Mazarin et beaucoup d'autres côtés...

Me croira-t-on? Je me sens vraiment désemparé.

J'ai l'intention de relire une vieille fable : « Le meunier, son fils et l'âne ». Peut-être en tirerai-je une conclusion définitive.

Hélas! C'est encore celle d'un autre...

Arts, 22-28 février 1956.

Controverse londonienne

I

Kenneth Tynan, dont on a traduit en France un essai : Le Théâtre et
la vie *(in :* Les jeunes gens en colère vous parlent), *est un des cri-*
tiques qui ont le plus bataillé pour faire connaître Ionesco en Angleterre.
La bataille gagnée, il eut soudain des doutes et les exposa dans L'Observer *du 22 juin 1958, sous un titre interrogatif :*

IONESCO : HOMME DU DESTIN ?

[...] Au Royal Court Theatre, *Les Chaises* est une reprise.
Quant à *La Leçon*, nous l'avions déjà apprise, en 1955, au
Théâtre des Arts. Le but de ce programme est, cette fois,
de montrer la variété théâtrale de Joan Plowright, qui, d'une
pièce à l'autre, rajeunit de soixante-dix ans... Toutefois,
l'accueil enthousiaste du public ne s'adressait pas seulement
à l'actrice, quelque étonnante qu'elle ait pu être dans le rôle
de la vieillarde. Les applaudissements avaient une intensité
assourdissante, la sorte de frénésie qui est symptomatique
d'un culte nouveau. C'était un culte de Ionesco; et j'y flaire
un danger.

Déçues par la « renaissance poétique » Fry, Eliott, les
autruches de notre intelligentsia théâtrale se sont mises
en quête d'une autre foi. N'importe quoi aurait fait leur

affaire, pourvu que soient brisées « les entraves du réalisme ». Or, une pièce réaliste se définit, en gros, par le fait
que personnages et incidents sont visiblement enracinés
dans la vie... Gorki, Tchékhov, Arthur Miller, Tennessee
Williams, Brecht, O'Casey, Osborne et Sartre ont écrit des
pièces réalistes [...] on y exprime une vue humaine du monde
avec les mots de tout le monde que nous pouvons tous reconnaître. Comme toutes les disciplines exigeantes, le réalisme
peut se corrompre en sentimentalité nauséeuse (N. C. Hunter),
en semi-vérité (Terence Rattigan), en simple copie photo-
graphique des trivialités humaines. Les auteurs qui s'y sont
montrés des maîtres ont créé le durable répertoire du théâtre
du xxe siècle; et j'ai pris soin de ne point exclure Brecht,
qui a utilisé des procédés de stylisation pour mettre en relief
des personnages essentiellement réalistes.

Ce qui, aux yeux des autruches, suffisait à l'éliminer : il
était trop réel. De même, elles préfèrent *Fin de partie*, où
l'élément humain était minime, à *En attendant Godot*, où l'on
voyait deux clochards d'un réalisme méphitique, qui, en
outre, inspiraient à leur créateur une visible affection.
Voilant leur désapprobation, les autruches bondirent sur une
œuvre de Beckett plus manifestement verbale et la saluèrent
comme « l'image authentique d'un monde en pleine désintégration ». Mais ce ne fut qu'avec l'arrivée de M. Ionesco
que les autruches crièrent au messie. Enfin, c'était l'avocat
passionné de l'*anti-théâtre* : il s'opposait ouvertement au
réalisme, et tacitement à la réalité même. Il déclarait que
les mots n'avaient pas de sens, que la communication entre
les hommes était impossible. Les vieillards, comme dans *Les
Chaises* sont pris dans un cocon impénétrable de souvenirs
hallucinés : ce qu'ils disent n'est intelligible que pour eux-
mêmes, incompréhensible pour quiconque d'autre. Le professeur de *La Leçon* ne peut communiquer avec son élève que par
les moyens de la violence sexuelle, suivis du meurtre. Les
mots, découverte merveilleuse de notre espèce, sont écartés
comme inutiles et faux.

M. Ionesco a créé un monde de robots solitaires, conver-
sant entre eux en dialogues pareils à ceux des « Comics »
pour enfants, — dialogues parfois désopilants, parfois évoca-

teurs, souvent ni l'un ni l'autre, et qui, alors, distillent un profond ennui. Les pièces de M. Ionesco sont comme les histoires de chiens qui parlent : on ne peut guère les entendre deux fois. J'ai eu cette impression, notamment, avec *Les Chaises*. Ce monde n'est pas le mien, mais je reconnais qu'il s'agit d'une vision personnelle tout à fait légitime, présentée avec beaucoup d'aplomb imaginatif et d'audace verbale. Le danger commence lorsqu'on le présente comme exemplaire, comme le seul accès possible vers le théâtre de l'avenir, — ce lugubre monde d'où seront exclues à jamais les hérésies humanistes de la foi en la logique et de la foi en l'homme.

M. Ionesco offre certes une « évasion du réalisme », mais évasion vers quoi? Vers une impasse, peut-être, ornée de décorations tachistes sur les murs. Ou une volontaire cloche à vide, dans laquelle l'auteur, sur un ton d'augure, nous invite à observer l'absence d'air. Ou, mieux encore, une randonnée de foire dans le train fantôme, avec des crânes partout et des masques de cire qui hurlent, — mais nous émergeons ensuite dans la réalité de tous les jours, dont la rumeur est beaucoup plus intimidante.

Le théâtre de M. Ionesco est piquant, excitant; il demeure un divertissement en marge. Il n'est pas situé sur la grand-route, et ce n'est pas lui rendre service, ni au théâtre, que de prétendre qu'il l'est.

Kenneth TYNAN.

Traduit de l'anglais par Jean-Louis Curtis.

II

Ionesco répondit en ces termes à Kenneth Tynan :

LE RÔLE DU DRAMATURGE

J'ai été naturellement honoré par l'article que M. Tynan a consacré à mes deux pièces, *Les Chaises* et *La Leçon*, malgré les réserves qu'il contenait, et qu'un critique a le droit de faire. Toutefois, comme certaines de ses objections me paraissent fondées sur des prémisses non seulement fausses, mais étrangères au théâtre, je me crois autorisé à faire certains commentaires.

M. Tynan rapporte que l'on m'aurait désigné, avec mon approbation, comme une sorte de « messie » du théâtre. C'est doublement inexact, car je n'ai pas de goût pour les messies, d'une part, et d'autre part je ne crois pas que la vocation de l'artiste ou du dramaturge soit orientée vers le messianisme. J'ai la nette impression que c'est M. Tynan qui est en quête de messies. Apporter un message aux hommes, vouloir diriger le cours du monde, ou le sauver, est l'affaire des fondateurs de religions, des moralistes ou des hommes politiques, — lesquels, entre parenthèses, s'en tirent plutôt mal, comme nous sommes payés pour le savoir. Un dramaturge se borne à écrire des pièces, dans lesquelles il ne peut qu'offrir un témoignage, non point un message didactique, — un témoignage personnel, affectif, de son angoisse et de l'angoisse des autres, ou, ce qui est rare, de son bonheur; ou bien, il y exprime ses sentiments, tragiques ou comiques, sur la vie.

Une œuvre d'art n'a rien à voir avec les doctrines. J'ai déjà écrit ailleurs qu'une œuvre d'art qui ne serait qu'idéologique, et rien autre, serait inutile, tautologique, inférieure à la doctrine dont elle se réclamerait et qui trouverait meilleure expression dans le langage de la démonstration et du discours. Une pièce idéologique n'est rien autre que la vulgarisation d'une idéologie. À mon sens, une œuvre d'art a un système d'expression qui lui est propre; elle possède ses propres moyens d'appréhension directe du réel.

M. Tynan semble m'accuser d'être délibérément, explicitement antiréaliste; d'avoir déclaré que les mots n'ont pas de sens et que tout langage est incommunicable. Ce qui n'est que partiellement vrai, car le fait même d'écrire et de présenter des pièces de théâtre est incompatible avec une telle conception. Je prétends seulement qu'il est difficile de se faire comprendre, non point absolument impossible, et ma pièce, *Les Chaises*, est une plaidoirie, pathétique peut-être, en faveur de la compréhension mutuelle. Quant à la notion de réalité, M. Tynan me paraît ne reconnaître qu'un seul mode de la réalité[1] : le mode dit « social », à mes yeux le plus extérieur et, pour tout dire, le moins objectif, car sujet en fait aux interprétations passionnelles. C'est pourquoi je pense que des écrivains comme Sartre (auteur de mélodrames politiques), Osborne, Miller, etc., sont les nouveaux « auteurs du boulevard », représentant un conformisme de gauche qui est tout aussi pitoyable que celui de droite. Ces écrivains n'offrent rien que l'on ne connaisse déjà, par les ouvrages et discours politiques.

Ce n'est pas tout. Il n'est pas suffisant d'être un écrivain « social réaliste », il faut aussi, paraît-il, être un adepte militant de ce que l'on appelle « le progrès ». Les seuls auteurs valables, ceux qui sont sur la « grand-route » du théâtre, seraient ceux qui pensent selon certains principes, ou directives, préétablis. (Mais le « progressisme » n'est pas toujours le progrès.)

Voilà qui rétrécirait singulièrement la grand-route, qui réduirait d'une façon considérable les divers plans de la réalité, et limiterait le champ ouvert aux recherches de la création artistique. Je crois que ce qui nous sépare les uns des autres est cette « politique », qui élève des barrières entre les hommes et est une somme constante de malentendus.

Si je peux m'exprimer en paradoxe, je dirai que la société véritable, l'authentique communauté humaine, est extra-sociale, — c'est une société plus vaste et plus profonde, celle qui se révèle par des angoisses communes, des désirs, des nostalgies secrètes qui sont le fait de tous. L'histoire du monde est gouvernée par ces nostalgies et ces angoisses que l'activité politique ne fait que refléter, et qu'elle interprète très imparfaitement. Aucune société n'a pu abolir la tristesse humaine, aucun système politique ne peut nous libérer de la douleur de vivre, de la peur de mourir, de notre soif de l'absolu. C'est la condition humaine qui gouverne la condition sociale, non le contraire.

La « réalité » me semble être beaucoup plus vaste et plus complexe que ce à quoi M. Tynan et beaucoup

---

1. Comme il l'a dit clairement dans une interview publiée dans « Encounter ».

d'autres avec lui veulent se limiter. Le problème est d'aller à la source de notre maladie, de découvrir le langage non conventionnel de cette angoisse, en rompant avec les clichés et formules du langage impersonnel des slogans « sociaux ».

Les caractères « robots » que M. Tynan réprouve me semblent être précisément ceux qui appartiennent uniquement à ce milieu ou à cette réalité « sociale », qui en sont prisonniers et qui — n'étant que « sociaux » — se sont appauvris, aliénés, vidés. C'est précisément le conformiste, le petit-bourgeois, l'idéologue de n'importe quelle « société » qui est perdu et déshumanisé. S'il existe quelque chose à avoir besoin d'être démystifié, ce sont les idéologies qui offrent des solutions toutes faites (qui sont les alibis provisoires des partis parvenus au pouvoir) et que, en plus, le langage cristallise, fige. Tout doit être continuellement réexaminé à la lumière de nos angoisses et de nos rêves et le langage figé des « révolutions » installées doit être sans répit dégelé afin de retrouver la source vivante, la vérité originelle.

Pour découvrir le problème fondamental commun à tous les hommes, il faut que je me demande quel est *mon* problème fondamental, quelle est ma peur la plus indéracinable. C'est alors que je découvrirai quels sont les peurs et les problèmes de chacun. Voilà la vraie grand-route, celle qui plonge dans mes propres ténèbres, *nos* ténèbres, que je voudrais amener à la lumière du jour.

Il serait amusant de faire une expérience pour laquelle la place me manque ici mais que j'espère bien réaliser un jour. Je pourrais prendre à peu près n'importe quelle œuvre d'art, n'importe quelle pièce, et je parie pouvoir donner successivement à chacune d'entre elles une interprétation marxiste, bouddhiste, chrétienne, existentialiste, psychanalytique; prouver, tour à tour, que l'œuvre sujette à toutes ces interprétations est une illustration parfaite et exhaustive de chacune de ces croyances et qu'elle confirme aussi bien cette idéologie-ci que cette idéologie-là de façon exclusive. Pour moi, cela prouve autre chose : que chaque œuvre d'art (à moins qu'elle ne soit une œuvre pseudo-intellectualiste, à moins qu'elle ne soit déjà totalement contenue dans un système idéologique quelconque qu'elle ne fait que vulga-

riser — comme c'est le cas pour tant de pièces à thèse) est
en dehors de l'idéologie, qu'elle n'est pas réductible à une
idéologie. L'idéologie ne fait que l'entourer sans la pénétrer.
L'absence d'idéologie dans l'œuvre ne signifie pas absence
d'idées; au contraire, ce sont les œuvres d'art qui les ferti-
lisent. En d'autres mots, ce n'est pas Sophocle qui a été
inspiré par Freud, mais c'est bien Freud qui a été inspiré par
Sophocle et par les angoisses dont témoignent l'existence,
les œuvres d'art et les révélations qu'elles peuvent déter-
miner. L'idéologie n'est pas la source de l'art. C'est l'œuvre
d'art qui est la source et le point de départ des idéologies
ou philosophies à venir (car l'art est la vérité et l'idéologie
n'en est que l'affabulation, la morale).

Que doit donc faire le critique? Où doit-il chercher ses
critères? Dans l'œuvre elle-même, son univers et sa mythologie. Il doit la regarder, l'écouter, et dire uniquement si elle
est ou n'est pas logique avec elle-même, cohérente en soi.
Le meilleur jugement sera une description attentive de l'œuvre
elle-même. Pour cela il faut laisser l'œuvre parler d'elle-même,
en faisant taire les idées préconçues, les partis pris idéologiques
et les jugements préfabriqués.

La question de savoir si l'œuvre est ou non sur la grand-
route, conforme ou non à ce que vous voudriez qu'elle fût,
relève d'un jugement préétabli, extérieur, insignifiant et
faux. Une œuvre d'art est l'expression d'une réalité incommunicable que l'on essaie de communiquer, — et qui, parfois, peut être communiquée. C'est là son paradoxe, — et sa
vérité.

Eugène IONESCO.

*(N.B. — Ce texte a été, lui aussi, traduit de l'anglais par Jean-
Louis Curtis. Ionesco n'a pu retrouver l'original français.)*

III

*La réponse de Ionesco provoqua de nombreux commentaires. Kenneth
Tynan répondit à cette réponse. Puis Philip Toynbee dit son mot, ainsi
que de nombreux lecteurs, dont les lettres furent publiées. Nous donnerons
deux fragments de ces lettres.*

*Mais voici d'abord, à nouveau, Kenneth Tynan. Cet article parut
dans l'*Observer *du 6 juillet* 1958 :

IONESCO ET LE FANTOME

L'article de M. Ionesco sur « le rôle du dramaturge »
est discuté ailleurs, dans ce journal, par M. Philip Toynbee
et par plusieurs lecteurs. Je voudrais ajouter ce qui ne sera
pas, je l'espère, un post-scriptum, car il serait bon que ce
débat fût poursuivi.

En lisant le texte de M. Ionesco, j'ai d'abord éprouvé
un certain étonnement, puis de l'admiration, enfin du regret.
J'ai été surpris de me voir attribuer, par M. Ionesco, des
conceptions fort autoritaires touchant une *mission* politique
du théâtre. Je m'étais en effet borné à suggérer que le théâtre, comme n'importe quelle activité humaine, fût-ce la plus
modeste (achat d'un paquet de cigarettes, par exemple)
a des *répercussions* sociales et politiques. J'ai ensuite admiré la
sincérité et le talent de prosateur, avec lesquels M. Ionesco
a exposé ses idées. J'ai enfin regretté qu'un homme capable
d'assumer une attitude positive envers l'art, nie qu'il vaille
la peine de prendre une attitude positive envers la vie. Ou
même (ce qui est crucial) qu'il y ait, de l'une à l'autre, une
relation vitale.

La position vers laquelle évolue M. Ionesco tient l'art
pour une activité purement autonome, qui n'a et ne *doit*
avoir aucune sorte de correspondance avec quoi que ce soit
en dehors de l'esprit de l'artiste. Il se trouve que cette position
est à peu près celle d'un peintre français déclarant, voici
quelques années, que, rien dans la nature n'étant exactement
semblable à rien d'autre, il se proposait de brûler tous ses
tableaux, qui ressemblaient peu ou prou à des objets pré-
existants.
M. Ionesco n'en est pas encore là. Il en est resté à l'ornière
du cubisme (pour garder l'analogie picturale). Les cubistes
employaient la déformation pour faire des découvertes

sur la nature de la réalité objective. M. Ionesco est sur le
point de croire que ses déformations ont plus de valeur
et d'importance que le monde extérieur qu'elles sont censées
interpréter. Je ne suis pas encore assez sclérosé par la critique
dramatique pour avoir oublié (si je puis paraphraser Johnson)
que les pièces de théâtre sont filles de la terre, et les objets,
fils du ciel. Le danger qui menace M. Ionesco est de s'enfermer dans cette galerie des glaces, connue, en philosophie,
sous le nom de solipsisme.

L'art vit de la vie, comme la critique vit de l'art. M. Ionesco
et ses disciples brisent le lien, s'isolent, aspirent à une sorte
d'immobilisme quiet. Au mieux, ils échouent à l'atteindre.
L'inquiétant est qu'ils essaient. Privé de sang, le cerveau
engendre des phantasmes, un délire de grandeur. « Une
œuvre d'art, dit M. Ionesco, est la source et le matériau
brut des idéologies futures. » O hybris ! Il arrive qu'art et
idéologie influent l'un sur l'autre; le vrai est qu'ils jaillissent
d'une source commune. L'un et l'autre s'appuient sur l'expérience humaine pour expliquer les hommes à eux-mêmes.
Ils sont frère et sœur, non père et fille. Dire, comme le fait
M. Ionesco, que Freud a trouvé son inspiration dans Sophocle est une grave absurdité. Freud a simplement trouvé
dans Sophocle la confirmation d'une théorie qu'il avait
élaborée à partir d'une découverte expérimentale.

On peut se demander pourquoi M. Ionesco tient si fort
à cette conception fantomatique de l'art comme monde clos,
autonome, responsable devant ses propres lois. La réponse
est simple : M. Ionesco cherche à se soustraire à tout jugement de valeur. Il voudrait nous rendre aveugles au fait
que, spectateurs, nous sommes tous, en un sens, des critiques,
qui apportons avec nous au théâtre non seulement ces
« nostalgies et angoisses » qui, dit-il avec raison, gouvernent
en partie l'histoire du monde, mais aussi tout un ensemble
d'idées nouvelles — morales, sociales, psychologiques,
politiques — grâce auxquelles nous espérons pouvoir,
un jour futur, nous libérer enfin de la vétuste tyrannie de
l'*Angst*. Ces idées qui nous sont chères, M. Ionesco nous
assure qu'elles n'ont rien à faire avec le théâtre. Notre fonction de critiques consiste à écouter la pièce et à « dire tout
simplement si elle est ou non fidèle à sa propre nature ».

Non point fidèle à la nôtre, remarquez bien; ni même relevant de notre juridiction. Auditeurs, on nous ôte le droit d'écouter en tant qu'êtres doués de conscience et d'affectivité. « Le diagnostic est clair, docteur : c'est un cancer. » — « Bon, bon, laissez-le tranquille, puisqu'il est fidèle à sa nature. »

Que M. Ionesco le veuille ou non, toute œuvre théâtrale digne d'attention affirme quelque chose. Elle est une affirmation, formulée à la première personne du singulier, à l'adresse de la première personne du pluriel; et celle-ci doit se réserver le droit de n'être pas d'accord. Dans *Encounter*, on me reproche de m'être élevé contre la philosophie nihiliste implicite dans *Le Songe* de Strindberg. « L'important, dit mon interlocuteur, n'est pas de savoir si le nihilisme de Strindberg est moral, mais plutôt si Strindberg l'a bien exprimé. » Strindberg l'a certes exprimé avec force, mais il y a des choses plus importantes. Si un homme me dit une chose que je crois mensongère, dois-je m'abstenir de toute réaction autre qu'un compliment pour le brio avec lequel il m'a menti?

Cyril Connolly a dit un jour, avec une mélancolique concision, que c'était « l'heure de la fermeture dans les jardins de l'Occident ». La cadence de la phrase est suave, mais je nie ce qui suit : « à dater d'aujourd'hui, un artiste sera jugé uniquement sur la résonance de sa solitude ou la qualité de son désespoir. » Pas par moi, s'il vous plaît. Je saurai, je l'espère, apprécier toujours la sincérité de tels témoignages; mais c'est autre chose encore que je demande à l'artiste, — quelque chose de plus solide : je lui demande de ne pas se contenter d'être un symptôme passif, mais de se vouloir aussi, de temps à autre, agent d'une possible guérison. M. Ionesco dit avec raison que nulle idéologie n'a jamais aboli la peur, la souffrance et la tristesse. Nulle œuvre d'art, non plus. Mais l'une et l'autre s'y essaient. Que faut-il faire d'autre?

Kenneth TYNAN.

IV

Philip Toynbee exprima son opinion dans un article qui s'intitulait :

UNE ATTITUDE DEVANT LA VIE

Dans l'*Observer* de la semaine dernière, M. Eugène Ionesco écrivait ce qui suit : « ... des auteurs comme Sartre, Osborne, Miller, Brecht, etc., sont les nouveaux auteurs du boulevard; ils représentent un conformisme de gauche tout aussi lamentable que celui de droite. Ils n'offrent rien que l'on ne connaisse déjà par des ouvrages ou des discours politiques, » et « Je crois que ce qui nous sépare les uns des autres, c'est le social ou, si vous préférez, la politique. C'est cela qui élève des barrières entre les hommes et crée des malentendus ».

Il semble, d'après ces quelques lignes, que Sartre est le seul dramaturge que M. Ionesco ait lu, de tous ceux qu'il a choisi d'attaquer. On doute que M. Ionesco soit familier avec l'œuvre de Miller, car accuser ce dernier de « conformisme de gauche » est aussi absurde que si l'on accusait M. Ionesco d'être le porte-parole des colons algériens.

La frivolité des remarques de M. Ionesco souligne une des qualités qui, à mes yeux, font de Miller un dramaturge plus important que M. Ionesco. Écrire que ce qui nous sépare les uns des autres est le social, c'est comme si l'on disait que l'espèce humaine est horriblement gênée dans sa liberté de mouvements par l'atmosphère qui pèse si lourd sur notre planète.

Philip TOYNBEE.

V

*Et voici deux opinions de lecteurs de l'*Observer. *La seconde lettre s'achève sur une phrase qui pourrait être de Robert Kemp.*

Sir, M. Ionesco a une conception de la vie, une conception de l'Histoire, voire une conception de l'avenir. L'ensemble constitue une idéologie aussi définie que celle de Kenneth Tynan.

L'article de foi de M. Ionesco est que « aucun système politique ne saurait nous libérer de la souffrance de vivre, de la peur de la mort, de notre soif de l'absolu ». M. Ionesco croit enfin que tout ce qui est en dehors de lui-même est « superficiel ».

La majorité des hommes attendent, des systèmes politiques, qu'ils les libèrent de la pauvreté et qu'ils satisfassent leur soif de connaissance. Ils ont découvert aussi que leurs relations avec les autres hommes impliquent la vie et la mort.

John BERGER
Newland (Glos).

Sir,
Je ne suis certes pas un admirateur des œuvres de M. Ionesco ; ce que j'en connais m'a paru déplaisant et — pour employer son propre vocabulaire — incommunicable. Mais je tiens sa réponse à la critique de M. Tynan pour une des plus brillantes réfutations de la théorie actuelle du « réalisme social ». On devrait réimprimer cet essai et lui assurer la plus large diffusion possible. Si seulement M. Ionesco pouvait mettre un peu de cette clarté et de cette sagesse dans ses pièces, il pourrait devenir un grand dramaturge.

H. F. GARTEN
London S W 10.

VI

*Dans le débat intervint alors une personnalité de grand format, Orson Welles. Il donna son avis sur ce que doit être le rôle du dramaturge dans un article qui fut publié le 13 juillet dans l'*Observer *et qui s'intitule :*

L'ARTISTE ET LE CRITIQUE

Le récent article de M. Eugène Ionesco en réponse à Kenneth Tynan offre, me semble-t-il, un témoignage involontaire en faveur des vues célèbres du dramaturge français sur l'incommunicabilité du langage.

M. Ionesco a l'air de croire que le critique de l'*Observer* est en quelque sorte un agent de la circulation, qui lui a intimé l'ordre de regagner la grand-route. En fait, la remarque dont il s'est formalisé ne s'adressait pas à l'artiste ni à son art; ce que l'on déplorait était simplement la singulière ferveur du public. En tant qu'admirateur enthousiaste de M. Ionesco, j'ai eu l'impression que M. Tynan exagérait un peu. Un admirateur, même fervent, n'est pas nécessairement le fidèle d'un culte. Prendre plaisir à une pièce de théâtre n'est pas nécessairement approuver son « message ». Quand j'applaudissais *Les Chaises*, est-ce que je participais à une démonstration en faveur du nihilisme? Voilà qui me paraissait tiré par les cheveux... Après avoir lu la réplique de M. Ionesco, je n'en suis plus si sûr.

Si l'homme ne peut communiquer, comment pourrait-il contrôler sa destinée? Les déductions les plus sombres de M. Tynan paraissent justifiées dans la mesure où M. Ionesco accepte les conséquences extrêmes de sa propre logique : à savoir qu'on ne prouve pas la faillite du langage sans prouver du même coup la faillite de l'homme.

[*Orson Welles nie que le critique doive se contenter de juger si l'œuvre est conforme ou non à ses lois internes. Un critique est un être humain, il a droit à ses réactions personnelles, à l'expression de ses propres idées.*]

L'artiste peut-il se soustraire à la politique? Il devrait assurément éviter la polémique. « Diriger le cours du monde, écrit M. Ionesco, est l'affaire des fondateurs de religion, des moralistes et des politiciens. » Mais la moindre parole que profère un artiste est l'expression d'une attitude sociale; et je ne consens pas, avec M. Ionesco, à ce que ces expressions soient toujours moins originales que les pamphlets politiques ou les discours. Un artiste doit confirmer les valeurs de la société dans laquelle il vit; ou bien il doit les contester. [...]

Insistant, comme il le fait, sur l'élément personnel dans l'art, sur l'individuel, l'unique, M. Ionesco ne s'aviserait sûrement pas d'aller chercher refuge dans les pays totalitaires. Il ne peut guère espérer introduire en contrebande son petit univers intime dans un univers politique où l'intimité est tenue pour crime, et où l'individu souverain est un proscrit. Hautain et glacial, fier et intouchable, il s'en remet à la merci des partisans de la liberté.

Je résiste au délicat instinct qui me pousse à présenter mes excuses à M. Ionesco pour l'emploi de ce mot « liberté ». Ce qui est précieux porte souvent un nom galvaudé. Toutefois, nous ne sommes pas encore suffisamment dégoûtés par les parlotes sur la liberté, pour renoncer d'un cœur léger à la liberté d'expression. Dans le pays de M. Ionesco, cette liberté, précisément, n'est guère, à l'heure actuelle, plus assurée qu'ailleurs. Partout dans le monde, un grand nombre de libertés subissent l'assaut, et toutes, à commencer par le droit que réclame M. Ionesco, de tourner le dos à la politique, furent, à telle ou telle époque de l'histoire, des conquêtes politiques. Ce n'est pas « la politique » qui est l'ennemie de l'art, c'est la neutralité, parce qu'elle nous enlève le sens du tragique. D'ailleurs, la neutralité est, elle aussi, une position politique, dont les conséquences pratiques ont pu être méditées par beaucoup de confrères de

M. Ionesco, dans la seule tour d'ivoire vraiment étanche que notre siècle ait su ériger, — le camp de concentration.

Qu'il vaille mieux abandonner la politique à des professionnels est un argument conservateur parfaitement respectable; mais M. Ionesco avait soin d'ajouter qu'à son avis les politiciens professionnels s'en tiraient bien mal. Je voudrais pouvoir dire que ces deux sentiments — celui du conservateur et celui du révolutionnaire — s'annulent. Mais, pour une fois, M. Ionesco ne parlait pas comme les personnages de ses pièces; en fait, il parlait de démission. Car dénoncer l'incompétence des gouvernants, et déclarer ensuite que la « direction » du monde devrait être laissée exclusivement entre ces mains incompétentes, c'est manifester un bien extraordinaire désespoir.

Dans les circonstances actuelles, l'incitation à abandonner le bateau qui coule n'est pas seulement quelque chose de futile; c'est aussi un cri de panique. Si nous sommes vraiment condamnés, que M. Ionesco vienne se battre à côté de nous tous. Il devrait avoir le courage d'assumer nos platitudes.

Orson Welles.

VII

*Le débat est inépuisable. Pour lui donner une conclusion (provisoire) nous donnerons le texte d'une deuxième réponse de Ionesco à Kenneth Tynan. Ce texte est inédit. L'*Observer *en a acheté les droits pour l'Angleterre mais ne l'a pas publié.*

LE CŒUR N'EST PAS SUR LA MAIN

Je ne pourrai pas répondre à tous les problèmes soulevés, dans son dernier article (*Ionesco and the Phantom*) par mon courtois ennemi M. Kenneth Tynan. Ce serait trop long et je ne puis continuer d'abuser de l'hospitalité de l'*Observer*.

Ce serait aussi, en partie, inutile, car nous n'arriverions qu'à nous répéter. C'est ce que, pour sa part, M. Kenneth Tynan commence déjà à faire. Je tâcherai donc de me préciser surtout et de répondre aux questions qui me semblent essentielles.

M. Tynan me reproche d'être à tel point séduit par les moyens d'exprimer la « réalité objective » (mais qu'est-ce que la réalité objective ?, cela est une autre question), — que j'en oublie la réalité objective elle-même au profit des moyens d'expression pris pour but. En d'autres termes, je crois comprendre que c'est de formalisme qu'il m'accuse. Mais qu'est-ce que l'histoire de l'art, l'histoire de la littérature sinon, en premier lieu, l'histoire de son expression, l'histoire de son langage ? L'expression est pour moi fond et forme à la fois. Aborder le problème de la littérature par l'étude de son expression (et c'est ce que doit faire, à mon avis, le critique) c'est aborder aussi son fond, atteindre son essence. Mais s'attaquer à un langage périmé, tenter de le tourner en dérision pour en montrer les limites, les insuffisances; tenter de le faire éclater, car tout langage s'use, se sclérose, se vide; tenter de le renouveler, de le réinventer ou simplement de l'amplifier, c'est la fonction de tout « créateur » qui par cela même, ainsi que je viens de le dire, atteint le cœur des choses, de la réalité, vivante, mouvante, toujours autre et la même, à la fois. Ce travail se fait aussi bien consciemment qu'instinctivement, avec humour si l'on veut et dans la liberté, avec des idées mais sans idéologie si j'entends par idéologie un système de pensées fermé, un système de slogans médiocres ou supérieurs, hors de toute vie, qu'il ne parvient plus à intégrer mais qui continue de vouloir s'imposer comme s'il était expression même de la vie. Je ne suis pas le premier à avoir signalé les écarts qu'il y a, dans l'art aussi bien que dans la vie « politique », entre les idéologies et les réalités. Je situe donc l'art davantage sur le plan d'une certaine connaissance libre que sur celui d'une morale, d'une morale politique. Il s'agit bien entendu d'une connaissance affective, participante, d'une découverte objective dans sa subjectivité, d'un témoignage non pas d'un enseignement, d'un témoignage de la façon dont le monde apparaît à l'artiste.

Renouveler le langage c'est renouveler la conception, la vision du monde. La révolution c'est changer la mentalité. Toute expression artistique nouvelle est un enrichissement correspondant à une exigence de l'esprit, un élargissement des frontières du réel connu : elle est aventure, elle est risque, elle ne peut donc pas être répétition d'une idéologie cataloguée, elle ne peut être servante d'une autre vérité (parce que celle-ci étant dite, elle est déjà dépassée) que la sienne. Toute œuvre qui répond à cette nécessité peut apparaître insolite au départ, puisqu'elle communique ce qui n'a pas encore été, de cette façon, communiqué. Et comme tout est dans l'expression, dans sa structure, dans sa logique interne, c'est son expression qui doit être examinée. On doit voir dans un raisonnement si la conclusion découle logiquement de ses données ; car il est une construction, qui semble (qui semble seulement) être indépendante, hors de tout, — comme une pièce de théâtre, par exemple, est une construction que l'on doit décrire pour la contrôler dans sa cohésion interne. Les données elles-mêmes de tout raisonnement se contrôlent, bien entendu, par d'autres raisonnements qui sont également encore des constructions.

Je ne crois pas qu'entre création et connaissance il y ait contradiction car les structures de l'esprit reflètent, probablement, les structures universelles.

A quoi ressemblent un temple, une église, un palais ? Y a-t-il là-dedans du réalisme ? Certainement pas. Pourtant, l'architecture est révélante des lois fondamentales de la construction ; chaque édifice témoigne de la réalité *objective* des principes de l'architecture. Et à quoi sert un bâtiment ? une église ? Apparemment à loger des gens, abriter des fidèles. C'est là leur emploi le moins important. Ils servent surtout à révéler, à être l'expression de ces lois architectoniques, et c'est pour les étudier et les admirer que nous visitons les temples désaffectés, les cathédrales, les palais déserts, les vieilles maisons inhabitables. Tous ces édifices servent-ils donc à améliorer le sort de l'homme (ce qui doit être, selon M. Tynan, le but essentiel de toute pensée et de toute œuvre d'art) ? Certainement pas. Et à quoi sert la musique sinon à être elle aussi révélatrice d'autres lois ? En un sens on pourrait donc dire qu'une colonne, une sonate ne servent

strictement à rien. Elles servent à être ce qu'elles sont.
L'une à tenir debout, l'autre à se faire entendre. Et l'existence universelle à quoi sert-elle ? A exister, uniquement.
Mais si l'existence se rend service en existant, c'est une
affaire d'appréciation et un autre problème, impensable,
d'ailleurs, car elle ne peut pas ne pas exister.

Lorsque M. Tynan défend les auteurs réalistes, parce qu'ils
s'expriment dans un langage que tout le monde peut immédiatement reconnaître, c'est tout de même un réalisme étroit
qu'il défend, bien qu'il se défende de défendre un tel réalisme
qui ne contient plus le réel et qui doit éclater. Lorsque tout
le monde l'admet, c'est qu'il n'est plus admissible.

Il y a eu, au début de ce siècle, ce qu'il est convenu d'appeler une vaste avant-garde dans tous les domaines de l'esprit.
Une révolution, un bouleversement dans nos habitudes
mentales. Les découvertes continuent certainement et
l'intelligence progresse dans ses recherches qui la transforment elle-même et modifient de fond en comble la compréhension du monde. En Occident, cette rénovation continue dans la musique et dans la peinture notamment. Dans
la littérature et surtout dans le théâtre ce mouvement semble
s'être arrêté, depuis 1925, peut-être. Je voudrais bien pouvoir
espérer que l'on me considère comme un des modestes
artisans qui en prennent la suite. J'ai essayé, par exemple,
d'extérioriser l'angoisse (que M. Tynan veuille bien excuser
ce mot) de mes personnages dans les objets, de faire parler
les décors, de visualiser l'action scénique, de donner des
images concrètes de la frayeur, ou du regret, du remords,
de l'aliénation, de jouer avec les mots (et non pas de les
envoyer promener) peut-être même en les dénaturant, — ce
qui est admis chez les poètes et les humoristes. J'ai donc
essayé d'amplifier le langage théâtral. Je crois avoir, dans
une certaine mesure, un peu réussi à le faire. Ceci est-il
condamnable ? Je ne sais. Je sais seulement que l'on ne m'a
pas jugé sur ces pièces car cela ne semble pas entrer dans les
préoccupations d'un critique dramatique de l'importance
pourtant de M. Tynan qui n'est tout de même pas aveugle.

Mais revenons, une dernière fois, au réalisme. Il m'est
arrivé, tout récemment, de voir une exposition internationale
de peinture. Il y avait là des tableaux « abstraits » (que

M. Tynan semble ne pas priser) et des tableaux figuratifs :
impressionnistes, post-impressionnistes, et « réalistes-socialistes ». Au pavillon soviétique il n'y avait, évidemment,
que de ceux-ci. C'étaient des œuvres mortes : des portraits
de héros, figés dans des poses conventionnelles, irréelles ;
des marins et des francs-tireurs dans des châteaux conquis,
académiques à tel point qu'ils n'étaient plus croyables ; et
aussi des tableaux non-politiques, des fleurs gelées ; et la
rue d'une ville, avec des gens *abstraits*, une femme, au milieu,
vidée de toute vie, inexpressive, mais exacte, déshumanisée.
C'était bien curieux. Ce qui l'était encore plus, — c'est que
les gros bourgeois de la ville se pâmaient d'admiration. Ils
disaient que le pavillon en question était le seul à mériter
d'être vu ; car même les fauves ou les impressionnistes les
dépassaient. Ce n'était pas la première fois que je pouvais
constater l'identité des réactions des bourgeois réalistes
staliniens et des bourgeois réalistes capitalistes. Par un encore
plus curieux retour des choses, il est évident que les peintres
réalistes-socialistes étaient formalistes et académiques justement parce qu'ils n'avaient tenu compte des moyens
formels qu'insuffisamment pour tenir compte surtout du
fond. Le fond leur avait échappé et les moyens formels
s'étaient retournés contre eux et s'étaient vengés et avaient
étouffé la réalité.

Dans le pavillon français, par contre, les œuvres de Masson
(qui est bien un peintre exclusivement attentif à ses procédés,
à ses moyens d'expression, à sa technique) témoignaient
d'une émouvante vérité, d'un extraordinaire dramatisme
pictural. Une lumière prodigieusement intense vibrait
là, encerclée par la nuit qui la combattait Des trajectoires
se dessinaient, des lignes se cabraient violentes et à travers
des plans compacts une trouée nous faisait apparaître
l'espace infini. Puisque Masson, artisan, avait laissé la réalité
humaine tranquille, puisqu'il ne l'avait pas dépistée, n'ayant
songé qu'à « l'action de peindre », la réalité humaine et son
tragique s'étaient dévoilés, pour cette raison, justement,
librement. C'est donc ce que M. Tynan appelle l'anti-réalité
qui était devenue réelle, un incommunicable qui se communique ; et c'est là aussi, derrière l'apparent refus de toute
vérité humaine concrète et morale, que s'était tenu caché

son cœur vivant alors qu'il n'y avait, chez les autres, les anti-formalistes, que des formes desséchées, vides, mortes : le cœur n'est pas sur la main.

M. Tynan est d'accord avec moi pour constater que « no ideology has yet abolished fear, pain or sadness. Nor has any work of art. But both are in the business of trying. What other business is there ? ».

Autre chose à faire : de la peinture, par exemple. Ou avoir de l'humour. Un Anglais ne devrait pas en manquer. Je vous en supplie, M. Tynan, n'essayez pas, par les moyens de l'art ou autres, à améliorer le sort de l'homme. Je vous en supplie. Nous avons eu assez de guerres civiles jusqu'à présent, et du sang, et des larmes, et des procès iniques, et de « justes » bourreaux, et « d'ignobles » martyrs, et d'aspi-rations détruites, et des bagnes.

N'améliorez pas le sort de l'homme, si vous lui voulez vraiment du bien.

Quelques mots pour M. Philip Toynbee. Je retire tout le mal que j'ai pu dire d'Arthur Miller. M. Toynbee juge l'œuvre dramatique de celui-ci d'après les idées que M. Arthur Miller a lui-même de la création dramatique. Je croyais que cela ne pouvait tout au plus constituer qu'un préjugé favorable. Je me trompais sans doute. Je vais donc la juger favorablement moi aussi d'après quelque chose qui est en dehors de l'œuvre même. Je jugerai donc l'œuvre de M. Arthur Miller d'après la photo de M. Miller, publiée dans l'*Observer*. En effet, M. Miller a l'air d'un très brave garçon. Alors j'admire son œuvre.

D'autre part, je suis un peu étonné par l'étonnement de M. Philip Toynbee devant l'affirmation que l'homme peut être gêné dans ses mouvements par le social ou par l'air qu'il respire. Je pense qu'on a bien du mal à respirer et à vivre; je pense aussi que l'homme peut ne pas être un ani-mal social. L'enfant a bien du mal à se socialiser, il lutte contre la société, il s'y adapte difficilement, les éducateurs en savent quelque chose. Et s'il s'y adapte difficilement c'est que, dans la nature humaine quelque chose doit échap-per au social ou être aliéné par le social. Et une fois que

l'homme est socialisé, il ne s'en tire toujours pas très bien.
La vie sociale, la vie avec les autres, ce que cela peut donner,
nous a été présenté par Sartre lui-même (que M. Toynbee
veut bien me permettre de citer) dans sa pièce *Huis-Clos*.
C'est un enfer, le social, un enfer, les autres. On voudrait
bien pouvoir s'en passer. Et Dostoïevski ne disait-il pas
qu'on ne pouvait pas vivre plus de quelques jours avec
quiconque sans commencer à le détester ? Et le héros de
Homme pour homme ne perd-il pas son âme, son nom, ne se
désindividualise-t-il pas jusqu'à l'aliénation totale en entrant
dans l'irresponsabilité collective des uniformes ?

J'ai fait moi-même mon service militaire. Mon adjudant
me méprisait parce que je cirais mal mes bottes. Comment
lui faire comprendre qu'il y avait aussi d'autres critères de
valeurs que le cirage des bottes ? Et que le cirage de bottes
n'épuisait pas entièrement mon humanité ? Les filles ne
voulaient pas danser avec moi, au bal, parce que je n'étais
pas lieutenant. J'étais un homme pourtant, extra-militaire-
ment. Quant à mon général, il était à tel point défiguré
moralement qu'il croyait qu'il n'était que général et devait
coucher avec son uniforme. J'ai été employé plus tard et
j'avais aussi le sentiment d'être aussi « autre chose » qu'un
employé. Je crois que j'ai bien eu conscience de mon aliénation sociale, telle que le marxiste le plus marxiste la dénonce,
celle qui empêche le libre épanouissement de l'homme. Ma
pièce *Les Chaises* a été jouée à Varsovie et dans quelques autres
villes polonaises, et l'on a reconnu, dans mes personnages,
non pas des aliénés mentaux, mais des aliénés sociaux. Ils
portaient d'ailleurs des vêtements de travail de prolétaires,
d'ouvriers. Je crois que *toute* société est aliénante, même
ou surtout « socialiste » (en Occident, en Angleterre, en
France, les classes se nivellent ou s'interpénètrent davantage) où le chef politique se pense élite parce que chef
éclairé, et où il est absorbé par sa fonction. Où il y a fonction
sociale, il y a aliénation (le social c'est l'organisation des
fonctions) car encore une fois l'homme n'est pas que fonction sociale.

Mon lieutenant, rentré chez soi, ou mon patron, seul
dans sa chambre, pouvait, par exemple, tout comme moi,
extra-socialement, avoir peur comme moi de la mort, avoir

les mêmes rêves et les mêmes cauchemars ou, soudain, avoir
tout oublié de sa personne sociale et se retrouver nu, comme
un corps sur une plage, étonné d'être là, étonné de son étonnement, étonné d'en prendre conscience, face à l'immense
océan de l'infini, seul sous le soleil éclatant, inconcevable
et irréfutable de l'existence. Et c'est là que le général et le
patron s'identifient à moi. C'est dans leur solitude qu'ils me
rejoignent. Et c'est pour cela que la vraie société transcende
la machinerie sociale.

   Mais cela n'a rien à voir avec le théâtre. Excusez-moi.
I am sorry.

Eugène IONESCO
(republiée dans *Cahiers des saisons*. Hiver 1959.)

Entretiens

— *Vous avez dit que seule la réalité était susceptible de devenir cauchemar. Qu'entendez-vous par là?*

— Mes personnages plaisantent, de temps à autre, ou bien ils s'expriment d'une façon humoristique; ils disent aussi des sottises; ou encore ils s'expriment avec gaucherie, ils ne se connaissent pas très bien eux-mêmes, ils se cherchent à travers leur propre maladresse; ils sont des hommes comme la plupart des hommes, ils ne pontifient pas chaque fois qu'ils ouvrent la bouche; ils disent aussi le contraire de ce que je pense ou de ce que pense le héros opposé. Je n'ai pas dit, moi, que « la réalité, contrairement au rêve tournait au cauchemar » : c'est un de mes personnages qui a prononcé cette phrase. Il faut donc voir ce qu'est ce personnage; s'il a parlé sérieusement, s'il s'est moqué; dans quelle situation il a dit ce qu'il a dit? pourquoi? qu'entend-il par là?... etc... Et surtout sait-il bien dire ce qu'il veut dire? C'est à mes personnages que l'on doit poser ces questions, pas à moi.

— *Mais quelle est la part de l'individu dans ce « cauchemar réel »? Est-ce à dire que la réalité est rêvée? Ou que le rêve est réalité?*

— Maintenant, si vous me demandez mon avis personnel sur ce « cauchemar réel » je vous avoue, tout à fait entre nous, que j'ai bien le sentiment que la vie est cauchemardesque, qu'elle est pénible, insupportable comme un mauvais rêve. Regardez autour de vous : guerres, catastrophes et désastres, haines et persécutions, confusion, la

mort qui nous guette, on parle et on ne se comprend pas,
nous nous débattons, comme nous pouvons, dans un monde
qui semble atteint d'une grande fièvre; l'homme n'est-il
pas, comme on l'a dit, l'animal malade, n'avons-nous pas
l'impression que le réel est faux, qu'il ne nous convient pas?
que ce monde n'est pas notre vrai monde? Autrement, non
seulement nous ne voudrions rien changer mais nous n'aurions même pas conscience de son imperfection, du mal.
Ce qu'il y a de plus étrange c'est que nous sommes attachés
à ce cauchemar réel, et que sa précarité nous semble plus
scandaleuse encore que son horreur. Nous sommes faits
pour tout comprendre, nous ne comprenons que très peu,
et nous ne nous comprenons pas; nous sommes faits pour
vivre ensemble et nous nous entre-déchirons; nous ne voulons pas mourir; c'est donc que nous sommes faits pour
être immortels mais nous mourons. C'est horrible et ce n'est
pas sérieux. Quel crédit puis-je accorder à ce monde qui n'a
aucune solidité, qui fiche le camp? J'aperçois Camus,
j'aperçois Atlan et soudain je ne les aperçois plus. C'est
ridicule. Cela me fait presque rire. Bref, le roi Salomon
a déjà épuisé ce sujet.

Si le monde n'est qu'illusion? je ne puis vous répondre.
Adressez-vous aux métaphysiciens de l'Orient pour avoir
des lumières là-dessus. En fait, cela ne compte guère : il
nous apparaît comme réalité et c'est évidemment avec cette
réalité (bien que précaire) que nous luttons.

— *S'agit-il d'une réalité sociale? Et dans ce cas, est-ce ce
caractère à la fois onirique et social qui vous permet de tirer parti
de cette réalité en artiste?*

— Il s'agit bien sûr d'une réalité sociale, individuelle, biolo-
gique, physique, etc... d'une réalité humaine, c'est-à-dire
telle qu'elle peut apparaître aux hommes. De quelle autre
réalité pourrait-il s'agir?

D'ailleurs, en un sens, tout est social. Je crois toutefois que
l'homme ne se réduit pas à l'organisation sociale, à la machinerie sociale. J'ai déjà dit, moi aussi, en forçant un peu les
termes, que la profonde société est extra-sociale. Nos rêves
essentiels ne sont-ils pas les mêmes? Ne révèlent-ils pas nos
angoisses communes, nos désirs communs? Et l'organisation sociale n'est-elle pas aliénante? C'est bien ce qui fait

qu'il y a des « asociaux ». Lorsque je suis le plus profondément moi-même, je rejoins une communauté oubliée. Souvent la société (extérieure) m'aliène, c'est-à-dire elle me
sépare de moi-même et des autres à la fois. Je préfère le mot
communauté à celui de social, sociologie, etc... Cette communauté extra-historique me paraît être fondamentale. Nous
pouvons la rejoindre par-delà les barrières (et barricades),
castes, classes, etc... On a dit et répété que l'homme est un
animal sociable. Mais vous n'avez qu'à voir ce qui se passe
dans le métro : tous les passagers se précipitent sur les
sièges à une place, et, dans l'autobus la place qui est toujours
occupée est celle qui se trouve à l'avant du véhicule, où le
passager est seul assis. Les fourmis, les abeilles, les oiseaux
sont sociables. L'homme est plutôt asociable. Il est tout de
même social, ce n'est pas possible autrement.

Être asocial c'est finalement être tout de même social d'une
façon différente. Seulement, aujourd'hui, sous le mot social
s'abritent, volontairement ou non, un grand nombre de
malentendus. Ainsi, une action, une œuvre doivent avoir,
dit-on, un intérêt social : cela veut dire souvent qu'elles ont
un intérêt politique (elles expriment la tendance d'un mouvement politique déterminé) ou de propagande, ou un intérêt
pratique.

Pour en revenir à l'aspect onirique de mon œuvre, puisque
vous me posez la question je dois vous dire que lorsque je
rêve je n'ai pas le sentiment d'abdiquer la pensée. J'ai au
contraire l'impression que je vois, en rêvant, des vérités, qui
m'apparaissent, des évidences, dans une lumière plus éclatante, avec une acuité plus impitoyable qu'à l'état de veille,
où souvent tout s'adoucit, s'uniformise, s'impersonnalise.
C'est pour cela que j'utilise, dans mon théâtre, des images
de mes rêves, des réalités rêvées.

— *Vous dites aussi que vous n'expliquez pas, mais que vous
vous expliquez. Qu'est-ce qu'un témoin qui s'explique?*

— Quand je dis que je suis un témoin je veux surtout dire
que je ne suis pas juge. Je ne suis pas le président du tribunal,
ni le procureur, ni l'avocat. Si le témoin a été choisi par la
défense ou l'accusation, c'est l'affaire de celles-ci. Le témoin
(en principe!) ne prend pas parti. S'il est probe, il doit être
objectif... dans sa subjectivité. Le procureur qui accable

l'accusé (c'est son rôle), l'avocat qui le défend (c'est son métier) sont tendancieux, sont partisans : ils font... de la politique et de la stratégie. Le président du tribunal c'est le Pape, le Chef de l'État et tous ceux qui — la Bible, le Code, des Dogmes en main — ont l'audace de juger.

Le témoin raconte une histoire, ou même pas; il expose comment des faits lui sont apparus. Il dit la vérité... subjective, bien entendu.

Il est malgré tout un petit peu juge; il l'est par erreur. Le témoin absolu ne devrait pas l'être, puisqu'il ne doit pas avoir de parti pris.

Je n'explique pas, oui. Je suis témoin c'est-à-dire soumis aux explications et interprétations des autres. Mais je m'explique. C'est-à-dire, lorsque les juges trouvent que mon exposé n'est pas clair, je tâche de le préciser. C'est bien ce que vous me faites faire en ce moment. Je tâche de me préciser surtout lorsque (cela m'arrive souvent) on veut me faire dire des choses que je n'ai pas dites.

Le témoin (c'est-à-dire : le poète) raconte donc comment le monde apparaît à sa conscience. Mais tout témoignage est une sorte de re-création, ou de création, puique tout est subjectif. Nous savons aussi que les subjectivités se rencontrent. L'objectivité est donc un consensus des subjectivités. Ainsi pour en revenir à votre question de tout à l'heure, il n'est pas trop risqué de dire que nous rêvons tous, collectivement, la même réalité, puisqu'elle n'est que ce que nous nous figurons qu'elle est.

Au tribunal, c'est le témoin qui est l'homme le plus libre. Ensuite vient l'accusé, même s'il est enchaîné. Les vrais prisonniers ce sont les juges, prisonniers de leur code, de leurs dogmes. Ils n'ont même pas la liberté de leur subjectivité puisqu'ils sont soumis aux critères juridiques.

Il est ennuyeux d'être jugé. Moins grave qu'on ne le pense : après le tribunal, il y a la Cour d'Appel, la Cour de Cassation. Une quantité indéfinie de Cours d'Appel et de Cassation. Si les jugements varient, le témoignage, enregistré, reste le même. Il se passe une chose paradoxale : le témoignage (qui est, bien sûr, témoignage de quelque chose) devient finalement, une sorte de témoignage en soi, autonome, permanent, alors que les tribunaux, autour du témoignage, passent, se contredisent, passent les uns après les autres. Les lois changent et les points de vue.

Le témoignage, vous l'avez compris, c'est l'œuvre d'art. Les tribunaux ce sont les sociétés, l'historicité.

Les tribunaux, ce n'est pas sérieux : c'est du théâtre, une cérémonie de théâtre.

—*Votre théâtre a donc quand même un rôle de miroir pour votre public. Sous quelle forme doit-il s'y redécouvrir?*

— Évidemment. Je l'espère. Puisque, je le répète, je suis comme tous les autres, au plus profond de moi-même; tout en étant moi-même. Les asociaux doivent au moins s'y reconnaître.

Mais lorsque je suis à la surface sociale de moi-même je suis impersonnel. Ou je suis très peu moi-même.

On a cru définir l'homme bourgeois, l'homme prolétaire, l'homme artisan, le militaire, le mari, etc... ne croyez-vous pas que l'homme artisan, militaire, etc... n'est pas tout l'homme; que vous le déshumanisez en le « sociologisant »? Ne croyez-vous pas que vous l'aliénez en le déterminant ainsi? Et que vous aliénez justement ce qui est essentiel? Et qu'il y a une autre communauté « non sociologisée » — celle que j'évoquais à l'instant?

— *Vous dites même que vos spectateurs doivent se sentir gênés. N'est-il pas là ce rôle didactique de vos œuvres que pourtant vous reniez?*

— J'ai dit cela, je crois, une fois : dans les indications scéniques données aux acteurs, pour *Jacques ou la Soumission*. Je voulais que leur jeu fût « pénible » afin de communiquer un malaise aux spectateurs, répondant au ridicule des personnages.

Vous voyez là du didactisme. Évidemment, on peut tirer une leçon de n'importe quoi et même d'une leçon, si on veut en tirer une; et il est sans doute bon d'en tirer. On peut donc dire que tout est une leçon. On peut dire aussi qu'une chaise est une table si je m'en sers comme table. Et dans ce cas elle l'est effectivement. On peut encore dire que cette même chaise est un avion : je n'ai qu'à y ajouter une hélice, des ailes et un moteur. Pourtant, il me serait, je l'admets, difficile de dire que la chaise est une tablette de chewing-gum ou du sucre d'orge, bien qu'il puisse exister un sucre d'orge en forme de chaise. On peut donc dire que tout est didactique, que tout est social, même l'asocial, car rien d'humain n'est hors de la société comme rien n'est hors du cosmos (c'est ce que ne comprennent pas les sociologues qui ne croient qu'à la société et ignorent le cosmos dont ils nous séparent). Et que tout est psychologique. Et que tout est nombre, mathématifiable, etc...

Pourtant, il y a des facteurs, des policiers, des zouaves, des professeurs et des poètes. Le professeur est par sa fonction essentiellement didactique. Si vous vouliez faire du poète un professeur il ne serait plus poète, il serait professeur. S'il y a le poète, s'il y a la poésie, c'est sans doute que le poète est autre chose qu'un professeur et que ce qu'il fait est autre chose qu'une leçon. On peut tirer d'*Œdipe-Roi*, l'enseignement que si on désobéit (même involontairement et alors quelle est l'utilité de la leçon ?) aux lois morales il peut vous arriver les pires embêtements. Mais si cette tragédie est réussie c'est parce qu'elle est une histoire imaginaire, une fiction d'une puissance telle qu'on y croit, que l'on vit la douleur des personnages avec les personnages; parce qu'elle est tout un monde né de la force créatrice du poète antique; parce que les héros sont vivants; parce que ce monde inventé s'introduit dans le monde réel et qu'il se fait réel, alors qu'il n'existait même pas, qu'il aurait pu ne pas exister. Il a été gratuitement créé (ne me taquinez pas sur le mot « gratuitement »), ou librement, si vous voulez.

Et toutefois, en même temps, cette œuvre est aussi un témoignage : issu peut-être de certaines données réelles, mais les dépassant, les rendant vivantes, les transfigurant. C'est un « témoignage » par la « fiction » : il n'y a pas, dans l'art, de contradiction profonde, peut-être, entre témoigner et imaginer.

L'imagination créatrice est révélante. Comme un rêve lucide. Nous ne pouvons guère mentir. Chacun ment à sa façon et cette façon-là l'exprime.

Le professeur n'est pas un témoin. Il est juge. Juge et partie. Il n'imagine pas non plus.

Le didactisme est surtout une tournure d'esprit et l'expression d'une volonté de domination.

— *Bérenger, lui, ne permet-il pas à vos spectateurs de ne plus*

*avoir honte de s'accepter et Bérenger résistant n'est-ce pas alors
Ionesco renonçant? Pourquoi?*

— Bon. Admettons que vous me prenez en flagrant délit
de contradiction et que j'ai été tenté de faire du « théâtre
engagé », de plaider et d'accuser. Mais nous nous contredisons
tous, plus ou moins, dans la vie. Les plus importants philosophes se contredisent à l'intérieur même de leur système.
Mais un poète qui fait tantôt une œuvre tantôt une autre?
Je ne crois pas qu'il faille surmonter, résoudre les contradictions. Ce serait s'appauvrir. Il faut laisser les contradictions s'épanouir en toute liberté; les antagonismes se réuni-
ront d'eux-mêmes, peut-être, tout en s'opposant en un équilibre dynamique. On verra ce que cela va donner.

Je puis faire une fois ceci : du théâtre libre et gratuit;
puis cela : *Tueur sans gages*, *Rhinocéros*, mais là encore je
ne juge pas, je raconte une histoire qui est arrivée à
Bérenger; et je sollicite des explications (que peut-être je
n'admettrai pas). Je ne juge pas? Peut-être, quand même.
Plaider c'est aussi avoir jugé : et dans ce cas je pense
que Bérenger, mon héros de *Rhinocéros*, est tout à fait
(comme le dit si bien J.-P. Sartre dans l'interview qu'il vous
a accordée) un de ceux qui « dans une société d'oppression,
dans sa forme politique, la dictature où tout le monde paraît
consentant, témoignent de l'avis de ceux qui ne sont pas
consentants : car c'est alors que le pire est évité ». C'est bien
cela Bérenger, il me semble.

Toutefois, Bérenger est, j'espère, surtout un personnage.
Et s'il résiste au temps c'est parce qu'il aura été un personnage; il doit, s'il est valable, survivre même après que son
« message » aura été périmé. Poétiquement, ce n'est pas sa
pensée mais sa passion et sa vie imaginaire qui compteront,
car son message peut aussi être dit aujourd'hui par un journaliste, un philosophe, un moraliste, etc... L'intérêt actuel
d'une position, malgré son importance humaine, devient
secondaire par rapport à l'importance durable de l'art.

— *Comment pouvez-vous alors ne pas renoncer à l'art lui-
même?*

— Renoncer à l'art? Puis-je, malgré mon pessimisme, ma
mauvaise humeur, renoncer à respirer? La poésie, le besoin
d'imaginer, de créer, est aussi fondamental que celui de

respirer. Respirer c'est vivre et non pas s'évader de la vie.
Est-ce déserter que de composer une sonate? Et à quoi
sert-elle cette sonate? Et à quoi sert une peinture? Est-ce
qu'un tableau non figuratif (ou même figuratif) est une prise
de position pratique? C'est social, bien sûr; mais pas
pratique.

La création artistique répond à une exigence très nécessaire, impérative, de l'esprit.

Les gens qui en sont privés, à qui on refuse la liberté
d'inventer, du jeu, de créer des œuvres d'art, au-delà de
tout « engagement » souffrent profondément. Même s'ils
ne s'en aperçoivent pas clairement tout de suite.

J'en connais. Il faut les aider à ne pas s'asphyxier.

Cahiers libres de la jeunesse, 1960.

ENTRETIEN AVEC EDITH MORA

En décembre 1949, *une très jeune troupe jouait, à 6 heures
de l'après-midi, au théâtre des Noctambules, devant un public
aussi restreint que lettré, la pièce d'un auteur inconnu :* La Cantatrice chauve. *Les uns, entre deux éclats de rire, disaient :
« C'est du génie ! » les autres, de glace, quittaient la salle.*

*Dix ans après, le vieil Odéon devenu jeune Théâtre de France
inauguré par le Président de la République, affiche, pour le mois
de janvier, la dernière pièce du même Ionesco,* Rhinocéros, *qui
vient de remporter un triomphe en Allemagne. Quel nouveau secret
du rire a donc découvert l'auteur des* Chaises, *de* La Leçon, *de*
Tueur sans gages, *ces comédies que certains ont appelées des
« anti-pièces » ?*

— Rire... rire..., certainement, je ne peux pas dire que je
ne cherche pas à faire rire, toutefois, ce n'est pas là mon
propos le plus important! Le rire n'est que l'aboutissement
d'un drame, qu'on voit, sur la scène, ou qu'on ne voit pas
quand il s'agit d'une pièce comique, mais alors il est sous-
entendu, et le rire vient comme une libération : on rit pour
ne pas pleurer...

— *Vous avez pourtant bien des personnages qui font rire par eux-mêmes, par leur simple comportement?*

— Quelquefois certains sont comiques parce qu'ils sont dérisoires, mais, eux, ne le savent pas. Tous, en tout cas, sont comiquement ridicules : tel Amédée de *Comment s'en débarrasser?* et tous les personnages de *La Cantatrice chauve;* ceux-là, s'ils sont comiques, c'est peut-être parce qu'ils sont inhumanisés, vidés de tout contenu psychologique, parce qu'ils n'ont pas de drame intérieur, alors que d'autres sont comiques parce que ridicules dans leur manière d'être humains au contraire : comme les personnages de *Victimes du devoir*, ou les vieux des *Chaises*.

— *Comme aussi Bérenger de* Tueur sans gages?

— Lui est touchant, à peine comique; son comique vient de sa naïveté.

— *Est-il ainsi dans* Rhinocéros, *où nous le retrouvons?*

— Là, il y a du comique au départ, puis ce comique finit par être submergé.

Le comique, dans mes pièces, n'est souvent qu'une étape de la construction dramatique, et même un moyen de construire la pièce. Il devient de plus en plus un outil, pour faire contrepoint avec le drame; c'est visible, je crois, dans *La Leçon*

— *On pourrait ainsi arriver à une définition du comique qui vous serait propre?*

— Oui... je crois que c'est une autre face du tragique.

— *N'est-ce pas assez proche de la caricature de Jarry, ou à la Jarry?*

— Oui, dans *La Cantatrice chauve* j'étais près de Jarry, mais ensuite je l'ai de moins en moins suivi. On peut trouver ce genre de... de grotesque (après tout ce mot pourrait convenir) chez Ghelderode, que j'aime beaucoup; mais chez lui, il y a une grande exubérance de langage que je n'ai pas du tout.

— *Mais n'est-ce pas aussi, et déjà, le comique d'Arnolphe, de George Dandin?*

— Ah! Molière! bien sûr, c'est notre maître à tous — malgré son réalisme... Mais les auteurs anciens, quand ils utilisent le comique mêlé au tragique, finalement leurs personnages ne sont pas drôles : c'est le tragique qui prend le dessus. Dans ce que je fais, c'est le contraire : ils partent du comique, sont tragiques à un moment et finissent dans le comique ou le tragi-comique.

— *Mais votre point de départ à vous, ce qui vous incite à écrire votre comédie, est-il tragique ou comique?*

— Je ne sais pas, c'est très difficile de dissocier. Pourtant, peut-être est-ce plutôt comique, puis je suis gagné par une sorte d'attendrissement en suivant mes personnages, et la comédie devient dramatique; mais alors j'ai un revirement, et je retourne à mon point de départ. Cela doit se sentir avec *Amédée*. Mais ça ne se passe pas toujours ainsi, et dans mes deux dernières pièces, c'est même le contraire.

— *Peut-être êtes-vous en train d'évoluer?*

— Peut-être, en ce moment. Mais je ne sais pas ce qui va se passer demain en moi!

— *Alors parlez-moi de ce qui s'est passé hier! Comment êtes-vous devenu auteur... disons : comique?*

— Bon! Allons-y pour la grande histoire! A dix-sept ans, j'ai écrit des poèmes, mélange bizarre de Maeterlinck et de Francis Jammes, avec quelques notes surréalistes...

— *Le surréalisme vous a ébloui? libéré?*

— Oui, peut-être, mais je me suis bien rendu compte qu'on ne se libère qu'à condition de prendre conscience de ce qui est ainsi révélé, et de diriger ces révélations du monde extraconscient. Je crois que chez un écrivain, et même un auteur de théâtre, il faut qu'il y ait un mélange de spontanéité, d'inconscience et de lucidité; une lucidité qui n'ait pas peur de ce que la spontanéité imaginative peut donner. Si on établit qu'il faut être lucide *a priori*, c'est comme si on fermait les vannes. Il faut laisser s'épancher le flot, mais, après, on trie, on dirige, on comprend, on saisit. Mais, je le répète, cette lucidité, je ne l'ai pas au départ. Ce que je pense de mon théâtre n'est pas un programme, mais le résultat d'une expérience de travail.

— *Excusez-moi si je reviens au surréalisme, mais vous êtes, je crois, considéré par les grands surréalistes survivants comme la meilleure réussite du surréalisme — Philippe Soupault me le disait récemment.*

— Quand, en 1952-53, lui, Breton et Benjamin Péret

ont vu mes pièces, ils m'ont dit en effet : « Voilà ce que nous voulions faire ! » Mais je n'ai jamais fait partie de leur groupe, ni des néo-surréalistes, bien que le mouvement m'ait intéressé. Je m'explique bien d'ailleurs pourquoi on a pu arriver, seulement récemment, à un théâtre surréaliste : le théâtre est toujours en retard de vingt ou trente ans sur la poésie, alors que le cinéma, lui, est en avance sur le théâtre.

Au théâtre, toute tentative un peu hardie est aussitôt sanctionnée, par une critique sclérosée, par un réalisme terre à terre, et puis par cette peur qu'ont les auteurs et les spectateurs de laisser se libérer les forces imaginatives... On n'ose pas faire au théâtre ce qui, pourtant, ne peut se faire qu'au théâtre !

— *C'est ce que vous avez dit, cet été, au congrès de l'Institut international du théâtre, à Helsinki ?*

— Oui, on peut tout faire au théâtre, où l'auteur a une possibilité extraordinaire de déploiement de l'imagination : et on n'ose pas ! On veut faire, au théâtre, tout, même de l'éducation — ou de la rééducation — en l'espèce par le truchement d'une sous-pensée — et la rééducation, vous voyez où ça mène... Il y a des philosophes qui écrivent pour le théâtre, et leur théâtre, au lieu d'être le produit d'un système d'expression propre au théâtre, n'est que l'expression discursive, apoétique, adramatique, d'une idéologie. Or, le théâtre devrait marcher parallèlement avec une idéologie, et non être son esclave. Un auteur de pièces de théâtre peut avoir son univers, mais un univers qui ne peut s'exprimer qu'en langage de théâtre, comme la musique ne peut s'exprimer qu'en musique et la peinture qu'en peinture.

— *Vous-même, comment avez-vous compris que votre expression propre était le théâtre ?*

— Je me suis rendu compte que c'était là ma voie, mon système d'expression personnel. Quand j'arrive à me détacher du monde, et à pouvoir le regarder, il me paraît comique dans son invraisemblance.

— *Vous ne dites pas, comme c'est la mode, son... absurdité ?*

— Justement, c'est trop à la mode. Et puis, l'absurde c'est, en quelque sorte, à l'intérieur de l'existence qu'on le place. Or, pour moi, à l'intérieur de l'existence, tout est logique, il n'y a pas d'absurde. C'est le fait d'être, d'exister, qui est étonnant... Et je crois que c'est à cette faculté, non pas seulement d'observation, mais de détachement, et de dédoublement vis-à-vis de moi-même, que je dois d'être auteur comique. Tenez, quand je vais consulter un médecin, il est toujours étonné que je lui décrive les symptômes de mes maux comme un clinicien, et non pas comme le patient que je suis pourtant... Et moi, ça me soulage du « tragisme ».

    — *Êtes-vous donc ainsi, parfois, le « patient » en même temps que le clinicien ou plutôt le chirurgien dans vos comédies?*

    — Oh! je me suis toujours moqué de moi-même dans ce que j'écris! Il faut d'ailleurs avouer que j'y arrive de moins en moins, et que je me prends de plus en plus au sérieux quand je parle de ce que je fais... Je finis par tomber dans une sorte de piège. Mais, après tout, le fait de me dénoncer, comme je le fais en ce moment, me libère peut-être du piège?

    — *Vous venez d'évoquer vos écrits : en est-il d'autres que vos pièces?*

    — Oui et non. J'ai écrit trois contes, comico-tragiques, assez fantastiques, comme mon théâtre, qui sont devenus trois pièces : *Amédée*, puis *Tueur sans gages* et *Rhinocéros*. C'est quand ils ont été écrits que je me suis rendu compte qu'ils étaient, en fait, écrits comme de petites pièces.

    — *Vous venez de citer les titres de vos deux dernières pièces, celles dont vous me disiez qu'elles différaient notablement des précédentes. N'y a-t-il pas là le signe d'un glissement de votre conception du théâtre?*

    — En y réfléchissant, il faut bien reconnaître qu'en effet ces deux dernières pièces sont peut-être, malgré moi, un peu moins purement théâtrales, et un peu plus littéraires que les autres. J'ai peut-être fait, en les écrivant, certaines concessions... *Rhinocéros* est un conte que j'ai rendu scénique, c'est une histoire, alors que d'ordinaire ce qui m'intéresse surtout, dans le théâtre, c'est *la forme théâtrale*. La vraie pièce de théâtre, pour moi, c'est plutôt une construction qu'une histoire : il y a une progression théâtrale, par des étapes qui sont des états d'esprit différents, de plus en plus denses.

    — *Cette densité n'est-elle pas fatale au comique?*

    — Si, lorsqu'elle empêche l'auteur de se tourner contre

lui-même, ce qui doit être une règle absolue de qui veut être comique. Il ne faut pas céder à l'engourdissement de la sentimentalité. Il faut une certaine cruauté, un certain sarcasme vis-à-vis de soi-même. Ce qui est le plus difficile, c'est de ne pas s'attendrir sur soi ni sur ses personnages — tout en les aimant. Il faut les voir avec une lucidité, non pas méchante, mais ironique. Quand l'auteur est pris par son personnage, le personnage est mauvais. J'ai vu des auteurs pleurer à la générale de leurs pièces, s'écrier : « C'est sublime!... »

— *Mais si le personnage est particulièrement émouvant?*

— Il ne faut pas qu'il le soit totalement. Il doit être aussi comique qu'émouvant, aussi douloureux que ridicule. D'ailleurs, on ne peut pas faire jaillir de soi un personnage parfait, car l'auteur n'est pas parfait : il est un sot, comme tous les hommes!

Les Nouvelles littéraires, 1960.

BOUTS DE RÉPONSE A UNE ENQUÊTE

Je ne sais pas très bien comment je suis venu au théâtre. Il m'est impossible de vous donner des détails plus précis à ce sujet. Tout ce que je puis vous dire, c'est que je n'ai pas voulu illustrer une idéologie; ni indiquer à mes contemporains la voie du salut. Si la planète est aujourd'hui en danger mortel, c'est parce qu'il y aura eu des sauveurs : un sauveur hait l'humanité, puisqu'il ne l'accepte pas. Sans doute ai-je dû sentir, à un moment donné, la nécessité de faire œuvre de création. J'avais déjà écrit, vers l'âge de douze ans, une pièce de théâtre et un scénario de film que j'ai égarés. Ensuite, j'ai été pris par d'autres choses, par ce qu'on appelle la vie. J'ai retrouvé, beaucoup plus tard, non pas ma première pièce mais le désir ou le besoin d'en écrire d'autres. Le besoin d'inventer, d'imaginer est inné chez l'homme. Nous avons tous écrit ou essayé d'écrire, de peindre, de jouer la comédie, de composer de la musique ou de construire, au moins, des cages à lapins dont l'utilité pratique n'est que le prétexte apparent, comme la foi n'est que l'impulsion motrice de l'élévation des cathédrales.

Ceux qui n'arrivent pas à bâtir une œuvre d'art ou simplement un pan de mur isolé, rêvent, mentent ou se jouent la comédie à eux-mêmes.

Il ne faut pas empêcher le déploiement libre des forces imaginatives. Pas de canalisations, pas de dirigisme, pas d'idées préconçues, pas de limites. Je pense qu'une œuvre d'art en est une dans la mesure où l'intention première est dépassée; dans la mesure où le flot imaginatif est allé au-delà des limites ou des voies étroites que voulait s'imposer, au départ, le créateur : messages, idéologies, désir de prouver ou d'enseigner. Cette liberté absolue d'imaginer, les esprits tristes de notre temps la nomment fuite, évasion alors qu'elle est création. Faire un monde : cela exprime une exigence pure de l'esprit qui, s'il était empêché d'y répondre, mourrait d'asphyxie. L'homme est peut-être l'animal qui rit, comme on l'a dit. Où il n'y a pas d'humour, il n'y a pas d'humanité; où il n'y a pas d'humour (cette liberté prise, ce détachement vis-à-vis de soi-même) il y a le camp de concentration. Mais l'homme est surtout l'animal créateur.

J'ai écrit du théâtre, probablement, après avoir essayé d'écrire autre chose, parce qu'à un moment j'ai dû sentir que le théâtre était l'art suprême, celui qui permet la matérialisation la plus complexe de notre profond besoin de créer des mondes.

Non. Les réactions du public n'ont pas eu d'influence sur moi. C'est le public qui a fini par s'habituer à moi; il me suit (pour le moment). Je n'ai jamais tenu compte du public.

Pourtant si, peut-être. J'ai plutôt l'impression que j'ai lutté contre lui; il ne m'en a pas voulu. Les œuvres s'imposent par la force.

Je n'ai pas tenu compte des critiques non plus. Ni des critiques favorables, ni des critiques défavorables. Je veux dire que je n'en ai pas tenu compte dans ma création. Toutefois, les critiques hostiles m'ont bien embêté, personnellement. Peut-être suis-je vaniteux mais je ne puis m'empêcher de penser que quelques-uns de mes critiques « intellectuels » ont été inférieurs à ce que je leur présentais. Ils pouvaient faire venir ou empêcher de faire venir du monde au théâtre : c'est en cela seulement qu'ils m'ont embêté. Je me suis moqué d'eux. Mais ils m'ont irrité surtout. Ils n'ont été d'aucune utilité. Ils auront été infiniment encombrants : trois ou quatre d'entre eux ont essayé de tirer mes pièces à eux, d'en faire les supports, les instruments de leurs idéologies. J'ai refusé de leur être asservi. Ils m'en ont voulu. Ils m'ont déclaré, il y a quelques années, que mon théâtre était une impasse, que j'avais un public restreint de snobs, que j'étais mort. Récemment, ils ont de nouveau déclaré que j'étais mort parce que j'avais atteint le grand public. La moindre audace, la moindre liberté, l'humour, le jeu, la caricature les énervent. (Et même lorsque l'esprit n'est pas très fin, la pièce à moitié réussie, pourquoi se fâcher tellement ?) Lorsqu'ils finissent par s'habituer à une manière d'être que vous êtes parvenu à leur imposer au bout de quelques années, ils sont déroutés par le plus petit changement de cette manière d'être, rien ne doit brouiller l'image qu'ils se sont faite. Ils manquent de souplesse, de bonne humeur, souvent de bonne foi.

Je crois qu'une partie de la critique est responsable de ce qu'on appelle la crise du théâtre et du mauvais théâtre. Ils sont la routine et le fanatisme : routine et fanatisme réactionnaires, routine et fanatisme d'avant-garde, routine et fanatisme « révolutionnaires ».

L'esprit de sérieux bâtit les prisons, l'esprit de sérieux est inquisiteur, l'esprit de sérieux est didactique, l'esprit de sérieux est ennuyeux, l'esprit de sérieux fait les guerres, l'esprit de sérieux tue. Je sais bien que nous ne vivons pas une époque de grand art. Les esprits sont étriqués. Mais que cherche-t-on au théâtre, si on n'y vient pas pour « jouer » ?

Oui. Si le « succès » n'était pas venu j'aurais continué d'écrire pour le théâtre. Cela m'était devenu indispensable. D'ailleurs le succès est souvent un malentendu, un échec masqué.

Le théâtre est-il un art de divertissement ou un art de réflexion ? me demandez-vous. Je n'ai jamais compris ce

genre de question, ni cette distinction. Je ne nie pas que le
théâtre change avec le langage et avec les mœurs. L'histoire
de l'art n'est, bien entendu, que l'histoire de son expression.
Oui, il y a quelque chose qui change, quelque chose qui ne
peut changer : c'est ce qui fait que le nô, les tragédies de Sophocle, les drames de Shakespeare sont du théâtre qui peut
être compris par les hommes de partout. Les procédés de
théâtre peuvent se modifier, les lois essentielles de la théâtralité sont immuables. Un même esprit vit à travers ses
avatars différents. L'art précolombien nous parle. Rien de
plus actuel qu'une colonne grecque.

Le théâtre est, évidemment, un reflet de l'inquiétude de
notre époque. Rien ne peut l'empêcher d'être aussi l'expression des inquiétudes de toujours. On mourait d'amour
il y a cent ans; on mourait aussi de la peur de mourir;
comme aujourd'hui.

Ces inquiétudes s'expriment mieux, elles sont plus authentiques, plus complexes et plus profondes lorsqu'elles sont
charriées par la puissance imaginative. Plus nous sommes
désentravés, libérés des partis pris ou autres aliénations que
nous voulions nous imposer, et des démonstrations limita-
tives, plus la création porte des significations multiples
et riches. Un témoignage, plus il est contradictoire, plus
il est vrai. On vous dit que pour être de votre temps il faut
vous inscrire à tel parti. Cela restreint, cela fausse notre vérité
essentielle. « L'engagement », tel qu'il est conçu est une
catastrophe. Peut-être est-il bon de militer pour quelque
chose, de choisir dans la vie pratique. Il est encore plus
nécessaire, sous peine de suffocation de créer en liberté,
d'ouvrir les portes et les fenêtres à l'air pur de l'imagination,
il est indispensable de rêver. Lorsqu'on veut être de son
temps, il arrive que l'on n'est d'aucun temps. Toute vue
uniforme, unilatérale, partisane est l'expression d'une mauvaise foi. L'histoire a une multiplicité de directions. Les
inquiétudes de l'époque nous les portons avec nous, tout
naturellement. L'artiste doit les laisser s'exprimer avec une
liberté toute naturelle : dans leurs contradictions vivantes,
elles nous révéleront une vérité complexe, étonnante, beaucoup plus instructive que n'importe quelle leçon : les leçons

sont faites pour nous mener par le bout du nez et nous cacher la vérité complexe, dans ses contradictions.

La leçon du théâtre est au-delà des leçons.

FINALEMENT

JE SUIS POUR LE CLASSICISME[1]

QUESTION : *Dans votre dernière pièce* L'Impromptu de l'Alma *que Jacques Mauclair répète en ce moment au Studio des Champs-Élysées, on vous voit aux prises avec certains « docteurs » de la critique parisienne. Pouvez-vous nous dire ce que vous pensez du métier de critique, de la critique en général?*

RÉPONSE : En matière de critique, je n'ai pas de critères. J'ai détruit mes critères. Autrefois, j'ai fait moi-même de la critique. J'avais écrit une série d'articles sur un grand poète d'un pays étranger. J'avais démonté pièce par pièce son œuvre, afin de démontrer qu'elle ne valait rien. Ces articles avaient entraîné des polémiques. Puis, quelques semaines après, j'avais écrit une nouvelle série d'articles pour prouver que ce poète n'avait écrit que des chefs-d'œuvre. Après, on ne m'a plus pris au sérieux, comme critique. Et pourtant, peut-on l'être davantage et peut-on être plus honnête? Lisez les critiques dramatiques, suivez-les et voyez comme ils se contredisent, la plupart, d'une année à l'autre. Je n'avais fait que précipiter le mouvement : chez moi, les contradictions étaient presque simultanées. En réalité, on prouve tout ce que l'on veut, tout est décidé à l'avance. La critique est tout aussi variable que les conditions atmosphériques. Elle ne change rien à la chose. Une œuvre semble n'exister que dans ce qu'on en pense. Si le critique a de l'autorité on croit ce que lui-même croit ou veut penser. Un grand critique est celui que l'on croit sur

1. Réponse écrite à des questions posées par *Bref* et parues, avec certaines modifications dans le numéro du 15 février 1956. Je donne ici le texte écrit, sans les changements rédactionnels.

parole. S'il est de bonne foi, il est moins changeant que les
autres dans ce qu'il croit penser.

Dès que l'on affirme une chose, on sent nécessairement
le besoin ou la tentation d'en penser et d'en dire le contraire.
Un critique honnête devrait faire une critique double de
chaque œuvre, une critique contradictoire. Cela serait
révélateur, aussi bien pour la critique, que pour le mécanisme de la pensée humaine. Ce serait aussi révélateur pour
l'œuvre. *L'Impromptu de l'Alma* est une mauvaise plaisanterie.
J'y mets en scène des amis : Barthes, Dort, etc... En grande
partie cette pièce est un montage de citations et de compi-
lations de leurs savantes études : ce sont eux qui l'ont écrite.
Il y a aussi un autre personnage qui est Jean-Jacques Gautier.
Ce personnage n'est pas réussi. Malgré sa férocité verbale,
je ne lui en veux pas. Et pourtant, c'est le critique dramatique le plus dangereux, non pas à cause de son intelligence
puisqu'il n'est pas intelligent, ni à cause de sa sévérité qui
ne se fonde sur rien, mais parce que l'on sait que lorsqu'il
s'attaque à un auteur, celui-ci est prêt à se croire un génie.

Il y a peut-être une possibilité de faire de la critique :
appréhender l'œuvre selon son langage, sa mythologie,
accepter son univers, l'écouter. Dire si elle est vraiment ce
qu'elle veut être : la faire parler toute seule, ou la décrire,
dire exactement ce qu'elle est, non pas ce que le critique
voudrait qu'elle fût.

Ainsi, il y a donc peut-être le critère de l'expression,
comme unique critère possible. L'expression est fond et
forme à la fois. Quand il y a nouveauté d'expression, c'est
un signe de valeur. Le renouvellement de l'expression est
destruction des clichés, d'un langage qui ne veut plus rien
dire; le renouvellement de l'expression résulte de l'effort
de rendre l'incommunicable de nouveau communicable.
Là réside donc le but, peut-être principal, de l'art : rendre
au langage sa virginité. Le cliché c'est ce qui avilit, à travers
le langage, certaines réalités essentielles qui ont perdu leur
fraîcheur, que l'on doit redécouvrir comme l'on déterre
des villes ensevelies sous le sable.

Q. : *Parlez-nous de votre processus de création. Que pensez-
vous de votre théâtre?*

R. : La création suppose une liberté totale. Il s'agit là d'une démarche tout autre que celle de la pensée conceptuelle. Il y a deux sortes de connaissances : la connaissance logique et la connaissance esthétique, intuitive. (Je cite Croce.) Quand j'écris une pièce, je n'ai aucune idée de ce qu'elle va être. J'ai des idées *après*. Au départ, il n'y a qu'un état affectif. *L'Impromptu de l'Alma* est une exception. L'art pour moi consiste en la révélation de certaines choses que la raison, la mentalité quotidienne me cachent. L'art perce ce quotidien. Il procède d'un état second.

Q. : *N'avez-vous pas certains thèmes?*

R. : J'appelle cela des obsessions. Ou des angoisses. Celles de tout le monde. C'est sur cette identité, cette universalité que se fonde la possibilité de l'art. Il y a aussi, bien entendu, les obsessions du *petit-bourgeois* que Barthes veut essayer d'analyser. La peur d'être petit-bourgeois est une obsession de petit-bourgeois « intellectuel ». Mais celles-là sont surtout les siennes : c'est lui le *petit-bourgeois*. Dort me reproche de limiter mes pièces à un univers familial. Cela n'est vrai que pour quelques-unes de mes pièces et puis l'univers familial existe : si B. Dort ne le connaît pas, cela n'empêche pas qu'il soit aussi important que l'univers intérieur ou que l'univers collectif, qui est le plus extérieur. Dans cet univers totalitaire où les gens ne sont que des camarades et non plus des amis, surgira la révolte qui restaurera, je l'espère, l'homme dans son intériorité, dans son humanité réelle, dans sa liberté et son équilibre.

L'univers familial est en somme une communauté, la société en raccourci. Il y a autant ou plus à trouver dedans que dehors. Pour moi, le théâtre de boulevard et le théâtre politique sont des théâtres de divertissement.

Q. : *Mais Dort ne vous reprochait pas de faire un théâtre de boulevard...*

R. : Pour moi, tout théâtre qui s'attache à des problèmes secondaires (sociaux, histoires des autres, adultères) est un théâtre de diversion. Kafka raconte dans *Le Poing* l'histoire de gens qui voulaient édifier la Tour de Babel et se sont arrêtés au deuxième étage parce que la solution des problèmes liés à l'édification de la Tour (logement

du personnel, constitution de syndicats, situations, etc...)
était devenu l'objectif principal. Ils avaient oublié qu'ils
devaient construire la Tour. Ils avaient oublié le *but*. Seul
est capital mon conflit avec l'univers. L'obstacle, c'est
l'univers.

Q. : *Votre théâtre a donc un caractère d'agressivité, de provo-
cation à l'égard des spectateurs, du monde?*

R. : Je crois, je ne le fais pas exprès.

Q. : *D'ailleurs vos premières pièces constituaient un « anti-
théâtre ».*

R. : Elles étaient, en effet, une critique des lieux communs, une parodie d'un théâtre qui n'était plus du théâtre.
C'était évidemment la critique du langage *creux* que les
manuels de conversation m'ont révélé, la critique des idées
reçues, des slogans. Le petit bourgeois, c'est pour moi
l'homme de ces idées reçues que l'on retrouve dans toutes les
sociétés, dans tous les temps : le conformiste, celui qui
adopte le système de pensée de sa société quelle qu'elle soit
(ou de l'idéologie dominante) et ne critique plus. Cet homme
moyen est partout.

Je me suis aperçu, finalement, que je ne voulais pas vraiment faire de l'anti-théâtre, mais du théâtre. J'espère avoir
retrouvé, intuitivement, en moi-même, les schèmes mentaux permanents du théâtre. Finalement, je suis pour le
classicisme : c'est cela, *l'avant-garde*. Découverte d'archétypes oubliés, immuables, renouvelés dans l'expression :
tout vrai créateur est classique... Le *petit-bourgeois* est celui
qui a oublié l'archétype pour se perdre dans le stéréotype.
L'archétype est toujours jeune.

Q. : *Quels sont depuis dix ans, à Paris, les spectacles qui vous
ont le plus frappé?*

R. : Je n'en vois guère. Mais je puis citer Shakespeare,
Molière, Racine, dernièrement Marivaux, Kleist. Les auteurs
plus jeunes, je les connais mal. Je n'ai pas aimé *Le Mari
idéal* d'Oscar Wilde, trop prisonnier de son temps, n'exprimant que son temps; l'œuvre d'art doit être à cheval sur
le temporel et l'intemporel.

Q. : *Les autres ne vous intéressent guère?*

R. : Je suis moi-même les autres, mes problèmes ne peuvent être essentiellement que ceux des autres. Je suis comme tout le monde. On est, qu'on le veuille ou non, tout le monde. « Tout le monde » ne s'en rend pas toujours compte.

Q. : *Êtes-vous sûr qu'il n'y a dans votre théâtre aucune préoccupation morale, aucune tendance... éducative?*

R. : Je crois faire un théâtre objectif... à force de subjectivité. Je suis peut-être social sans le vouloir.

Q. : *Parlez-nous maintenant des* Chaises. *Dites-nous, par exemple, quel est le rôle des accessoires dans* Les Chaises?

R. : Ils expriment la prolifération matérielle. Le trop de présence des objets exprime l'absence spirituelle. Le monde me semble tantôt trop lourd, encombrant, tantôt vide de toute substance, trop léger, évanescent, impondérable.

Q. : *Vous identifiez-vous à certains personnages de vos pièces?*

R. : Toute pièce procède, chez moi, d'une sorte d'auto-analyse...

Q. : *... d'exhibitionnisme?*

R. : Non. Car le moi que l'on veut « exhiber » c'est un moi qui est nous... Évidemment, il faut réussir à atteindre ce moi universel, à le dégager. Le monde intérieur peut être aussi riche que le monde du dehors. L'un et l'autre ne sont, d'ailleurs, que les deux aspects d'une même réalité.

Q. : *Le fait que vos pièces soient jouées loin de la Rive Gauche, en Belgique, en Hollande, en Suisse, en Allemagne, en Finlande, en Suède, en Argentine, en Angleterre, au Canada, le fait que Saul Steinberg les illustre aux États-Unis, que Buñuel monte* Jacques *à Mexico prouvent peut-être qu'elles correspondent, cependant, à un certain besoin de notre époque. Et puisque nous parlons de la diffusion de votre théâtre, dites-nous ce que vous pensez d'un théâtre populaire, accessible à un nouveau public de gens qui ne vont pas au théâtre pour le moment?*

R. : Cela, c'est l'affaire des animateurs. En ce qui me concerne, je pense que mon théâtre est très simple, très aisé à comprendre, visuel, primitif, enfantin. Il s'agit simplement de se débarrasser de certaines habitudes mentales raisonneuses. D'autre part, je pense qu'il ne faut pas opposer systématiquement *théâtre populaire* à *théâtre bourgeois*, car ces deux notions ne sont pas nécessairement antinomiques. L'esprit petit-bourgeois peut se trouver, comme je vous l'ai dit, dans n'importe quelle catégorie sociale. Je ne crois pas non plus à un théâtre prophétique, chargé d'un « message ». La thèse c'est l'intrusion de l'intention rationnelle là où il s'agit d'autre chose. Tous les auteurs ont voulu faire de la propagande. Les grands sont ceux qui ont échoué.

Q. : *Pensez-vous que votre théâtre s'inscrive dans un mouvement, qu'il soit un chaînon d'une évolution?*

R. : Ce n'est pas à moi de le dire. Il devrait contribuer, s'il était valable, à une destruction et à une rénovation de l'expression. J'essaie de retrouver la tradition, qui n'est pas académisme. C'est même son contraire.

Je puis dire que mon théâtre est un théâtre de la dérision. Ce n'est pas une certaine société qui me paraît dérisoire. C'est l'homme. Vous voyez bien qu'il y a des thèmes éternels.

BOUTS DE DÉCLARATIONS POUR LA RADIO

Je ne sais si un drame ou une comédie sont plus probants qu'une symphonie ou un tableau. Ce que je sais c'est que le théâtre a beaucoup plus de mal à être théâtre que la musique à être musique. La musique elle-même est un reflet de son temps et, à la fois, d'un hors-temps. La preuve qu'elle est de son temps, c'est qu'elle évolue, qu'elle s'encadre dans le complexe stylistique de son temps. Mais aussi, comme tous les arts, elle est compréhensible, à travers les siècles, pour les hommes. Les chansons du moyen âge, Bach, Beethoven, Wagner, Mozart, Stravinsky, Schönberg, Bartok, Webern, non seulement ne s'excluent pas les uns les autres mais constituent la variété dans l'unité de la musique. La musique a l'avantage d'avoir pu échapper le mieux aux dirigismes des régimes, aux dictatures politiques, elle a échappé aux tyrannies. Pour la peinture aussi, la vie a été plus facile :

en faisant tel portrait de tel roi, de tel cardinal, de telle
dame de la cour, le peintre pouvait faire de la peinture,
indépendamment du sujet. Le théâtre a été beaucoup moins
libre, beaucoup plus prisonnier de son temps, beaucoup
plus surveillé par les pouvoirs en place, et, cela semble
paradoxal, c'est dans la mesure où l'art est trop prisonnier
d'un régime, qu'il exprime moins à la fois l'universalité
et son temps lui-même. Un régime politique, ou une certaine idéologie politique ne résument pas toute une époque.
Pour cette raison, le théâtre étant moins libre, il a eu
beaucoup plus de mal à trouver sa voie propre : cela se
constate très bien dans les régimes totalitaires, aujour-
d'hui aussi.

On peut exprimer le monde qu'on appelle « le monde
extérieur » en ayant l'air de ne regarder qu'à l'intérieur de
soi, comme on peut très bien exprimer le monde dit intérieur en ayant l'air de parler des autres.
C'est aux philosophes d'expliquer, de se laisser éclairer
par les œuvres d'art.

Je n'aime pas Brecht, justement parce qu'il est didactique, idéologique. Il n'est pas primitif, il est primaire.
Il n'est pas simple, il est simpliste. Il ne donne pas matière
à penser, il est lui-même le reflet, l'illustration d'une idéologie, il ne m'apprend rien, il est redite. D'autre part, l'homme
brechtien est plat, il n'a que deux dimensions, celles de la
surface, il n'est que social : ce qui lui manque c'est la dimension en profondeur, la dimension métaphysique. Son homme
est incomplet et il n'est souvent qu'un pantin. Ainsi dans
L'Exception et la Règle ou dans *Homme pour Homme*, l'être
humain, chez Brecht, est conditionné uniquement par le social
et un social conçu, d'autre part, d'une certaine façon. Il y a,
aussi en nous, un aspect extra-social : celui qui, vis-à-vis du
social, nous donne une liberté. C'est un autre problème de
savoir s'il s'agit vraiment d'une liberté ou d'un conditionnement plus complexe de l'être humain. De toutes façons,
l'homme brechtien est infirme, car son auteur lui refuse sa réalité la plus intérieure ; il est faux, car il lui aliène ce qui le définit. Il n'y a pas de théâtre sans secret qui se révèle ; il n'y a pas

d'art sans métaphysique, il n'y a pas non plus de social sans
arrière-fond extra-social.

Beckett est essentiellement tragique. Tragique, parce
que, justement, chez lui, c'est la totalité de la condition
humaine qui entre en jeu, et non pas l'homme de telle ou
telle société, ni l'homme vu à travers et aliéné par une certaine idéologie qui, à la fois, simplifie et ampute la réalité
historique et métaphysique, la réalité authentique dans laquelle
l'homme est intégré. Que l'on soit pessimiste ou optimiste,
c'est un autre problème. L'important, la vérité, c'est que
l'homme apparaisse dans ses dimensions, ses profondeurs
multiples. Chez Beckett, c'est le problème des fins dernières
de l'homme qui se pose; l'image que cet auteur donne
de l'histoire, de la condition humaine, est plus complexe,
mieux fondée.

Évidemment le théâtre ne peut faire abstraction de l'univers social. Mais pour Brecht il n'y a qu'un problème social :
celui du conflit des classes. En réalité, il ne s'agit là
que d'un seul aspect du social. Pourtant mes rapports avec
mon voisin sont aussi des rapports sociaux. Les rapports
entre deux époux ou deux amants sont également des rapports sociaux. L'homme n'étant pas seul, tout est naturellement social. On peut parler d'une sociologie du mariage,
d'une sociologie du voisinage, d'une sociologie de l'usine,
d'une sociologie concentrationnaire, hélas, d'une sociologie des communautés religieuses, d'une sociologie éco-
lière ou militaire ou du travail, qui fait que le social et que
les conflits ne sont pas uniquement de *classes*. Réduire
tout le social à cela, c'est donc diminuer et le social et
l'homme.

En réalité, c'est le théâtre politique qui est insuffisamment
social; il est déshumanisé puisqu'il ne nous présente qu'une
réalité humaine et sociale réduite, celle d'un parti pris.

Ce qui, personnellement, m'obsède, ce qui m'intéresse
profondément, ce qui m'engage c'est le problème de la
condition humaine, dans son ensemble, social ou extra-
social. L'extra-social : c'est là où l'homme est profondément
seul. Devant la mort, par exemple. Là, il n'y a plus de société.
Et aussi, lorsque, par exemple, je me réveille, à moi-même

et au monde et que je prends ou que je reprends conscience, soudainement, que je suis, que j'existe, qu'il y a quelque chose qui m'entoure, des sortes de choses, une sorte de monde et que tout m'apparaît insolite, incompréhensible, et que m'envahit l'étonnement d'être. Je plonge dans cet étonnement. L'univers me paraît alors infiniment étrange, étrange et étranger. A ce moment, je le contemple, avec un mélange d'angoisse et d'euphorie; à l'écart de l'univers, comme placé à une certaine distance, hors de lui; je regarde et je vois des images, des êtres qui se meuvent, dans un temps sans temps, dans un espace sans espace, émettant des sons qui sont une sorte de langage que je ne comprends plus, que je n'enregistre plus. « Qu'est-ce que c'est que cela? » je me demande, « qu'est-ce que cela veut dire? » et de cet état d'esprit que je sens être le plus fondamentalement mien naît dans l'insolite, tantôt un sentiment de la dérision de tout, de comique, tantôt un sentiment déchirant, de l'extrême éphémérité, précarité, du monde, comme si tout cela était et n'était pas à la fois, entre l'être et le non-être : et c'est de là que proviennent mes farces tragiques, *Les Chaises* par exemple, dans laquelle il y a des personnages dont je ne saurais dire moi-même s'ils existent ou s'ils n'existent pas, si le réel est plus vrai que l'irréel ou le contraire.

Pour moi, c'est comme si l'actualité du monde était à tout moment parfaitement inactuelle. Comme s'il n'y avait rien; comme si le fond des choses n'était rien, ou comme s'il nous échappait. Une seule actualité, pourtant : le déchirement continuel du voile de l'apparence; la destruction continuelle de tout ce qui se construit. Rien ne tient, tout s'en va. Mais je ne fais que répéter ce que disait le roi Salomon : tout est vanité, tout retourne en poussière, tout n'est que des ombres. Je ne vois pas d'autre vérité. C'est le roi Salomon qui est mon maître.

Maintenant, comment tout ceci devient théâtre, c'est-à-dire comment tout ceci devient action? Je ne sais.

Cela a l'air au départ d'être langage, plutôt qu'action, puisqu'il s'agit d'un état lyrique. Pourtant, en même temps apparaissent des personnages ou des fantômes qui se meuvent sur scène parlant ce langage et il leur arrive des aventures.

Ils parlent de ce qu'ils ressentent, agissent selon ce qu'ils ressentent.

Mais tout est langage au théâtre : les mots, les gestes, les objets, l'action elle-même car tout sert à exprimer, à signifier. Tout n'est que langage. Un langage essayant de révéler l'a-histoire, peut-être même d'intégrer celle-ci dans l'histoire.

Portraits

PORTRAIT DE CARAGIALE[1]

1 8 5 2 - 1 9 1 2

Né en 1852, dans les environs de Bucarest, I. L. Caragiale
écrivit d'excellents contes et quelques pièces de théâtre
qui « révolutionnèrent » le théâtre roumain, facile à révo-
lutionner, puisqu'il n'existait pour ainsi dire pas. En fait,
il le créa. Par la valeur de ses comédies de mœurs et de caractères, écrites, hélas, dans une langue sans circulation mondiale, I. L. Caragiale est, probablement, le plus grand des
auteurs dramatiques inconnus. Dégoûté par la société de
son temps, ayant aggravé son dégoût en la dénigrant, dans
toute son œuvre, avec violence et raison, talent et humour,
I. L. Caragiale profita d'un héritage tardif pour s'expatrier
à la fin de sa vie à Berlin où il mourut, en 1912, à soixante ans
et cinq mois.

Il avait refusé, en janvier de la même année, de revenir
à Bucarest pour les quelques jours nécessaires à la célébration *officielle* de ses soixante ans et de sa carrière, car, à force
d'avoir injurié ses compatriotes, ceux-ci avaient fini par
l'admirer.

I. L. Caragiale prit à partie, dans son œuvre, les commer-
çants, l'administration, les politiciens : ses griefs étaient
justes, naturellement.

Comme I. L. Caragiale avait fréquenté, dans sa jeunesse,
un club politique et littéraire conservateur sous l'égide

1. Une pièce de cet auteur *La Lettre perdue*, a été représentée à Paris,
en 1955, au Théâtre de poche, dans une mise en scène de Marcel Cuvelier.
(Paru dans la collection « Les hommes célèbres », 3ᵉ tome, édité par
G. Mazenod.)

duquel il publia ses deux premières comédies (*Une nuit
orageuse* et *Léonida face à la réaction*) représentées respective-
ment en 1879 et 1880, certains voulurent voir dans cet
auteur un ennemi du libéralisme, de la démocratie. Ce
n'était vrai qu'en partie. Plus tard, Caragiale fut l'ami intime
du créateur du mouvement socialiste roumain et participa
à des manifestations socialistes. Dans sa comédie la plus
importante (*Une lettre égarée*, jouée en 1833), I. L. Caragiale
attaque avec la même objectivité dans la véhémence, conservateurs aussi bien que libéraux. On en profita pour découvrir,
dans son œuvre, des sympathies socialistes, des tendances
révolutionnaires. Ceci est peut-être plus exact, pour la
bonne raison que le gouvernement socialiste n'existant pas,
il n'avait pas à lui en vouloir. En réalité, partant des hommes
de son temps, Caragiale est un critique de l'homme et de
toute société. Ce qui lui est particulier, c'est la virulence
exceptionnelle de sa critique. En effet, l'humanité, telle
qu'elle nous est présentée par cet auteur, semble ne pas
mériter d'exister. Ses personnages sont des exemplaires
humains à tel point dégradés, qu'ils ne nous laissent aucun
espoir. Dans un monde où tout n'est que dérision, bassesse,
seul le comique pur, le plus impitoyable, peut se manifester.

La principale originalité de Caragiale est que tous ses
personnages sont des imbéciles. Imaginez-vous les petites
gens de Henry Monnier poussés plus à fond, sombrant
tout à fait dans l'irrationalité du crétinisme. Ces anthro-
poïdes sociaux sont cupides et vaniteux : sans intelligence,
ils sont, par contre, étonnamment rusés ; ils veulent «parve-
nir »; ils sont les héritiers, les bénéficiaires des révolutionnaires, des héros, des illuminés, des philosophes qui ont
bouleversé le monde par leur pensée, ils sont le résultat de
ce bouleversement. Il faut bien que quelqu'un en profite.
Ce qui est déprimant, c'est que les idées elles-mêmes, vues
à travers ce chaos intellectuel, se dégradent, perdent toute
signification, si bien que, finalement, hommes et idéologies,
tout est compromis. Caragiale ne prend pas les choses à la
légère et se trouve bien loin d'un Feydeau dont il a,
par ailleurs, le génie constructeur, ou d'un Labiche avec
lequel peut-être a-t-il, cependant, des affinités de technique
formelle. Esprit naturaliste, c'est dans le monde quotidien

qu'il a choisi ses personnages, mais il nous les a révélés dans leur essence profonde. Il en a fait des types, des modèles : on fut bien obligé d'admettre leur existence. Tout le monde pouvait voir, dans les ministres du pays, le préfet prévaricateur de *La Lettre égarée;* dans les députés bafouilleurs, l'avocat conservateur de la même pièce; dans les journalistes à l'esprit confus, le poète de *La Nuit orageuse;* dans les petits rentiers, le père Léonida.

Vues de plus près, et d'abord dans leur aspect local, les choses deviennent encore plus graves. A l'issue d'un moyen âge balkanique qui s'était prolongé dans les provinces roumaines jusqu'au milieu du siècle dernier, le pays débouchait, soudain, en pleine Europe libérale. Des réformes rapides donnèrent à cette nation une nouvelle structure sociale; une classe bourgeoise se constituait, de toutes pièces; le petit bourgeois, commerçant vêtu de l'uniforme de garde civique, apparaissait, identique à son confrère français, au petit bourgeois universel, mais encore plus sot. Quant à la bourgeoisie supérieure, elle ne semblait guère différente de la petite. Son ignorance était plus complexe. Ne comprenant rien à l'évolution de l'Histoire, quelques-uns de ces personnages, les moins heureux, avaient tout de même comme l'ambition d'y comprendre quelque chose sans y réussir : c'est aussi cet effort mental, retombant, épuisé, dans le vide, que nous présente Caragiale, dans son pénible éclat.

Les héros de Caragiale sont fous de politique. Ce sont des crétins politiciens. A tel point qu'ils ont déformé leur langage le plus quotidien. Les journaux sont l'aliment de toute la population : écrits par des idiots, ils sont lus par d'autres idiots. La déformation du langage, l'obsession politique sont si grandes que tous les actes de la vie baignent dans une bizarre éloquence, faite d'expressions aussi sonores que merveilleusement impropres, où les pires non-sens s'accumulent avec une richesse inépuisable et servent à justifier, noblement, les actions inqualifiables : on trahit des amis, « dans l'intérêt du parti »; trompée par son amant, une femme lui jette du vitriol à la figure parce qu' « elle a un tempérament républicain »; on « signe avec courage » une délation anonyme, que l'on envoie au ministre conservateur; on est faussaire pour le bien de la patrie; on veut

être député pour l'amour de la « chère petite patrie »; on
fait partie de tous les régimes parce qu'on est « impartial »
on ne donne des postes qu'aux « fils de la Nation »; on découvre qu'un individu louche est digne d'intérêt « parce qu'il
est des nôtres »; seul un enfant de la Nation « a droit à
être décoré, car les décorations sont faites avec la sueur du
peuple »; il faut envoyer au bagne « tous ceux qui mangent
le peuple »; une petite rébellion locale « est un grand exemple
pour l'Europe entière qui a les yeux fixés sur nous »; le
préfet qui ne veut pas donner son appui à un candidat
député est « un buveur du sang populaire »; « bien que
Jésuite, le Pape n'est pas bête »; Léonida veut « un gouvernement qui verserait, à tous les citoyens, une forte pension
mensuelle et vous interdirait de payer les impôts ». Il y a
aussi les grands principes : « J'aime la trahison, mais je hais
les traîtres »; « un peuple qui ne va pas de l'avant reste
sur place »; « tous les peuples ont leurs faillis, il faut que la
Roumanie aussi ait les siens ».

L'écart qu'il y a entre un langage aussi obscur qu'élevé
et la ruse mesquine des personnages, leur politesse cérémonieuse et leur malhonnêteté foncière, les adultères grotesques se mêlant à tout ceci, font que finalement ce théâtre,
allant au-delà du naturalisme, devient absurdement fantastique. Jamais habités par un sentiment de culpabilité, ni
par l'idée d'un sacrifice, ni par aucune idée (« une fois qu'on
a une tête, à quoi nous servirait l'intelligence », se demande
ironiquement Caragiale), ces personnages, à la conscience
étonnamment tranquille, sont les plus bas de la littérature
universelle. La critique de la Société acquiert ainsi chez
Caragiale une férocité inouïe.

Finalement on s'aperçoit que ce ne sont pas les principes
des nouvelles institutions que combat Caragiale, mais la
mauvaise foi de leurs représentants, l'hypocrisie dirigeante,
l'innommable sottise bourgeoise, toutes causes qui firent
que la machine démocratique, comme sabotée, fut détraquée
avant d'avoir pu fonctionner, et la nouvelle société, décom-
posée avant d'être composée; tout s'écroule dans le chaos.
I. L. Caragiale ne nous dit pas que l'ancienne société était
meilleure. Il ne le croit pas. Il pense que telle est « la société ».
Tout est toujours à refaire. L'auteur, lui, s'en lave les mains

(il s'est toujours défendu de faire autre chose que de l'art pour l'art)
et se retire à l'étranger où il n'arrivera jamais à connaître
suffisamment les gens pour qu'ils lui deviennent aussi insup-
portables que ceux qu'il a trop bien connus chez lui.

PRÉSENTATION DE TROIS AUTEURS

L'humour, c'est la liberté. Nous avons besoin d'humour,
de cocasserie. Au théâtre, et dans la littérature actuelle,
l'humour, le cocasse sont bannis par les bien-pensants : nous
y rencontrons soit l'esprit boulevardier, mondain, soit la
sordide « littérature » de l'engagement. Cette absence
d'humour, ce féroce engagement caractérisent notre manière
d'être depuis un certain temps déjà. Hitler n'admettait pas
l'humour; Maurras mettait le « politique » d'abord; les bourgeois du stalinisme, en Russie ou en Occident, ne comprennent
pas et interdisent à l'imagination d'être imaginative, c'est-à-
dire d'être libre et révélatrice de vérités dans sa liberté;
le réalisme sévit, un réalisme borné, limité à un plan de la
réalité si étroit, si faussé par son fanatisme qu'il n'est que
celui de l'irréalité elle-même; et les sartrismes nous engluent,
nous figent, dans les cachots et dans les fers de cet engagement
qui devait être liberté. Tous ces « engagements », d'aujourd'hui
ou d'hier, ont mené ou peuvent encore mener tout
droit dans les camps de concentration des fanatismes les
plus divers et contradictoires, ou à l'instauration, matérielle
et intellectuelle, des régimes dont les différences et oppositions apparentes ne font que masquer l'identité profonde,
le même esprit « sérieux ».

L'humour fait prendre conscience avec une lucidité libre
de la condition tragique ou dérisoire de l'homme; il ne
peut y avoir de vérité qu'en laissant à l'intelligence la pléni-
tude de sa démarche, cette démarche ne pouvant être menée
que par l'artiste qui, sans idées reçues, sans écran idéologique
s'interposant entre lui et la réalité est seul en mesure d'avoir,
par cela même, un contact direct, donc authentique, avec
cette réalité.

Les trois pièces publiées dans ce numéro de *l'Avant-Scène* (*Les trois Chapeaux-claque*, de Mihura, *Sur une plage de l'ouest*, de Carlos Larra, et *Le Naufrage ou Miss Ann Saunders*, de Simone Dubreuilh) ont l'avantage de pouvoir unir l'humour au tragique, la vérité profonde au cocasse qui, en tant que principe caricatural, souligne et fait ressortir, en la grossissant, la vérité des choses. Le style « irrationnel » de ces pièces peut dévoiler bien mieux que le rationalisme formel ou la dialectique automatique, les contradictions aberrantes, la stupidité, l'absurdité. La fantaisie est révélatrice; tout ce qui est imaginaire est vrai; rien n'est vrai s'il n'est imaginaire. Pour ce qui est de l'humour il n'est pas seulement la seule vision critique valable, il n'est pas seulement l'esprit critique même, mais — contrairement à l'évasion, à la fuite qui résulte de l'esprit de système nous entraînant sous le nom de *réalisme* dans un rêve gelé, hors de toute réalité — l'humour est l'unique possibilité que nous ayons de nous détacher — mais seulement après l'avoir surmontée, assimilée, connue — de notre condition humaine comico-tragique, du malaise de l'existence. Prendre conscience de ce qui est atroce et en rire, c'est devenir maître de ce qui est atroce. Les tueurs se trouvent chez ceux qui ne savent pas rire, chez les aveugles-nés de l'esprit, chez les enchaînés par vocation pour lesquels la fureur, la tuerie sont les seuls moyens de se décharger. Les tueurs sont ceux qui interdisent l'amitié, l'amour, les nobles sentiments pour ne garder que les mauvais : la haine et la fureur.

On parle beaucoup en ce moment de « démystification »; hélas! les démystificateurs remplacent les tabous par des tabous anti-tabous qui deviennent des tabous bien plus encombrants que les anciens tabous. Les démystificateurs ne font donc que nous mystifier et nous enchaîner, et nous fournir un vocabulaire figé, un nouveau langage aveuglant et trompeur.

Une seule démystification reste vraie : celle qui est produite par l'humour surtout s'il est noir; la logique se révèle dans l'illogisme de l'absurde dont on a pris conscience; le rire est seul à ne respecter aucun tabou, à ne pas permettre l'édification des nouveaux tabous anti-tabous; le comique est seul en mesure de nous donner la force de supporter la tragédie de l'existence. La nature authentique des choses, la vérité ne peut nous être révélée que par la fantaisie plus réaliste que tous les réalismes.

Les trois petites pièces de Mihura, de Simone Dubreuilh et de Carlos Larra demandent un petit effort, une certaine souplesse d'esprit de la part du spectateur ou du lecteur : saisir le rationnel à travers l'irrationnel; passer d'un plan du réel à un autre; de la vie au rêve ; du rêve à la vie. Cette désarticulation apparente est, dans le fond, un excellent exercice pour enrichir l'expression théâtrale, multiplier, varier les champs du « récl » soumis à la prospection de l'auteur dramatique. Dans ces trois pièces, également, l'atroce se marie à la plaisanterie, la douleur à la bouffonnerie, le dérisoire à la gravité. C'est une très utile gymnastique intellectuelle.

L'Avant-Scène, 15 février 1959.

Communication
pour une réunion d'écrivains
français et allemands

Pour qui, pourquoi écrit-on? Si l'on écrit une lettre, un discours, une leçon, une pétition, c'est pour exprimer des idées ou des sentiments à quelqu'un, pour demander, enseigner, convaincre, protester, etc. Le but de l'action d'écrire n'est pas en soi. L'écriture est un moyen. On écrit aux autres, pour les autres.

Je peux aussi écrire quelque chose en vue de prouver, convaincre, enseigner, etc, et je peux intituler poème, comédie, tragédie, etc., la lettre, le manifeste, le discours que j'aurais écrits. En réalité, je n'aurais là qu'une lettre, qu'un sermon, qu'une pétition et non pas un poème, une pièce de théâtre, etc...

Je peux encore vouloir écrire une lettre, une pétition, et que ce soit malgré moi un poème; une leçon illustrée, et que ce soit une comédie ou bien une tragédie : l'intention profonde, extraconsciente du créateur peut ne pas être en accord avec son intention superficielle, apparente.

Un architecte construit un temple, un palais, une petite maison. Un musicien compose une symphonie. C'est, nous dit l'architecte, pour que les fidèles y aient un lieu fait pour prier; pour que le Roi ait une demeure assez spacieuse pour y recevoir des hôtes de marque, des dignitaires et de nombreux soldats; pour que le paysan ait où s'abriter avec son cochon et sa famille.

Et la symphonie, nous dira le musicien, exprime mes sentiments; elle est un langage.

Mais l'architecte est bien attrapé : les fidèles sont morts, la religion est en ruine, le temple ne l'est pas, il est toujours debout; et les générations viennent admirer le temple désaffecté, le palais vide, la vieille maison pittoresque qui n'abrite que des meubles ou que des souvenirs.

Pour ce qui est de la symphonie, c'est la manière même dont elle est composée qui, par-dessus tout, passionne les connaisseurs de la musique : les petits sentiments du musicien sont morts avec lui.

L'édifice, la symphonie ne révèlent plus que les lois de l'architecture, ou les principes de cette architecture mouvante qu'est la musique. L'édifice, la symphonie sont restitués à eux-mêmes, ils sont la manifestation pure de leur essence.

Qu'est-ce donc que ce temple, ou cette symphonie? Ce sont des structures, tout simplement. Je n'ai même pas besoin de savoir que cet édifice est un lieu de prière, sa destination importe peu, elle est hors de question, elle ne lui retire ni ne lui ajoute rien, elle ne l'aide ni ne l'empêche à tenir debout et c'est bien cela le propre d'un édifice : il est construit. D'ailleurs ce temple n'aura été un temple que parce que j'aurai voulu qu'il fût un temple; je nie sa qualité de temple. Mais je ne peux absolument pas nier qu'il est un édifice. Il peut servir à quelque chose ou non. Mais il n'a pas besoin de servir à quelque chose, pour être un édifice : pour être un édifice il n'a pas besoin de public. On peut même déplorer qu'il ne serve à rien, par ces temps où il y a si peu d'églises chrétiennes; on peut en faire aussi une caserne, un garage.

Et dans ce cas le temple pourra être en effet église chrétienne, caserne, garage, hôpital, asile de fous, lieu de réunions politiques, etc... Je peux aussi le démolir.

Mais autre qu'église, salle de spectacles ou écurie ou siège de parti communiste, ou académie de distanciationnisme, ce temple est ou aura été avant tout et après tout une construction répondant aux lois de la construction, une réalité en soi.

Une pièce de théâtre aussi est une construction imaginaire qui doit également tenir, de bout en bout; sa qualité est d'être telle qu'on ne puisse la confondre ni avec un roman dialogué, ni avec un sermon, ni avec une leçon, un discours, une ode car à ce moment-là elle ne serait plus une pièce de théâtre mais leçon, discours, sermon, etc... avec lesquels elle se confondrait. Une pièce de théâtre ne peut être ni plus ni moins, exactement, que ce que ne sont pas toutes les choses qui ne sont pas des pièces de théâtre.

Si un édifice, bâti pour des fidèles, n'a pas besoin de fidèles pour être quand même un édifice, s'il n'a pas besoin de public, — la pièce de théâtre non plus n'a pas besoin de spectateurs pour être une pièce de théâtre.

Mais la pièce de théâtre a tout de même été écrite pour le public, pour le public de son temps; elle ne peut être conçue en dehors des spectateurs pour lesquels elle est destinée.

Cela non plus n'est pas très sûr, quoi que puisse très souvent en dire l'auteur lui-même qui est un créateur authentique dans la mesure où sa propre œuvre lui échappe, tout comme les fils se libèrent de l'emprise de leurs pères et leur échappent.

L'œuvre d'art demande à naître, comme l'enfant demande à naître. Elle surgit des profondeurs de l'âme. L'enfant ne naît pas pour la société bien que la société s'en empare. Il naît pour naître. L'œuvre d'art naît également pour naître, elle s'impose à son auteur, elle demande à être sans tenir compte ou sans se demander si elle est appelée ou non par la société. Évidemment la société peut également s'emparer de l'œuvre d'art; elle peut l'utiliser comme elle veut; elle peut la condamner; elle peut la détruire; elle peut remplir ou non une fonction sociale, mais elle n'est pas cette fonction sociale; son essence est extra-sociale.

Tout comme une symphonie, tout comme un édifice, une œuvre de théâtre est, tout simplement, un monument, un monde vivant; elle est une combinaison de situations, de mots, de personnages; elle est une construction dynamique ayant sa logique, sa forme, sa cohérence propre. Elle est une construction dynamique dont les éléments internes s'équilibrent en s'opposant.

Bien sûr, on nous dira que les personnages de la pièce de théâtre et qui sont les incarnations des antagonismes qui font qu'il y a théâtre, parlent de quelque chose, expriment des passions, des idées, voire des idéologies, et qu'ils sont pris dans leur temps et qu'ils le reflètent, qu'ils prennent parti pour ou contre quelque chose. Mais tout cela n'est que la matière du drame, la matière de la pièce de théâtre-monument tout comme la pierre n'est que la matière de l'édifice architectural. Peut-on objecter qu'une œuvre dramatique ainsi conçue est une illusion, une chose inutile? Dans ce cas on pourrait dire aussi d'un édifice qu'il est une illusion, d'une sonate qu'elle est une illusion et qu'elle est inutile. A quoi sert donc cette pièce de théâtre? Elle sert à être une pièce de théâtre. Comme la sonate ne sert qu'à être une sonate. L'œuvre d'art répond donc au besoin de faire œuvre de création. La pièce de théâtre répond au besoin de créer des êtres, d'incarner, de donner des figures à des passions. Le monde ainsi créé n'est pas l'image du monde; il est à l'image du monde.

En ce qui me concerne, depuis que je me connais, j'ai toujours voulu écrire des poèmes ou des contes ou des pièces. J'ai toujours été hanté par des mondes que je voulais mettre au monde; lorsque j'avais douze ans, je n'écrivais vraiment pour personne, mais par besoin. Ou j'écrivais pour moi. Plus tard encore, pendant longtemps, j'aurais écrit même dans le désert.

Par la suite, comme tout le monde, j'écrivais pour dire des choses, pour m'exprimer, pour défendre certaines choses, pour les combattre. En réalité, je croyais que c'était pour cela que j'écrivais. Mais je me trompais. Cela n'était que le point de départ, l'impulsion originaire : donner vie à des personnages, une forme palpable à des phantasmes c'était cela la raison secrète qui me faisait écrire.

On me dira encore que je suis bien d'un milieu, encadré dans mon contexte historique, que je ne suis que de mon temps. Qu'il y a une histoire de la langue, donc qu'il y a une histoire. Que je participe à un moment de l'histoire. Que le français que j'écris n'est pas celui du Moyen Age, que la musique actuelle est très différente de celle de Lulli, que la peinture non-figurative n'existait pas au XVIe siècle. Cela ne veut pas dire que je suis prisonnier de mon temps, que je ne dois m'adresser ou que je ne le puis qu'au public de mon temps. Je ne sais pas quel est le public de mon temps. On ne connaît que soi-même. En fait l'œuvre d'art part d'un sol, d'un temps, d'une société; elle en part mais elle ne va pas vers ce temps, ce sol; elle n'y retourne pas. Il ne faut pas confondre le point de départ avec le point d'arrivée.

Avant tout une œuvre d'art est donc bien une aventure de l'esprit.

Et s'il faut absolument que l'art ou le théâtre serve à quelque chose je dirai qu'il devrait servir à rapprendre aux gens qu'il y a des activités qui ne servent à rien et qu'il est indispensable qu'il y en ait : la construction d'une machine qui bouge, l'univers devenant spectacle, vu comme un spectacle, l'homme devenant à la fois spectacle et spectateur : voilà le théâtre. Voilà aussi le nouveau théâtre libre et « inutile » dont nous avons tellement besoin, un théâtre vraiment libre (car le théâtre libre d'Antoine était le contraire d'un théâtre libre).

Mais les gens, aujourd'hui, ont une peur atroce et de la liberté, et de l'humour; ils ne savent pas qu'il n'y a pas de vie possible sans liberté et sans humour, que le moindre geste, la plus simple initiative, réclament le déploiement des forces imaginatives qu'ils s'acharnent, bêtement, à vouloir enchaîner et emprisonner entre les murs aveugles du réalisme le plus étroit, qui est la mort et qu'ils appellent vie, qui est la ténèbre et qu'ils appellent lumière. Je prétends que le monde manque d'audace et c'est la raison pour laquelle nous souffrons. Et je prétends aussi que le rêve et l'imagination, et non la vie plate, demandent de l'audace et détiennent et révèlent les vérités fondamentales, essentielles. Et même que (pour faire une concession aux esprits qui ne croient qu'à l'utilité pratique) si les avions sillonnent aujourd'hui le ciel c'est parce que nous avions rêvé l'envol avant de nous envoler. Il a été possible de voler parce que nous rêvions que nous volions. Et voler est une chose inutile. Ce n'est qu'après coup qu'on a démontré ou inventé la nécessité comme pour nous excuser de l'inutilité profonde, essentielle, de la chose. Inutilité qui était pourtant un besoin. Difficile à faire admettre, je le sais.

Regardez les gens courir affairés, dans les rues. Ils ne

regardent ni à droite, ni à gauche, l'air préoccupé, les yeux fixés à terre, comme des chiens. Ils foncent tout droit, mais toujours sans regarder devant eux, car ils font le trajet, connu à l'avance, machinalement. Dans toutes les grandes villes du monde c'est pareil. L'homme moderne, universel, c'est l'homme pressé, il n'a pas le temps, il est prisonnier de la nécessité, il ne comprend pas qu'une chose puisse ne pas être utile; il ne comprend pas non plus que, dans le fond, c'est l'utile qui peut être un poids inutile, accablant. Si on ne comprend pas l'utilité de l'inutile, l'inutilité de l'utile, on ne comprend pas l'art; et un pays où on ne comprend pas l'art est un pays d'esclaves ou de robots, un pays de gens malheureux, de gens qui ne rient pas ni ne sourient, un pays sans esprit; où il n'y a pas l'humour, où il n'y a pas le rire il y a la colère et la haine. Car ces gens affairés, anxieux, courant vers un but qui n'est pas un but humain ou qui n'est qu'un mirage, peuvent tout d'un coup, aux sons de je ne sais quels clairons, à l'appel de n'importe quel fou ou démon se laisser gagner par un fanatisme délirant, une rage collective quelconque, une hystérie populaire. Les rhinocérites, à droite, à gauche, les plus diverses, constituent les menaces qui pèsent sur l'humanité qui n'a pas le temps de réfléchir, de reprendre ses esprits ou son esprit, elles guettent les hommes d'aujourd'hui qui ont perdu le sens et le goût de la solitude. Car la solitude n'est pas *séparation* mais *recueillement*, alors que les groupements, les sociétés ne sont, le plus souvent, comme on l'a déjà dit, que des solitaires réunis. On n'a jamais parlé « d'incommunicabilité » du temps où les hommes pouvaient s'isoler; l'incommunicabilité, l'isolement sont, paradoxalement, les thèmes tragiques du monde moderne où tout se fait en commun, où l'on nationalise ou socialise sans arrêt, où l'homme ne peut plus être seul, — car même dans les pays « individualistes » la conscience individuelle est, en fait, envahie, détruite par la pression du monde accablant et impersonnel des slogans : supérieurs ou inférieurs, politiques ou publicitaires, c'est l'odieuse propagande, la maladie de notre temps. L'intelligence est à tel point corrompue que l'on ne comprend pas qu'un auteur refuse de s'engager sous la bannière de telle ou telle idéologie courante — c'est-à-dire de se soumettre.

Cependant, si les spectateurs disent qu'ils voient dans une pièce une leçon, cela sera encore la chose la moins importante qu'ils auront pu y voir. Et qu'est-ce qu'il y a de plus important à voir qu'une leçon dans une pièce? C'est simple : des événements, des choses qui se passent, se nouent, se dénouent et passent.

Ce n'est pas la sagesse, la morale des fables de La Fontaine qui peut encore nous intéresser, — car cette sagesse est la sagesse élémentaire et permanente du bon sens, — mais bien la façon dont elle devient vivante, matière d'un langage, source d'une merveilleuse mythologie. C'est cela l'art : du merveilleux vivant. Et c'est cela surtout que doit être le théâtre.

Il est menacé de mourir en Europe comme en Amérique, parce qu'il n'est plus cela.

Le commercial, le « réalisme » tuent le théâtre, ils ne le font pas vivre : car aussi bien le théâtre sans audace, le théâtre de confection de Broadway et du Boulevard, que le théâtre réaliste, à thèses archi-connues, enfermé dans ses thèses, ligoté, — est, dans le fond, un théâtre irréaliste : l'irréalisme bourgeois d'un côté, l'irréalisme dit socialiste de l'autre — voilà les grands dangers qui menacent le théâtre et l'art, les pouvoirs de l'imagination, la force vivante et créatrice de l'esprit humain.

(Février 1961.)

Témoignages

LORSQUE J'ÉCRIS...

Lorsque j'écris, je ne me pose pas le problème de savoir si « je fais de l'avant-garde ou non », si je suis ou non « un auteur d'avant-garde ». Je tâche de dire comment le monde m'apparaît, ce qu'il me semble être, le plus honnêtement possible, sans souci de propagande, sans intention de diriger les consciences des contemporains, je tâche d'être témoin objectif dans ma subjectivité. Puisque j'écris pour le théâtre je me préoccupe seulement de personnifier, d'incarner un sens comique et tragique, à la fois, de la réalité. D'ailleurs, cela ne constitue pas un difficile problème : la mise en scène de mes êtres imaginaires — et que je tiens pour vrais, aussi vrais qu'imaginaires — s'effectue naturellement ou pas du tout. Vouloir être de l'avant-garde avant d'écrire, ne pas vouloir en être, refuser ou choisir une avant-garde c'est, pour un créateur, prendre les choses par le mauvais bout, c'est être à l'extérieur de sa vérité et de la question, c'est être de mauvaise foi. Je suis ce que je suis, c'est à prendre ou à laisser. Réussir à être soi-même, c'est là la véritable prise de conscience. Et c'est en étant tout à fait soi-même que l'on a des chances d'être aussi les autres.

J'habitais, étant gosse, près du square de Vaugirard. Je me souviens, — il y a si longtemps! — de la rue mal éclairée, un soir d'automne ou d'hiver : ma mère me tenait par la main, j'avais peur, une de ces peurs d'enfant; nous faisions les courses pour le repas du soir. Sur les trottoirs, des silhouettes sombres s'agitaient, des gens qui se pressaient :

ombres fantomatiques, hallucinantes. Quand cette image
de la rue revit dans la mémoire, quand je pense que presque
tous ces gens sont morts aujourd'hui, tout me paraît ombre,
évanescence, en effet. Je suis pris de vertige, d'angoisse.
C'est bien cela, le monde : un désert ou des ombres mori-
bondes. Les révolutions peuvent-elles y changer quoi que
ce soit? Les tyrans aussi bien que les illuminés qui se sont
manifestés depuis, sont morts aussi. Le monde est autre
chose encore; je n'avais pas dépassé l'âge de l'enfance lorsque,
dès mon arrivée dans mon second pays, je pus voir un homme
assez jeune, grand et fort, s'acharner sur un vieillard, à
coups de pied et de poing. Ces deux-là aussi sont morts,
depuis.

Je n'ai pas d'autres images du monde, en dehors de celles
exprimant l'évanescence et la dureté, la vanité et la colère,
le néant ou la haine hideuse, inutile. C'est ainsi que l'existence a continué de m'apparaître. Tout n'a fait que confirmer ce que j'avais vu, ce que j'avais compris dans mon
enfance : fureurs vaines et sordides, cris soudain étouffés
par le silence, ombres s'engloutissant, à jamais, dans la
nuit. Qu'ai-je à dire d'autre?

C'est bien banal, évidemment. Cela a été dit des milliers
de fois. Mais un enfant se l'était dit avant de l'avoir appris
chez tant d'autres qui n'ont donc fait que confirmer la
vision enfantine. Il m'importe peu de savoir si cette vision est
ou n'est pas surréaliste, naturaliste, expressionniste, déca-
dente, romantique ou socialiste. Il me suffit de penser qu'elle
est on ne peut plus réaliste, c'est dans l'irréel que plongent
les racines de la réalité. Est-ce que nous ne mourrons pas?

Cette vue du monde et de la mort est petite-bourgeoise,
dira-t-on. Est-ce que les enfants sont déjà petits-bourgeois?
Peut-être. Cette vision du monde, je la retrouve chez une
quantité de « petits-bourgeois » de tous les siècles; chez le
petit-bourgeois Salomon, qui était roi, cependant, chez le
petit-bourgeois Bouddha, qui était prince; chez le petit-
bourgeois Shakespeare, le petit-bourgeois saint Jean de la
Croix et chez beaucoup d'autres petits-bourgeois encore :

saints, paysans, citadins, philosophes, croyants, athées, etc...

Je constate également que cette même « vision », de la vie ou de la mort, très ancienne et permanente, est aussi moderne, contemporaine : en lisant Proust, nous voyons quel sentiment de la précarité de l'existence se dégage de son univers de fantômes en dentelles, d'amours et de souvenirs; dans *L'Éducation sentimentale* de Flaubert, ne voyons-nous pas l'illustration de la déperdition de l'homme dans le temps, un temps dans lequel rien ne se réalise, où tout se dissout dans le fracas des révoltes, dans un décor mobile de sociétés bouleversées, reconstruites, bouleversées ? Et ne prenons-nous pas conscience à peu près de la même chose dans *Mère Courage*, de Brecht ? Cette œuvre est une pièce contre la guerre, bien sûr, mais ce n'est là que son second propos : le temps use et tue, on nous le montre à l'occasion d'une guerre, mais cela n'en paraît que plus violent, plus évident, la destruction est plus accélérée et, dans le fond, ce n'est pas de la déperdition de l'homme par la guerre qu'il s'y agit, mais bien plutôt de la déperdition de l'homme dans le temps, dans l'existence.

Le thème de tant de pièces de Tchékhov n'est-il pas aussi celui de l'évanescence ? Ce n'est pas surtout l'agonie d'une société que je vois dans *La Cerisaie* ou *Les Trois sœurs* mais bien, à travers une certaine société, le destin de toutes les sociétés et des hommes.

Chez tous ces auteurs, on voit des situations diverses, des pays différents, des époques différentes, des idéologies opposées mais toutes ces situations particulières ne sont que des actualités multiples dans lesquelles je retrouve une situation unique, une actualité permanente dans des actualités changeantes qui sont comme les langages variés d'une pensée invariable.

Je ne conteste pas la possibilité d'une autre attitude de l'esprit; je ne m'oppose pas à l'espoir des disciples de Teilhard de Chardin ou à celui des marxistes, mais je crois pouvoir affirmer que l'œuvre d'art ne peut pas ne pas exprimer l'une ou l'autre des attitudes fondamentales, qu'elle n'est rien si elle ne va pas au-delà des vérités ou obsessions temporaires de l'histoire, si, ne dépassant pas telle ou telle mode symboliste, naturaliste, surréaliste ou réaliste-socialiste, elle n'accède pas à un universalisme certain, profond.

L' « avant-garde » n'est donc que l'expression actuelle, historique, d'une actualité inactuelle (si je puis dire), d'une réalité trans-historique. La valeur de *Fin de partie* de Beckett, par exemple, réside dans le fait qu'elle est plus proche du *Livre de Job* que des pièces de Boulevard ou des chansonniers. Cette œuvre a retrouvé, à travers les temps, à travers les modes éphémères de l'Histoire, une histoire-type moins éphémère, une situation primordiale d'où découlent les autres.

Ce qu'on appelle « avant-garde » n'est intéressant que si c'est un retour aux sources, si cela rejoint une tradition vivante, à travers un traditionalisme sclérosé, à travers les académismes réfutés.

Il suffit d'une présence, d'une sincérité aveugle et, par cela même, clairvoyante, pour être de son temps : on l'est (par le langage), ou on ne l'est pas, à peu près naturellement. On a l'impression, également, que plus on est de son temps, plus on est de tous les temps (si on brise la croûte de l'actualité superficielle). L'effort de tout créateur authentique consiste à se débarrasser des scories, des clichés d'un langage épuisé pour retrouver un langage simplifié, essentialisé, renaissant, pouvant exprimer des réalités neuves et anciennes, présentes et inactuelles, vivantes et permanentes, particulières, et à la fois, universelles.

Les œuvres d'art les plus jeunes, les plus neuves se reconnaissent et parlent à toutes les époques. Oui, c'est le roi Salomon qui est mon chef de file; et Job, ce contemporain de Beckett.

Avril 1958, Réponse à une enquête, Lettres françaises.

JE N'AI JAMAIS RÉUSSI

Je n'ai jamais réussi à m'habituer, tout à fait, à l'existence, ni à celle du monde, celle des autres, ni surtout, à la mienne. Il m'arrive de sentir que les formes se vident, tout à coup, de leur contenu, la réalité est irréelle, les mots ne sont que des bruits dépouillés de sens, ces maisons, ce ciel ne sont plus que les façades du rien, les gens me semblent se mouvoir automatiquement, sans raison ; tout semble se volatiliser, tout est menacé — y compris moi-même — d'un effondrement imminent, silencieux, dans je ne sais quel abîme, au-delà du jour et de la nuit. Par quelle sorcellerie tout cela peut-il encore tenir ? Et que veut dire tout ceci, cette apparence de mouvement, cette apparence de lumière, ces sortes de choses, cette sorte de monde ? Cependant, je suis là, entouré du halo de la création, ne pouvant étreindre ces fumées, n'y comprenant rien, dépaysé, arraché à je ne sais quoi qui fait que tout me manque. Je me contemple moi-même, me vois assailli par une souffrance incompréhensible, des regrets sans nom, des remords sans objet, par une sorte d'amour, par une sorte de haine, par un semblant de joie, par une étrange pitié (de quoi ? de qui ?) ; je me vois déchiré par des forces aveugles, montant du plus profond de moi, s'opposant en un conflit désespérant, sans issue ; il me semble m'identifier à l'une ou l'autre d'entre celles-ci, sachant bien, pourtant, que je ne suis pas entièrement l'une ou l'autre (que me veulent-elles ?), car je ne puis évidemment pas savoir qui je suis, ni pourquoi je suis.

Aucun événement, aucune magie particulière ne m'étonnent, aucun enchaînement de la pensée ne m'entraîne (pas d'intérêt pour la culture), aucune chose ne peut me paraître plus insolite qu'une autre, car tout est nivelé, noyé dans l'invraisemblance, l'insolite universels. C'est d'exister, de se servir d'un langage, qui me semble inadmissible. Ceux qui ne sentent pas que l'existence est insensée, peuvent trouver,

à l'intérieur de l'existence, que seulement ceci et cela est
sensé, logique, faux, juste. Pour moi, l'existence ne me semblant pas imaginable, à l'intérieur de l'existence tout me
paraît concevable. Aucune frontière personnelle ne peut
séparer, pour moi, le réel de l'irréel, le vrai du faux, je n'ai
pas de critère, pas de préférences. Je me sens là, à la limite
de l'être, étranger au déroulement historique, pas du tout
dans le coup, hébété, immobilisé dans cette stupéfaction primordiale. Les portes me sont fermées, ou, peut-être, ont-
elles toutes disparu, avec les murs, les distinctions.

Sans doute, ce que je viens de dire ci-dessus ne représente
que la pointe extrême de mon état d'esprit, la plus vraie.
Je vis, malgré tout. Et il m'arrive d'écrire... des pièces de
théâtre, par exemple. On me fait l'honneur de me demander
de dire ce que je crois penser du théâtre. Ce qui précède peut
donc sembler avoir l'air d'être sans aucun rapport avec la
matière. J'ai, en fait, la conviction de n'avoir parlé que de
cela, de ne pas avoir cessé d'être dans le vif du sujet. Oui
et non, pourtant, le théâtre, ainsi que la littérature ou
n'importe quelle manifestation de la vie culturelle, ne présente pour moi qu'un intérêt médiocre, ne me touche qu'à
moitié, je n'attache pas vraiment de prix à ce qui est communicable, ou plutôt déjà communiqué, extérieur, au déroulement
des choses, aux actions, à l'action.

Pour moi, le théâtre — le mien — est, le plus souvent, une
confession; je ne fais que des aveux (incompréhensibles,
pour des sourds, cela ne peut être qu'ainsi), car que puis-je
faire d'autre? Je tâche de projeter sur scène un drame
intérieur (incompréhensible à moi-même) me disant, toutefois, que, le microcosme étant à l'image du macrocosme,
il peut arriver que ce monde intérieur, déchiqueté, désarticulé, soit, en quelque sorte, le miroir ou le symbole des
contradictions universelles. Pas d'intrigue, alors, pas d'architecture, pas d'énigmes à résoudre mais de l'inconnu inso-
luble, pas de caractères, des personnages sans identité
(ils deviennent, à tout instant, le contraire d'eux-mêmes, ils
prennent la place des autres et vice versa) : simplement une
suite sans suite, un enchaînement fortuit, sans relation de

cause à effet, d'aventures inexplicables ou d'états émotifs, ou un enchevêtrement indescriptible, mais vivant, d'intentions, de mouvements, de passions sans unité, plongeant dans la contradiction : cela peut paraître tragique, cela peut paraître comique, ou les deux à la fois, car je ne suis pas en mesure de distinguer le dernier du premier. Je ne veux que traduire l'invraisemblable et l'insolite, mon univers.

Peut-être pourrais-je, tout de même, établir certaines différences : lorsque mon regard se pose, attentivement, sur ce qui semble m'apparaître du dehors, et dont je suis détaché, alors, la précarité de la création, le comportement des créatures, celui des humains, leur langage qu'il me semble percevoir, et qui est pour moi hermétique ou vide et comme *arbitrairement inventé*, leurs démarches, tout se décompose, s'égare dans le non-sens, tourne infailliblement au dérisoire ou au burlesque, au pénible, et c'est de ce vide existentiel que peuvent naître les comédies.

Lorsque, au contraire, on laisse éclore ses propres fantômes, auxquels s'accrochent, encore, des résidus de couleurs obscures, des passions aussi violentes qu'incohérentes, on sait que ces contradictions s'entre-déchireront, dans leur véhémence, donnant naissance au drame.

Je me sens donc, toutefois, emporté par le mouvement dramatique. Mais comme les histoires ne sont jamais intéressantes, je rêve de retrouver les schèmes du théâtre à l'état pur, de les reproduire en des mouvements scéniques purs.

(Arts, 1953.)

CELUI QUI OSE NE PAS HAÏR
DEVIENT UN TRAÎTRE

Dans « l'affaire » Pasternak, une chose me paraît éclatante, terrible. Pasternak a été accusé, par les écrivains officiels de son pays, d'être un renégat, un traître, un mau-

vais patriote, un homme plein de haine. Pourquoi ? Tout
simplement parce qu'il a eu et exprimé le sentiment que les
gens d'en face, les adversaires, étaient, malgré tout, eux
aussi, des êtres humains, aussi humains que leurs ennemis,
et qu'ils avaient droit, comme les autres, à la pitié, au respect,
à la compréhension et même à l'amour. Ainsi en sont les
choses : lorsqu'on aime, on vous accuse de haïr ; lorsque
votre cœur est rempli de haine, on vous félicite parce que
« vous aimez », dit-on.

En fait, il n'est pas permis, semble-t-il, de notre temps,
de ne pas haïr ; toute charité est interdite. La pire des fautes
est donc de succomber « à la tentation de la bonté ».

Jamais je n'ai pu considérer que mon adversaire était
une vipère lubrique : dans ce cas, moi-même je me sentirais
une vipère lubrique haïssant une autre vipère lubrique.
Ou, plutôt, l'adversaire ne risque de devenir une vipère
lubrique que lorsqu'il considère lui-même que je suis moi
une vipère lubrique. Chaque fois que j'affirme une chose, que
je défends un point de vue, je suis tenté de penser que le
point de vue contraire est plus justifié, ou tout aussi justifié
que le mien.

Je n'ai pas l'âme d'un partisan. Si je déteste quelque chose,
c'est l'esprit partisan : à tel point, souvent, qu'à détester
la haine, je deviens haineux moi-même, j'entre dans le jeu
de la haine. Est-ce une infirmité de donner raison à tout le
monde et à personne ? Plus ou autant aux autres qu'aux
siens ? Est-ce une infériorité intellectuelle de ne pas avoir
une position catégorique, bornée ? De ne pas s'en tenir
à des mots d'ordre et des doctrines, à une passion, bien
déterminés, bien fixés, justifiant totalement son action,
ses ressentiments, canalisant sa colère, permettant le libre
cours d'une volonté de tuer ? La férocité vengeresse ou
« justicière » dépasse infiniment son but « rationnel ».

Il me semble que de notre temps et de tous les temps,
les religions ou les idéologies ne sont et n'ont jamais été
que les alibis, les masques, les prétextes de cette volonté
de meurtre, de l'instinct destructeur, d'une agressivité fondamentale, de la haine profonde que l'homme a de l'homme ;
on a tué au nom de l'Ordre, contre l'Ordre, au nom de Dieu,

contre Dieu, au nom de la patrie, pour défaire un Ordre mauvais, pour se libérer de Dieu, pour se désaliéner, pour libérer les autres, pour punir les méchants au nom de la race, pour rééquilibrer le monde, pour la santé du genre humain, pour la gloire ou parce qu'il faut bien vivre et arracher son pain de la main des autres : on a massacré surtout et torturé au nom de l'Amour, et de la Charité. Au nom de la justice sociale! Les sauveurs de l'humanité ont fondé les Inquisitions, inventé les camps de concentration, construit les fours crématoires, établi les tyrannies. Les gardiens de la société ont fait les bagnes, les ennemis de la société assassinent : je crois même que les bagnes ont apparu avant les crimes.

Je ne dis rien de nouveau si je déclare que je crains ceux qui désirent ardemment le salut ou le bonheur de l'humanité. Quand je vois un bon apôtre, je m'enfuis comme lorsque je vois un dément criminel armé d'un poignard. « Il faut choisir », nous dira-t-on, aujourd'hui. « Il faut choisir le moindre mal. Est meilleur ce qui va dans le sens de l'histoire » : mais où est le sens de l'histoire? Je crois que c'est là une tromperie nouvelle, une nouvelle justification idéologique de la même permanente impulsion assassine : car « on s'engage » de cette façon, et l'on a une raison plus subtile de pactiser ou de s'inscrire dans l'un ou l'autre des partis des tueurs. C'est là que réside la plus récente des hypocrisies de la toute dernière mystification. Nous l'avons bien vu : celui qui ose ne pas haïr est mis au ban de la société : il devient un traître, un paria.

Pourtant ma pièce, *Tueur sans gages*, a été écrite bien avant l'affaire Pasternak qui, à mes yeux, n'a fait que confirmer une fois de plus ce que j'avais essayé, dans mon œuvre, de mettre en évidence.

Mais n'allons-nous pas tous vers la mort? La mort est bien le terme, le but de toute existence. La mort n'a pas à être appuyée par une idéologie. Vivre c'est mourir et c'est tuer : chaque créature se défend en tuant, tue pour vivre. Dans la haine de l'homme pour l'homme — qui a besoin, lui, d'une doctrine lui permettant de tuer avec bonne conscience — dans cet instinct inné du crime (politique, patriotique, religieux, etc.) n'y a-t-il pas comme une détestation souterraine de la condition même de l'homme, de la condition mortelle ?

Peut-être sentons-nous, plus ou moins confusément, au-delà de toutes les idéologies, que nous ne pouvons être, à la fois, que des assassins et des assassinés, fonctionnaires et administrés naturels, instruments et victimes de la mort triomphante ?...

... Et pourtant, pourtant, nous sommes là. Il se peut qu'il y ait une raison, au-delà de notre raison, d'exister : cela aussi est possible.

Arts, 3 mars 1959.
(Avant-première pour *Tueur sans gages*.)

MES PIÈCES ET MOI

Deux états de conscience fondamentaux sont à l'origine de toutes mes pièces : tantôt l'un, tantôt l'autre prédomine, tantôt ils s'entremêlent. Ces deux prises de conscience originelles sont celles de l'évanescence ou de la lourdeur; du vide et du trop de présence; de la transparence irréelle du monde et de son opacité; de la lumière et des ténèbres épaisses. Chacun de nous a pu sentir, à certains moments, que le monde a une substance de rêve, que les murs n'ont plus d'épaisseur, qu'il nous semble voir à travers tout, dans un univers sans espace, uniquement fait de clartés et de couleurs; toute l'existence, toute l'histoire du monde devient, à ce moment, inutile, insensée, impossible. Lorsqu'on ne parvient pas à dépasser cette première étape du dépaysement (car on a bien l'impression de se réveiller dans un monde inconnu) la sensation de l'évanescence vous donne une angoisse, une sorte de vertige. Mais tout cela peut, tout aussi bien, devenir euphorique : l'angoisse se transforme soudain en liberté; plus rien n'a de l'importance en dehors de l'émerveillement d'être, de la nouvelle, surprenante conscience de notre existence dans une lumière d'aurore, dans la liberté retrouvée; nous sommes étonnés d'être, dans ce monde qui apparaît illusoire, fictif et le comportement humain révèle son ridicule, toute histoire, son inutilité absolue; toute réalité, tout langage semble se désarticuler, se désagréger, se vider, si bien que tout étant dénué d'importance, que peut-on faire d'autre que d'en rire? Pour moi, à un de ces instants, je me suis senti tellement libre, ou libéré, que j'avais le sentiment de pouvoir faire ce que je voulais avec les mots, avec les personnages d'un monde qui ne me paraissait plus être qu'une apparence dérisoire, sans fondement.

Certainement, cet état de conscience est très rare, ce bonheur, cet émerveillement d'être dans un univers qui ne me gêne plus, qui n'est plus, ne tient guère; je suis, le plus souvent, sous la domination du sentiment opposé : la légèreté se mue en lourdeur; la transparence en épaisseur; le monde pèse; l'univers m'écrase. Un rideau, un mur infranchissable s'interpose entre moi et le monde, entre moi et moi-même, la matière remplit tout, prend toute la place, anéantit toute liberté sous son poids, l'horizon se rétrécit, le monde devient un cachot étouffant. La parole se brise, mais d'une autre façon, les mots retombent, comme des pierres, comme des cadavres; je me sens envahi par des forces pesantes contre lesquelles je mène un combat où je ne puis avoir que le dessous.

C'est là, certainement, le point de départ de quelques-unes de mes pièces que l'on considère dramatiques : *Comment s'en débarrasser* ou *Victimes du devoir*. A partir d'un tel état, les mots, évidemment, dénués de magie, sont remplacés par les accessoires, les objets : des champignons innombrables poussent dans l'appartement des personnages, Amédée et Madeleine; un cadavre, atteint de « progression géométrique » y pousse également, déloge les locataires; dans *Victimes du devoir* des centaines de tasses s'amoncellent pour servir du café à trois personnes; les meubles, dans *Le Nouveau locataire*, après avoir bloqué les escaliers de l'immeuble, la scène, ensevelissent le personnage qui voulait s'installer dans la maison; dans *Les Chaises*, des dizaines de chaises, avec des invités invisibles, occupent tout le plateau; dans *Jacques* plusieurs nez poussent sur le visage d'une jeune fille. Lorsque la parole est usée, c'est que l'esprit est usé. L'univers, encombré par la matière, est vide, alors, de présence : le « trop » rejoint ainsi le « pas assez » et les objets sont la concrétisation de la solitude, de la victoire des forces antispirituelles, de tout ce contre quoi nous nous débattons. Mais je n'abandonne pas tout à fait la partie dans ce grand malaise et si, comme je l'espère, je réussis dans l'angoisse et malgré l'angoisse à introduire l'humour, — symptôme heureux de l'autre présence, — l'humour est ma décharge, ma libération, mon salut.

Je n'ai pas l'intention de porter un jugement sur mes pièces. Ce n'est pas à moi de le faire. J'ai tâché simplement de dire un peu, de quelle substance émotive elles étaient faites, de quoi elles sont parties : d'un état d'âme, non pas d'une idéologie, d'une impulsion, non d'un programme; la cohésion donnant une structure aux émotions à l'état pur répond à une nécessité interne, non pas à la logique d'une construction extérieurement imposée; pas d'assujettissement à une action prédéterminée, mais extériorisation d'un dynamisme psychique.

La Cantatrice chauve est la seule de mes pièces considérée par la critique « purement comique ». Là encore, pourtant, le comique me semble être l'expression de l'insolite. Mais l'insolite ne peut surgir, à mon avis, que du plus terne, du plus quelconque quotidien, de la prose de tous les jours, en le suivant jusqu'au delà de ses limites. Sentir l'absurdité du quotidien et du langage, son invraisemblance, c'est déjà l'avoir dépassée; pour la dépasser, il faut d'abord s'y enfoncer. Le comique c'est de l'insolite pur; rien ne me paraît plus surprenant que le banal; le surréel est là, à la portée de nos mains, dans le bavardage de tous les jours.

Début d'une causerie faite à Lausanne, novembre 1954.

ON M'A SOUVENT PRIÉ...

On m'a souvent prié de dire quel était mon but, quelles étaient mes intentions quand j'écrivais telle ou telle pièce. Lorsqu'on m'a demandé de m'expliquer sur *La Cantatrice chauve* par exemple, ma première pièce, j'ai dit qu'elle était une parodie du théâtre de boulevard, une parodie du théâtre tout court, une critique des clichés de langage et du comportement automatique des gens; j'ai dit aussi qu'elle était l'expression d'un sentiment de l'insolite dans le quotidien, un insolite qui se révèle à l'intérieur même de la banalité la plus usée; on a dit que c'était une critique de la petite bourgeoisie, voire plus précisément de la bourgeoisie anglaise que d'ailleurs je ne connaissais nullement; on a dit que c'était une tentative de désarticulation du langage ou de destruction du théâtre; on a dit aussi que c'était du théâtre abstrait, puisqu'il n'y a pas d'action dans cette pièce; on a dit que c'était du comique pur, ou la pièce d'un nouveau Labiche utilisant toutes les recettes du comique le plus traditionnel; on a appelé cela de l'avant-garde, bien que personne ne soit d'accord sur la définition du mot « avant-garde », on a dit que c'était du théâtre à l'état pur, bien que personne non plus ne sache exactement ce que c'est que le théâtre à l'état pur.

Si je dis moi-même que ce n'était qu'un jeu tout à fait gratuit, je n'infirme ni ne confirme les définitions ou explications précédentes, car même le jeu gratuit, peut-être surtout le jeu gratuit, est chargé de toutes sortes de significations qui ressortent du jeu même. En réalité, en écrivant cette pièce, puis en écrivant celles qui ont suivi, je n'avais pas « une intention » au départ, mais une pluralité d'intentions mi-conscientes, mi-inconscientes. En effet, pour moi, c'est dans et grâce à la création artistique que l'intention ou les intentions se précisent. La construction n'est que le surgissement de l'édifice intérieur se laissant ainsi découvrir.

Arts. 1955 (?)

Intermède

Les Gammes

Gammes

— Quand vous vous promenez dans un parc, n'est-ce pas ? (Répondre par oui ou par non.)

— Ça alors.

*

— L'enfant paraît (lorsque ?)

*

— N'insistez pas.

— Quand j'allais à l'école.

*

— Pensée : le concept n'est pas ce que croient les gens Il est autre chose. Ce qui est tout différent. Par ailleurs, par exemple, moi, j'ai une.

*

— Ce qu'on est gourmand.

*

— Voyez-vous.

*

— Si une forêt surgit pour vous empêcher d'avancer, écartez les arbres. Les ronces vous suivront.

*

— Dans un cas, aussi bien que dans l'autre, si je puis m'expliquer ainsi.

*

— J'aime le printemps, ses feuilles transparentes; l'été, ses feuilles lourdes. L'automne, les feuilles rousses. L'hiver, ses feuilles qui n'existent pas : c'est parce qu'elles sont blanches. Enfin, toutes les saisons, enfin, enfin, enfin. C'est pas les saisons, c'est les arbres, ou, plutôt, ce sont.

*

— Ce n'est pas rien, dites donc.

*

— Si vous (vous).

*

— J'avais, jadis, à la maison, j'avais.

*

— Quand j'étais gosse, tous les jeudis, tout en respirant, quand j'étais gosse, tout en.

*

— Pourquoi, madame?

*

— Il y a.

*

— Il portait sur la tête un chapeau mou imaginez-vous! Enlève-le. Qu'est-ce que ça peut vous faire ça vous gêne?

Il se mit en colère allons fais pas l'andouille de quoi? moi je dansais avec des comtesses qui avaient des gants jusqu'aux coudes jusqu'aux épaules jusqu'aux seins jusqu'aux épaules jusqu'aux ventres jusqu'à la gorge pour la recouvrir parce qu'elles étaient toutes nues; et alors quoi quoi alors comment quoi alors quoi comment alors; ben explique celui-là il est c...; s'il est c... c'est pas la peine; alors encore alors? Attendez alors dis-le moi; à toi c'est pas la peine t'es pas bête t'as qu'à voir comme tout le monde; c'est l'instinct de l'observation (non, non, s'écria l'autre, dans un suprême sursaut, l'observation n'a pas d'instinct! et il s'écroula).

*

— Ah, le soupirail, la voie ferrée, le pont des soupirs, la soupe populaire, les peupliers, peuples liés et opprimés, pas un sou l'homme du peuple, pas un sou. Met la tête sur les rails en soupirant. Que de souvenirs.

*

— Les oies de la mère Pipe.

*

— Chut, prenez le bas ton d'hermine.

*

— Tout le monde en a : hommes, femmes, enfants. S'ils n'en ont pas, on leur en prête. Les uns préfèrent, les autres pas. Et même les objets, quand ils sont utiles; mais pas d'argent. Il n'y a pas que ça dans la vie. L'espace aussi, loin de là.

*

— Conseil : faut pas se (dé)gonfler.

*

DEUXIÈME SÉRIE

— Quand j'étais, j'aimais beaucoup me. Les gens pour votre foie, mon ami. C'était un touriste américain. J'ordonnai des. Toujours impopulaires! Pourtant, depuis que Votre Majesté, de son gré, c'est exact. Mes états, que l'on me contredise, restez.

*

— A ce moment-là, la foule, pour vous servir, guerrier : ô, reine des rois épouvantables!... Attention.

*

— Tandis que de très bas, de très haut, de très bon, tu déroutais, eux et moi, en vain. A l'ouest, au départ, le décor tourloutonnait. La maltôte donnait à l'affaire son côté méritoire. L'extinctoire sortait : d'une, de deux, de trois. En réfléchissant bien, devais-je, comme je le pensais, ralentir ou, au contraire, céder la place? Mes oreilles, mes oisillons, *sine die*, teintaient. Quoi de bien neuf? L'hydrocéphale et sa chanson; la feuille verte, sa camisole; irréductible aux tiers, toute la volaille. L'effet nuisait à sa perte : trente bouteilles environ, aqueducs ou non. Suprêmement chaise, la mélodie. Bien entendu, décidément, le clinquant pourchasse l'officiel. Une décision brune ne fut mangée, sauf opposition vertueuse. Comme par le passé.

*

— Orteils, orteils, que me voulez-vous? Assassiner les belges bleus, les décharger de l'endroit, escamoter la danse du ventre, désaccorder le toréador, avertir les épinards? Je ne le veux, non, je ne le veux. La compassion exige un compte tout fait. L'hiver c'est l'homme, aussi bien que le reste. Ah, orteils, orteils, que me voulez-vous?

*

— Jaillissons, Macédoine : l'imaginable cramponnet a perpétué l'able, l'able !

*

— La tarte de la clairière, l'usure du hérisson, les trouvailles de l'Ariège, l'oblicité en œsophage, la vertèbre par derrière, voilà ma gloire, voilà ma gloire !

OLYMPIE

Privée de son appui, Olympie était forclose. Jamais sa farandole n'avait été si dégarnie. Cependant, encombrée de soucis de coq à plume, elle fourvoyait la guerre, mettait la panne en Autriche, chaussait la dérision du jardinier. Environ toutes les cinq pages, elle neutralisait la nativité, avec désinvolture, enveloppée pour les débutants. Il en fallait des cataplasmes et autres aventures !

— « Beignets, beignets, beignets mignons ! » s'écriait-elle, frappant sa jolie manche et retroussant sa joue.

— « Joyeusetés ! » approuvaient les passants impropres. Mais peut-on mieux ?

*

Les instants hésitent entre trois possibilités. L'hommage se délivre à l'instant hésitant.

La délivrance de l'hommage se délivre à l'hommage de l'instant. Hésiter vaut un hommage délivré aux trois possibilités. Les trois possibilités hésitent entre les instants des trois possibilités. Les instants se délivrent aux hommages de l'hommage. Les hommages hésitent entre les trois possibilités. Possibilités, hommages, sont trois hésitants.

Les résistants hésitent. Les hésitants résistent.

Publiées en 1955, Cahier des Saisons.
Extraites d'un cahier ancien.

3

Mes pièces

La Cantatrice chauve

LA TRAGÉDIE DU LANGAGE

En 1948, avant d'écrire ma première pièce : *La Cantatrice chauve*, je ne voulais pas devenir un auteur dramatique. J'avais tout simplement l'ambition de connaître l'anglais. L'apprentissage de l'anglais ne mène pas nécessairement à la dramaturgie. Au contraire, c'est parce que je n'ai pas réussi à apprendre l'anglais que je suis devenu écrivain de théâtre. Je n'ai pas écrit non plus ces pièces pour me venger de mon échec, bien que l'on ait dit que *La Cantatrice chauve* était une satire de la bourgeoisie anglaise. Si j'avais voulu et n'avais pas réussi à apprendre l'italien, le russe ou le turc, on aurait pu tout aussi bien dire que la pièce résultant de cet effort vain était une satire de la société italienne, russe ou turque. Je sens que je dois m'expliquer. Voici ce qui est arrivé : donc pour connaître l'anglais j'achetai, il y a neuf ou dix ans, un manuel de conversation franco-anglaise, à l'usage des débutants. Je me mis au travail. Consciencieusement, je copiai, pour les apprendre par cœur, les phrases tirées de mon manuel. En les relisant attentivement, j'appris donc, non pas l'anglais, mais des vérités surprenantes : qu'il y a sept jours dans la semaine, par exemple, ce que je savais d'ailleurs; ou bien que le plancher est en bas, le plafond en haut, chose que je savais également, peut-être, mais à laquelle je n'avais jamais réfléchi sérieusement ou que j'avais oubliée, et qui m'apparaissait, tout à coup, aussi

stupéfiante qu'indiscutablement vraie. J'ai sans doute assez
d'esprit philosophique pour m'être aperçu que ce n'était
pas de simples phrases anglaises dans leur traduction française que je recopiais sur mon cahier, mais bien des vérités
fondamentales, des constatations profondes.

Je n'abandonnai pas encore l'anglais pour autant. Heureusement, car, après les vérités universelles, l'auteur du manuel
me révélait des vérités particulières; et pour ce faire, cet
auteur, inspiré, sans doute, de la méthode platonicienne,
les exprimait par le moyen du dialogue. Dès la troisième
leçon, deux personnages étaient mis en présence, dont je
ne sais toujours pas s'ils étaient réels ou inventés : M. et
Mme Smith, un couple d'Anglais. A mon grand émerveillement, Mme Smith faisait connaître à son mari qu'ils avaient
plusieurs enfants, qu'ils habitaient dans les environs de
Londres, que leur nom était Smith, que M. Smith était
employé de bureau, qu'ils avaient une domestique, Mary,
Anglaise également, qu'ils avaient, depuis vingt ans, des
amis nommés Martin, que leur maison était un palais car
« la maison d'un Anglais est son vrai palais ».

Je me disais bien que M. Smith devait être un peu au
courant de tout ceci; mais, sait-on jamais, il y a des gens
tellement distraits; d'autre part, il est bon de rappeler à
nos semblables des choses qu'ils peuvent oublier ou dont
ils ont insuffisamment conscience. Il y avait aussi, en dehors
de ces vérités particulières permanentes, d'autres vérités
du moment qui se manifestaient : par exemple, que les Smith
venaient de dîner et qu'il était 9 heures du soir, d'après la
pendule, heure anglaise.

Je me permets d'attirer votre attention sur le caractère
indubitable, parfaitement axiomatique, des affirmations de
Mme Smith, ainsi que sur la démarche tout à fait cartésienne
de l'auteur de mon manuel d'anglais, car, ce qui y était
remarquable, c'était la progression supérieurement métho-
dique de la recherche de la vérité. A la cinquième leçon,
les amis des Smith, les Martin, arrivaient; la conversation
s'engageait entre les quatre et, sur les axiomes élémentaires,
s'édifiaient des vérités plus complexes : « la campagne est
plus calme que la grande ville », affirmaient les uns; « oui,
mais à la ville la population est plus dense, il y a aussi davan-

tage de boutiques », répliquaient les autres, ce qui est également vrai et prouve, par ailleurs, que des vérités antagonistes peuvent très bien coexister.

C'est alors que j'eus une illumination. Il ne s'agissait plus pour moi de parfaire ma connaissance de la langue anglaise. M'attacher à enrichir mon vocabulaire anglais, apprendre des mots, pour traduire en une autre langue ce que je pouvais aussi bien dire en français, sans tenir compte du « contenu » de ces mots, de ce qu'ils révélaient, c'eût été tomber dans le péché de formalisme qu'aujourd'hui les directeurs de pensée condamnent avec juste raison. Mon ambition était devenue plus grande : communiquer à mes contemporains les vérités essentielles dont m'avait fait prendre conscience le manuel de conversation franco-anglaise. D'autre part, les dialogues des Smith, des Martin, des Smith et des Martin, c'était proprement du théâtre, le théâtre étant dialogue. C'était donc une pièce de théâtre qu'il me fallait faire. J'écrivis ainsi *La Cantatrice chauve*, qui est donc une œuvre théâtrale spécifiquement didactique. Et pourquoi cette œuvre s'appelle-t-elle *La Cantatrice chauve* et non pas *L'Anglais sans peine*, comme je pensai d'abord l'intituler, ni *L'Heure anglaise*, comme je voulus, un moment, le faire par la suite? C'est trop long à dire : une des raisons pour lesquelles *La Cantatrice chauve* fut ainsi intitulée c'est qu'aucune cantatrice, chauve ou chevelue, n'y fait son apparition. Ce détail devrait suffire. Toute une partie de la pièce est faite de la mise bout à bout des phrases extraites de mon manuel d'anglais; les Smith et les Martin du même manuel sont les Smith et les Martin de ma pièce, ils sont les mêmes, prononcent les mêmes sentences, font les mêmes actions ou les mêmes « inactions ». Dans tout « théâtre didactique », on n'a pas à être original, on n'a pas à dire ce qu'on pense soi-même : ce serait une faute grave contre *la vérité* objective; on n'a qu'à transmettre, humblement, l'enseignement qui nous a été lui-même transmis, les idées que nous avons reçues. Comment aurais-je pu me permettre de changer la moindre chose à des paroles exprimant d'une façon si édifiante la vérité absolue? Étant *authentiquement* didactique, ma pièce ne devait surtout pas être originale, ni illustrer mon talent!

... Pourtant, le texte de *La Cantatrice chauve* ne fut une leçon (et un plagiat) qu'au départ. Un phénomène bizarre se passa, je ne sais comment : le texte se transforma sous mes yeux, insensiblement, contre ma volonté. Les propositions toutes simples et lumineuses que j'avais inscrites, avec application, sur mon cahier d'écolier, laissées là, se décantèrent au bout d'un certain temps, bougèrent toutes seules, se corrompirent, se dénaturèrent. Les répliques du manuel, que j'avais pourtant correctement, soigneusement copiées, les unes à la suite des autres, se déréglèrent. Ainsi, cette vérité indéniable, sûre : « le plancher est en bas, le plafond est en haut ». L'affirmation — aussi catégorique que solide : les sept jours de la semaine sont lundi, mardi, mercredi, jeudi, vendredi, samedi, dimanche — se détériora et M. Smith, mon héros, enseignait que la semaine se composait de trois jours qui étaient : mardi, jeudi et mardi. Mes personnages, mes braves bourgeois, les Martin, mari et femme, furent frappés d'amnésie : bien que se voyant, se parlant tous les jours, ils ne se reconnurent plus. D'autres choses alarmantes se produisirent : les Smith nous apprenaient la mort d'un certain Bobby Watson, impossible à identifier, car ils nous apprenaient aussi que les trois quarts des habitants de la ville, hommes, femmes, enfants, chats, idéologues, portaient le nom de Bobby Watson. Un cinquième personnage, inattendu, surgissait enfin pour aggraver le trouble des ménages paisibles, le capitaine des pompiers qui racontait des histoires dans lesquelles il semblait être question d'un jeune taureau qui aurait mis au monde une énorme génisse, d'une souris qui aurait accouché d'une montagne; — puis le pompier s'en allait pour ne pas rater un incendie, prévu depuis trois jours, noté sur son agenda, qui devait éclater à l'autre bout de la ville, tandis que les Smith et les Martin reprenaient leur conversation. Hélas! les vérités élémentaires et sages qu'ils échangeaient, enchaînées les unes aux autres, étaient devenues folles, le langage s'était désarticulé, les personnages s'étaient décomposés; la parole, absurde, s'était vidée de son contenu et tout s'achevait par une querelle dont il était impossible de connaître les motifs car mes héros se jetaient à la figure non pas des répliques, ni même des bouts de propositions, ni des mots,

mais des syllabes, ou des consonnes, ou des voyelles!...
... Pour moi, il s'était agi d'une sorte d'effondrement du
réel. Les mots étaient devenus des écorces sonores, dénués
de sens; les personnages aussi, bien entendu, s'étaient
vidés de leur psychologie et le monde m'apparaissait dans
une lumière insolite, peut-être dans sa véritable lumière, au-
delà des interprétations et d'une causalité arbitraire.

En écrivant cette pièce (car cela était devenu une sorte de
pièce ou une anti-pièce, c'est-à-dire une vraie parodie de
pièce, une comédie de la comédie), j'étais pris d'un véritable
malaise, de vertige, de nausée. De temps à autre, j'étais obligé
de m'interrompre et, tout en me demandant quel diable
me forçait de continuer d'écrire, j'allais m'allonger sur le
canapé avec la crainte de le voir sombrer dans le néant; et
moi avec. Lorsque j'eus terminé ce travail, j'en fus, tout de
même, très fier. Je m'imaginai avoir écrit quelque chose
comme la *tragédie du langage* !... Quand on la joua je fus presque étonné d'entendre rire les spectateurs qui prirent (et
prennent toujours) cela gaîment, considérant que c'était
bien une comédie, voire un canular. Quelques-uns ne s'y
trompèrent pas (Jean Pouillon, entre autres) qui sentirent le
malaise. D'autres encore s'aperçurent qu'on se moquait là du
théâtre de Bernstein et de ses acteurs : les comédiens de
Nicolas Bataille s'en étaient aperçus avant, en jouant la pièce
(surtout aux premières représentations) comme un mélodrame.

Plus tard, analysant cette œuvre, des critiques sérieux et
savants l'interprétèrent uniquement comme une critique de
la société bourgeoise et une parodie du théâtre de Boulevard. Je viens de dire que j'admets aussi cette interprétation :
cependant, il ne s'agit pas, dans mon esprit, d'une satire
de la mentalité petite-bourgeoise liée à telle ou telle société.
Il s'agit, surtout, d'une sorte de petite bourgeoisie universelle,
le petit-bourgeois étant l'homme des idées reçues, des slogans,
le conformiste de partout : ce conformisme, bien sûr, *c'est son
langage automatique* qui le révèle. Le texte de *La Cantatrice
chauve* ou du manuel pour apprendre l'anglais (ou le russe,
ou le portugais), composé d'expressions toutes faites, des
clichés les plus éculés, me révélait, par cela même, les automatismes du langage, du comportement des gens, le « parler
pour ne rien dire », le parler parce qu'il n'y a rien à dire de

personnel, l'absence de vie intérieure, la mécanique du quo
tidien, l'homme baignant dans son milieu social, ne s'en
distinguant plus. Les Smith, les Martin ne savent plus
parler, parce qu'ils ne savent plus penser, ils ne savent plus
penser parce qu'ils ne savent plus s'émouvoir, n'ont plus
de passions, ils ne savent plus être, ils peuvent « devenir »
n'importe qui, n'importe quoi car, n'étant pas, ils ne sont
que les autres, le monde de l'impersonnel, ils sont inter-
changeables : on peut mettre Martin à la place de Smith et
vice versa, on ne s'en apercevra pas. Le personnage tragique
ne change pas, il se brise ; il est lui, il est *réel*. Les personnages
comiques, ce sont les gens qui n'existent pas.

Début d'une causerie prononcée aux Instituts Français d'Italie.

1958.

A PROPOS DE « LA CANTATRICE CHAUVE »
(JOURNAL)

10 avril 1951.
    Démonter le théâtre (ou ce qu'on appelle ainsi).

La Cantatrice chauve aussi bien que *La Leçon* : entre autres,
tentatives d'un fonctionnement *à vide* du mécanisme du
théâtre. Essai d'un théâtre abstrait ou non-figuratif. Ou
concret au contraire, si on veut, puisqu'il n'est que ce qui
se voit sur scène, puisqu'il naît sur le plateau, puisqu'il est
jeu, jeu de mots, jeu de scènes, images, concrétisation des
symboles. Donc : fait de figures non-figuratives. Toute
intrigue, toute action particulière est dénuée d'intérêt.
Elle peut être accessoire, elle doit n'être que la canalisation
d'une tension dramatique, son appui, ses paliers, ses étapes.
Il faut arriver à libérer la tension dramatique sans le secours
d'aucune véritable intrigue, d'aucun objet particulier.
On aboutira tout de même à la révélation d'une chose
monstrueuse : il le faut d'ailleurs car le théâtre est finalement
révélation de choses monstrueuses, ou d'états monstrueux,
sans figures, ou de figures monstrueuses que nous portons

en nous. Arriver à cette exaltation ou à ces révélations sans la justification motivée, car idéologique, donc fausse, hypocrite, d'un thème, d'un sujet.

Progression d'une passion sans objet. Montée d'autant plus aisée, plus dramatique, plus éclatante, qu'elle n'est retenue par le fardeau d'aucun contenu, c'est-à-dire d'aucun sujet ou contenu apparent qui nous cachent le contenu authentique : le sens particulier d'une intrigue dramatique cache sa signification essentielle.

Théâtre abstrait. Drame pur. Anti-thématique, anti-idéologique, anti-réaliste-socialiste, anti-philosophique, anti-psychologique de boulevard, anti-bourgeois, redécouverte d'un nouveau théâtre libre. Libre c'est-à-dire libéré, c'est-à-dire sans parti pris, instrument de fouille : seul à pouvoir être sincère, exact et faire apparaître les évidences cachées.

La Cantatrice chauve : Personnages sans caractères. Fantoches. Êtres sans visage. Plutôt : cadres vides auxquels les acteurs peuvent emprunter leur propre visage, leur personne, âme, chair et os. Dans les mots sans suite et dénués de sens qu'ils prononcent ils peuvent mettre ce qu'ils veulent, exprimer ce qu'ils veulent, du comique, du dramatique, de l'humour, eux-mêmes, ce qu'ils ont de plus qu'eux-mêmes. Ils n'ont pas à se mettre dans des peaux de personnages, dans les peaux des autres; ils n'ont qu'à bien se mettre dans leur propre peau. Cela n'est guère facile. Il n'est pas facile d'être soi-même, de jouer son propre personnage.

Pourtant, les jeunes interprètes de *La Cantatrice chauve* avaient bien réussi à être eux-mêmes. Ou plutôt une partie d'eux-mêmes. Des personnages creux, le pur social : car l'âme sociale n'est pas.

Ils étaient gracieux les jeunes comédiens de la troupe Nicolas Bataille dans *La Cantatrice chauve* : du vide endimanché, du vide charmant, du vide fleuri, du vide à semblants de figures, du vide jeune, du vide contemporain. Ils étaient malgré tout, eux-mêmes, charmants au-delà du rien.

Pousser le burlesque à son extrême limite. Là, un léger coup de pouce, un glissement imperceptible et l'on se retrouve dans le tragique. C'est un tour de prestidigitation.

Le passage du burlesque au tragique doit se faire sans que le public s'en aperçoive. Les acteurs non plus peut-être, ou à peine. Changement d'éclairage. C'est ce que j'ai essayé dans *La Leçon*.

Sur un texte burlesque, un jeu dramatique.
Sur un texte dramatique, un jeu burlesque.

Faire dire aux mots des choses qu'ils n'ont jamais voulu dire.

Il n'y a pas toujours de quoi être fier : le comique d'un auteur est, très souvent, l'expression d'une certaine confusion. On exploite son propre non-sens, cela fait rire. Cela fait aussi dire à beaucoup de critiques dramatiques que ce qu'on écrit est très intelligent.

Chaque époque a ses lieux communs supérieurs, en dehors des lieux communs inférieurs qui sont de toutes les époques. Toutes les idéologies, je veux dire tous les clichés idéologiques paraîtront bien bêtes... et comiques.

Si je comprenais tout, bien sûr, je ne serais pas « comique ».

NAISSANCE DE LA CANTATRICE

Je ne pensais pas que cette comédie était une véritable comédie. En fait, elle n'était qu'une parodie de pièce, une comédie de la comédie. Je la lisais à des amis, pour les faire rire, quand ils se réunissaient à la maison. Comme ils riaient de bon cœur, je me suis aperçu qu'il y avait, dans ce texte, une force comique réelle. Lisant ensuite les *Exercices de style* de Raymond Queneau je me suis rendu compte que mes expériences d'écriture avaient une certaine similitude avec celles de cet auteur. Monique Saint-Côme me confirma ensuite que j'avais bien écrit une sorte de pièce de théâtre comique; j'eus donc le courage de lui laisser mon manuscrit et, comme elle travaillait à la mise en scène avec la jeune compagnie de Nicolas Bataille, elle présenta la pièce à celui-ci. Nicolas Bataille et ses comédiens, Paulette Frantz, Claude Mansard, Simone Mozet, Henri-Jacques Huet décidèrent de la mettre immédiatement en répétitions.

Cependant, il fallait changer le titre. Je proposai *L'Heure anglaise, Big-Ben folies, Une heure d'anglais,* etc... Bataille me fit remarquer, à juste raison, qu'on aurait pu prendre cette pièce pour une satire anglaise. Ce qui n'était pas le cas. On ne trouvait pas de titre convenable. C'est le hasard qui le trouva. Henri-Jacques Huet, — qui jouait admirablement le rôle du Pompier, — eut un *lapsus linguæ* au cours des dernières répétitions. En récitant le monologue du *Rhume* où il était incidemment question d'une « institutrice blonde », Henri-Jacques se trompa et prononça « cantatrice chauve ». « Voilà le titre de la pièce! » m'écriai-je. C'est ainsi donc que *La Cantatrice chauve* s'appela *La Cantatrice chauve.*

Aux répétitions, on constata que la pièce avait du mouvement; dans l'absence d'action, des actions; un rythme, un développement, sans intrigue; une progression abstraite.

Une parodie du théâtre est encore plus théâtre que du théâtre direct, puisqu'elle ne fait que grossir et ressortir caricaturalement ses lignes caractéristiques.

Le texte fut joué, intégralement (sauf l'anecdote de M. Smith qui fut supprimée, remplacée à la scène par des gestes, mais que j'ai toutefois rétablie dans le tome I de mon théâtre), jusqu'à la fin, qui, elle, ne fut pas jouée. Nous supprimâmes la dernière scène de commun accord, après débat. En effet, cette scène n'aurait pu être représentée que si l'on avait adopté un système de jeu différent. Au départ, je voyais, pour *La Cantatrice chauve* une mise en scène plus burlesque, plus violente; un peu dans le style des frères Marx, ce qui aurait permis une sorte d'éclatement.

Actuellement, *La Cantatrice chauve* se termine, en fait, sur la querelle des Smith et des Martin. On baisse le rideau à ce moment, puis on fait semblant de recommencer la pièce : on relève le rideau, les comédiens jouent le début de la première scène et le rideau tombe pour de bon.

J'avais envisagé une fin plus foudroyante. Ou même deux, au choix des acteurs.

Pendant la querelle des Smith et des Martin, la bonne devait faire de nouveau son apparition et annoncer que le dîner était prêt : tout mouvement devait s'arrêter, les deux couples devaient quitter le plateau. Une fois la scène vide, deux ou trois compères devaient siffler, chahuter, protester, envahir le plateau. Cela devait amener l'arrivée du directeur du théâtre suivi du commissaire, des gendarmes : ceux-ci devaient fusiller les spectateurs révoltés, pour le bon exemple; puis, tandis que le directeur et le commissaire se félicitaient réciproquement de la bonne leçon qu'ils avaient pu donner, les gendarmes sur le devant de la scène, menaçants, fusil en main, devaient ordonner au public d'évacuer la salle.

Je m'étais bien rendu compte que la réalisation d'un tel jeu était assez compliquée. Cela aurait demandé un certain courage et sept à huit comédiens de plus, — pour trois minutes supplémentaires. — Trop de frais. Aussi avais-je écrit une seconde fin, plus facile à faire... Au moment de la querelle des Martin-Smith la bonne arrivait et annonçait, d'une voix forte : « Voici l'auteur! »

Les acteurs s'écartaient alors respectueusement, s'alignaient à droite et à gauche du plateau, applaudissaient l'auteur qui, à pas vifs, s'avançait devant le public, puis, montrant le poing aux spectateurs, s'écriait : « Bande de coquins, j'aurai vos peaux. » Et le rideau devait tomber très vite.

On trouva cette fin trop polémique, et ne correspondant pas, d'ailleurs, avec la mise en scène stylisée et le jeu « très digne » voulu par les comédiens.

Et c'est parce que je ne trouvai pas une autre fin, que nous décidâmes de ne pas finir la pièce, et de la recommencer. Pour marquer le caractère interchangeable des personnages, j'eus simplement l'idée de remplacer, dans le recommencement, les Smith par les Martin.

En Italie, le metteur en scène a trouvé une autre solution : le rideau tombe sur la querelle des personnages qui s'empoignent en une sorte de danse frénétique, une sorte de bagarre-ballet. C'est aussi bien.

(Publié dans les « Cahiers des Saisons », 1959.)

Les Chaises

Le monde m'apparaît à certains moments comme vidé de signification, la réalité : irréelle. C'est ce sentiment d'irréalité, la recherche d'une réalité essentielle, oubliée, innomée — hors de laquelle je ne me sens pas être — que j'ai voulu exprimer à travers mes personnages qui errent dans l'incohérent, n'ayant rien en propre en dehors de leurs angoisses, leurs remords, leurs échecs, la vacuité de leur vie. Des êtres noyés dans l'absence de sens ne peuvent être que grotesques, leur souffrance ne peut être que dérisoirement tragique.

Le monde m'étant incompréhensible, j'attends que l'on m'explique...

(1952.)

SUR « LES CHAISES »
LETTRE AU PREMIER METTEUR EN SCÈNE

Cher Ami, je me suis aperçu après votre départ, que nous avons fait fausse route, c'est-à-dire que je me suis laissé entraîner par vous à faire fausse route et que nous sommes passés à côté de la pièce. Je vous ai suivi et je me suis éloigné avec vous, je me suis perdu de vue. Non, décidément,

vous ne m'avez pas tout à fait compris dans *Les Chaises* :
ce qui reste à comprendre est justement l'essentiel. Vous
avez voulu tout naturellement tirer la pièce à vous alors que
vous deviez vous y abandonner; le metteur en scène doit
se laisser faire. Il ne doit pas vouloir quelque chose de la
pièce, il doit s'annuler, il doit être un parfait réceptacle. Un
metteur en scène vaniteux, voulant imposer « sa personnalité »,
n'a pas la vocation d'un metteur en scène. Tandis que le
métier d'auteur au contraire, demande que celui-ci soit vaniteux, imperméable aux autres, avec un ego hypertrophié. Il
peut y avoir crise du théâtre parce qu'il y a des metteurs en
scène orgueilleux qui écrivent, eux, la pièce. Ce n'est pas
parce qu'ils écrivent une pièce qu'il y a crise du théâtre, mais
parce qu'ils écrivent tout le temps la même pièce, qui n'est
pas celle de leur auteur.

Il y a aussi le cas du metteur en scène qui trouve dans une
certaine pièce des germes de qualité qu'il faut développer;
des intentions qu'il faut préciser et mettre en valeur; des
débuts de promesse qu'il faut réaliser; c'est, de la part du
metteur en scène le comble de la générosité... ou de l'orgueil,
s'il s'imagine que toutes les pièces qu'on lui présente lui
sont inférieures.

Cela n'est pas le cas pour vous, ni pour moi, à propos des
Chaises. Soumettez-vous, je vous en supplie, à cette pièce.
Ne diminuez pas ses effets, ni le grand nombre des chaises,
ni le grand nombre des sonneries qui annoncent l'arrivée
des invités invisibles, ni les lamentations de la vieille qui
doit être comme une pleureuse de Corse ou de Jérusalem,
tout doit être outré, excessif, caricatural, pénible, enfantin,
sans finesse. La faute la plus grave serait de modeler la pièce
comme de modeler le jeu de l'acteur. Pour celui-ci, il faut
appuyer sur un bouton pour le faire démarrer : dites-lui tout
le temps de ne pas s'arrêter en chemin, d'aller jusqu'au bout,
à l'extrême de lui-même. De la grande tragédie il faut et de
grands sarcasmes. Laissez-vous, pour un temps, modeler par
la pièce.

D'autre part, lorsqu'un passage quelconque vous étonne,
vous encombre, lorsqu'il vous paraît « pas à sa place », ou
« superflu », ne cédez surtout pas à votre première impulsion qui est de supprimer le passage encombrant; tâchez,

au contraire, de lui trouver sa place, de l'intégrer dans le rythme de l'univers dramatique de la pièce car ce passage y a, le plus souvent, sa place, il a un sens que vous n'avez peut-être pas encore saisi parce que votre respiration n'est peut-être pas encore celle de l'œuvre, parce que votre rythme n'est pas celui de l'auteur. Beaucoup plus souvent qu'on ne le croit, les coupures exigées par les metteurs en scène, aussi bien que les textes qu'ils demandent qu'on surajoute, dénotent une incompréhension, vont à contresens de l'œuvre ou plutôt sont l'expression de la juxtaposition de deux volontés ou de deux visions qui s'annulent. Il est plus naturel qu'un metteur en scène se soumette. Dans cette soumission, réside le véritable orgueil; tandis que le «je connais mon métier mieux que vous», du metteur en scène n'est que l'expression d'une vanité qui va à l'encontre de la vocation même du metteur en scène qui est de «prendre en charge» ce qui signifie que son orgueil se situe à un second et plus subtil degré.

Il arrive parfois que l'auteur ne s'explique pas clairement. Pourtant, il se comprend mieux que le metteur en scène, son instinct est presque toujours plus sûr, s'il est vraiment homme de théâtre. Un authentique auteur de théâtre porte le théâtre en lui, le théâtre est son système spontané d'expression (son langage).

Les coupures que vous vouliez me faire faire concernent les passages qui justement servent, d'une part, à exprimer le non-sens, l'arbitraire, une vacuité de la réalité, du langage, de la pensée humaine et d'autre part (surtout) à encombrer le plateau de plus en plus avec ce vide, à envelopper sans cesse, comme de vêtements de paroles, les absences de personnes, les trous de la réalité, car il ne faut jamais laisser parler les vieux en dehors de «la présence de cette absence», à laquelle ils doivent se référer constamment, qu'ils doivent constamment entretenir, embrasser, faute de quoi l'irréalisme ne pourrait être suggéré (car il ne peut être créé que par opposition permanente de ce qui est visible) et votre mise en scène serait un échec, *Les Chaises* ne seraient pas *Les Chaises*. Il faut beaucoup de gestes, de la presque-pantomime, de lumières, du son, d'objets qui bougent, de portes qui s'ouvrent et qui se ferment et s'ouvrent à nouveau, pour créer

ce vide, pour qu'il grandisse et ronge tout : on ne peut créer
l'absence que par opposition à des présences. Et tout ceci
ne nuirait pas au mouvement, tous les objets dynamiques
c'est le mouvement même de la pièce, un mouvement qui
n'est peut-être pas encore votre mouvement.

Pourquoi voit-on l'orateur et ne voit-on pas les autres
personnages qui affluent sur le plateau? L'orateur existe-t-il
vraiment, est-il réel? Réponse : il n'existe ni plus ni moins
que les autres personnages. Il est aussi invisible que les
autres, il est aussi réel ou aussi irréel; ni plus ni moins.
Seulement, on ne peut se passer de sa présence visible. Il
faut qu'on le voie et qu'on l'entende puisqu'il est le dernier
à rester sur le plateau. Mais sa visibilité n'est qu'une simple
convention arbitraire, née d'une difficulté technique insur-
montable autrement.

On peut, d'ailleurs, considérer tout aussi bien que l'invi-
sibilité des personnages est une convention arbitraire. On
aurait pu rendre tous les personnages visibles si on avait
trouvé le moyen de rendre perceptible au théâtre, de façon
saisissante, leur réalité insaisissable.

Il faut qu'à la fin cela devienne parfaitement « choquant ».
La toute dernière scène, après la disparition des vieux,
après le départ de l'orateur doit être longue, on doit entendre
pendant longtemps les murmures, les bruits de l'eau et du
vent, comme venant de rien, venant du rien. Cela empêchera
les spectateurs d'être tentés de donner de la pièce l'explication la plus facile, la plus fausse. Il ne faut pas qu'ils disent
que les vieux, par exemple, sont des fous ou des gâteux
ayant des hallucinations; il ne faut pas non plus qu'ils puis-
sent dire que les personnages invisibles sont, simplement, les
remords et les souvenirs des deux vieux. Peut-être cela est-il
vrai d'ailleurs, jusqu'à un certain point mais cela n'a absolument aucune importance, l'intérêt est bien ailleurs. Une
chose peut donc les empêcher de donner à la pièce une signification psychologique ou rationnelle habituelle, médiocre :
que les bruits et les présences impalpables soient encore
là, pour eux, spectateurs, même après le départ des trois
personnages visibles, indépendamment de la « folie » des vieux.
La foule compacte des inexistants doit acquérir une existence tout à fait objective.

Le théâtre actuel est presque uniquement psychologique, social, cérébral ou... poétique. Il est amétaphysique. *Les Chaises* sont un essai de poussée au-delà des limites actuelles du drame...

P. S. Un moment, les vieux doivent apporter des chaises sans plus parler, ni l'un ni l'autre. Ce moment aussi doit être long. Il faudrait donner à ce moment à leurs mouvements un léger caractère de ballet (avec une très discrète musique de valse ?)

(Hiver 1951-52.)

NOTES SUR « LES CHAISES »

Janvier 1952.

Cher Ami...

Étant donné que le thème des *Chaises* est « le vide » ontologique, ou *l'absence*, c'est, je pense, l'expression de cette absence qui devrait constituer le moment dernier, définitif, de la pièce. Donc, le rideau pourrait peut-être tomber bien après que l'orateur incapable (et pour cause) de dire le message, serait descendu de son estrade, aurait salué l'Empereur (jeu de scène à exploiter) et serait sorti. A ce moment, les spectateurs auraient sous les yeux, dans une lumière redevenue pauvre, blafarde, comme au début de la pièce (ou équivalente à celle du début de la pièce) les chaises vides dans le vide du décor ornées de serpentins, pleines de confetti inutiles ce qui donnerait l'impression de tristesse, de désordre et du vide d'une salle de bal après le bal; et c'est après cela que les chaises, les décors, le rien se mettraient à vivre inexplicablement (c'est cela l'effet, au-delà de la raison, vrai dans l'invraisemblable que nous cherchons et que nous devons obtenir) achevant de brouiller complètement les cartes, et la logique. Il faudrait que la lumière redevienne pauvre, jaunâtre puisqu'elle suit l'action et que maintenant la fête est finie. C'est d'ailleurs cette fin que j'ai eue dans l'esprit en écrivant la pièce, c'est pour cette

fin qu'elle fut écrite, une fin que j'ai vue avant le commence-
ment. Je crois qu'il faut aller jusqu'au bout (si vous reprenez,
par hasard, le tableau, faites écrire dessus par l'Orateur ceci :
AAAAAA, rien que des A).

Je suis vôtre.

NOTES SUR « LES CHAISES »

23 juin 1951.

En écrivant l' « Orateur »[1], je « vois » les personnages
« invisibles » très nettement. Pour le moment, j'ai du mal
à les entendre parler. Sans doute suis-je fatigué.

Par les moyens du langage, des gestes, du jeu, des accessoires, exprimer le vide.

Exprimer l'absence.

Exprimer les regrets, les remords.
Irréalité du réel. Chaos originaire.
Les voix à la fin, bruit du monde, rumeurs, débris de
monde, le monde s'en va en fumée, en sons et couleurs qui
s'éteignent, les derniers fondements s'écroulent ou plutôt
se disloquent. Ou fondent dans une sorte de nuit. Ou dans
une éclatante, aveuglante lumière.
Les voix à la fin : bruit du monde, nous, les spectateurs.

On peut dire de cette pièce des choses contradictoires
et cependant également vraies.
Sur scène il n'y a rien; les deux vieux ont des hallucinations, les personnages invisibles n'y sont pas. Ou encore
il n'y a vraiment personne, pas plus que les deux vieux
ni l'orateur qui sont sur le plateau sans y être : les vieux
et l'orateur ne sont pas plus là que les personnages invisibles...
Ils n'ont pas plus d'existence que ces derniers et que nos

1. Premier titre de *Les Chaises*.

rêves. Pourquoi les voit-on eux, cependant, et pas les autres ? Mais on aurait très bien pu prendre la pièce par un autre bout et faire apparaître quelques-uns des invités seulement, sans l'orateur, sans les hôtes. Mais pourquoi doit-on faire voir quelqu'un ? On est bien obligé, il faut bien faire voir quelque chose sur une scène. Mais les deux ou trois personnages qu'on voit dans *Les Chaises* ne sont en quelque sorte que les pivots d'une architecture mouvante, en grande partie invisible, évanescente, précaire, destinée à disparaître, comme le monde, les personnages étant eux-mêmes irréels, et cependant les points d'appui indispensables de cette construction. Ou encore tout cela n'est ni réel ni irréel (qu'est-ce que cela voudrait dire ?) mais tout simplement visible ou invisible. Et pourtant ce rien qui est sur scène, c'est la foule. On doit sentir la présence de la foule. On peut donc tout aussi bien dire qu'il n'y a rien ou qu'il y a foule sur le plateau.

Un ami me dit : « C'est bien simple; vous voulez dire que le monde est la création subjective et arbitraire de notre esprit ? » De notre esprit, oui, non pas de mon esprit. Je crois inventer une langue, je m'aperçois que tout le monde la parle.

Ou encore les personnages invisibles : seraient-ils l'expression d'une réalité insuffisamment imaginée, le produit d'un esprit à bout de force, ne pouvant plus imaginer, ne pouvant plus inventer et faire le monde, envahi (à cause de son épuisement, de sa faiblesse) par l'absence, la mort ?

Le théâtre peut très bien être le seul lieu où vraiment rien ne se passe. L'endroit privilégié où rien ne se passerait.

Pour expliquer la fin des *Chaises* « ... Le monde est désert. Peuplé de fantômes aux voix plaintives, il murmure des chants d'amour sur les débris de mon néant ! Revenez pourtant, douces images » (Gérard de Nerval, *Promenades et Souvenirs*). Ce serait ça, peut-être, moins la douceur.

A propos de Jacques

Il est toujours compliqué de dire ce que l'on pense de ses pièces et de soi-même. Chaque fois que j'ai pu faire des déclarations, au hasard de la conversation et qui ont été reproduites, j'ai regretté, ou d'être allé trop loin, ou d'avoir dit exactement le contraire de ce qu'il fallait dire.

Enfin les pièces sont là. Ce sont deux comédies burlesques. L'une d'elles, *Jacques ou la Soumission*, a été écrite en 1949, tout de suite après ma première pièce, *La Cantatrice chauve*, jouée en 1950 aux Noctambules.

Ce fut, je crois, cette *Cantatrice chauve*, une des toutes premières pièces de ce théâtre qu'on a pu appeler la nouvelle avant-garde d'après-guerre.

Comme *La Cantatrice chauve*, *Jacques* est une sorte de parodie ou de caricature du théâtre de boulevard, un théâtre de boulevard se décomposant et devenant fou. Dans *La Cantatrice chauve*, les personnages parlaient un langage fait des clichés les plus quotidiens, les plus usés, d'une banalité telle qu'elle en devenait insolite. Je crois que si je n'avais pas lu les *Exercices de style*, de Raymond Queneau, je n'aurais pas osé présenter *La Cantatrice chauve*, ni rien d'autre à une compagnie théâtrale.

Une parodie du drame de famille.

Jacques est d'abord un drame de famille, ou une parodie d'un drame de famille. Cela pourrait être une pièce morale. Le langage des personnages ainsi que leur attitude sont nobles et distingués. Seulement ce langage se disloque, se décompose. Je voulais que cette comédie « naturaliste » fût jouée pour m'en libérer en quelque sorte.

Le Tableau, la seconde pièce du spectacle, pourrait être un conte de fées et vieilles sorcières. Cela peut être une illustration des miracles de la science médicale (succès des cures de rajeunissement, de greffes, implantations d'organes et membres manquants, etc.) et de la chirurgie esthétique[1]. S'il y a autre chose, les spectateurs s'en apercevront. Le comique n'est bon que s'il est gros ; j'espère qu'il l'est. Et le comique n'est comique que s'il est un peu effrayant. Le mien l'est-il ?

Il y a une seule chose dont je suis sûr, c'est que mes pièces ne prétendent pas sauver le monde, ni prouver que les uns sont supérieurs aux autres. Comme l'interprétation et la mise en scène de Robert Postec sont d'une précision et d'une intelligence très grandes, les objections ne pourront porter que sur le texte même.

L'Express, octobre 1955.

1. Cette phrase était une plaisanterie. Plusieurs critiques l'ont prise au sérieux et l'ont discutée.

Une pièce de théâtre n'a pas à être présentée. Il lui suffit
d'être représentée. Aussi ne vais-je pas essayer de vous expliquer la pièce que vous allez voir et entendre, tout à l'heure.
On ne peut pas expliquer une pièce, on doit la jouer; elle
n'est pas une démonstration didactique mais un spectacle
vivant, une évidence vivante.

Tout ce que je puis vous dire, c'est que cette pièce est
une œuvre simple, enfantine et presque primitive dans sa
simplicité. Vous n'y trouverez aucune trace de symbolisme.
Dans cette pièce, est relaté un fait divers qui aurait pu être
tiré de n'importe quel journal; on y raconte une histoire
banale qui aurait pu arriver à n'importe qui d'entre nous
et qui a dû arriver à beaucoup d'entre nous. C'est une tran-
che de vie, une pièce réaliste.

Si vous pouvez reprocher à cette œuvre sa banalité, vous
ne pouvez donc certainement pas la condamner pour son
manque de vérité. Ainsi, vous verrez des champignons
pousser sur la scène, ce qui prouve d'une façon irréfutable
à la fois que ces champignons sont de vrais champignons
et qu'ils sont des champignons normaux.

Bien sûr, on dira que tout le monde ne se représente pas la
réalité de la même façon que moi. Il y aura certainement des
gens qui penseront que ma vision de la réalité est en fait
irréelle ou surréaliste. Je dois dire que, personnellement,
je réfute cette sorte de réalisme qui n'est qu'un sous-
réalisme qui n'a que deux dimensions sur trois, quatre ou
n-dimensions. Ce réalisme aliène l'homme de sa profondeur

qui est la troisième dimension indispensable à partir de laquelle l'homme commence à être vrai. Quelle valeur de vérité peut-il y avoir dans cette sorte de réalisme qui oublie de reconnaître les réalités humaines les plus profondes : l'amour, la mort, l'étonnement, la souffrance et les rêves de nos cœurs extra-sociaux. Mais, je n'ai pas l'intention de débattre ces problèmes en public. Ce n'est pas mon métier. Tout ce que j'essaye de faire est de vous assurer de l'entière objectivité de mon attitude envers les personnages que vous verrez bientôt parler et se mouvoir sur scène. En fait, je ne peux rien opposer à ces objets, images, événements et personnages qui sortent de moi. Ils font ce qu'ils désirent, ils me dirigent, car ce serait une erreur pour moi de vouloir les diriger. Je suis convaincu que je dois leur donner entière liberté et que je ne peux faire rien d'autre que d'obéir à leurs désirs. Je n'aime pas l'écrivain qui aliène la liberté de ses personnages, qui en fait des personnages faux, nourris d'idées toutes faites. Et s'ils ne rentrent pas dans sa conception politique personnelle, qui n'est pas issue des vérités humaines mais simplement d'une idéologie pétrifiée, il les défigurera. Mais la création ne ressemble pas à la dictature, pas même à une dictature idéologique. Elle est vie, liberté, elle peut même être contre les idéaux connus et se tourner contre l'auteur. L'auteur n'a qu'un devoir, ne pas intervenir, vivre et laisser vivre, libérer ses obsessions, ses phantasmes, ses personnages, son univers, les laisser naître, prendre forme, exister.

J'espère avoir répondu à l'avance aux questions que vous auriez posées. Si vous voulez en savoir plus, écrivez à vos critiques d'art dramatique, à Messieurs Harold Hobson et Kenneth Tynan, c'est leur métier d'expliquer. Je vous souhaite une bonne soirée.

(Allocution prononcée, en français, à l'Institut Français de Londres, à l'occasion de la présentation de Comment s'en débarrasser, *par la troupe française de Jean-Marie Serreau. Décembre 1958.)*

Rhinocéros

Édition scolaire américaine en français
Novembre *1960.*

En 1938 l'écrivain Denis de Rougemont se trouvait en
Allemagne à Nuremberg au moment d'une manifestation
nazie. Il nous raconte qu'il se trouvait au milieu d'une foule
compacte attendant l'arrivée de Hitler. Les gens donnaient
des signes d'impatience lorsqu'on vit apparaître, tout au
bout d'une avenue et tout petit dans le lointain le Führer
et sa suite. De loin, le narrateur vit la foule qui était prise,
progressivement, d'une sorte d'hystérie, acclamant frénétiquement l'homme sinistre. L'hystérie se répandait, avançait,
avec Hitler, comme une marée. Le narrateur était d'abord
étonné par ce délire. Mais lorsque le Führer arriva tout près
et que tous les gens, à ses côtés, furent contaminés par
l'hystérie générale, Denis de Rougemont sentit, en lui-
même, cette rage qui tentait de l'envahir, ce délire qui
« l'électrisait ». Il était tout prêt à succomber à cette magie,
lorsque quelque chose monta des profondeurs de son être
et résista à l'orage collectif. Denis de Rougemont nous
raconte qu'il se sentait mal à l'aise, affreusement seul, dans
la foule, à la fois résistant et hésitant. Puis ses cheveux se
hérissant, « littéralement », dit-il, sur sa tête, il comprit
ce que voulait dire l'Horreur Sacrée. A ce moment-là,

ce n'était pas sa pensée qui résistait, ce n'était pas des arguments qui lui venaient à l'esprit mais c'était tout son être, toute « sa personnalité » qui se rebiffait. Là est peut-être le point de départ de *Rhinocéros ;* il est impossible, sans doute, lorsqu'on est assailli par des arguments, des doctrines, des slogans « intellectuels », des propagandes de toutes sortes, de donner sur place une explication de ce refus. La pensée discursive viendra, mais vraisemblablement, plus tard, pour appuyer ce refus, cette résistance naturelle, intérieure, cette réponse d'une âme. Bérenger ne sait donc pas très bien, sur le moment, pourquoi il résiste à la rhinocérite et c'est la preuve que cette résistance est authentique et profonde. Bérenger est peut-être celui qui, comme Denis de Rougemont, est allergique aux mouvements des foules et aux marches, militaires et autres. *Rhinocéros* est sans doute une pièce anti-nazie mais elle est aussi surtout une pièce contre les hystéries collectives et les épidémies qui se cachent sous le couvert de la raison et des idées mais qui n'en sont pas moins de graves maladies collectives dont les idéologies ne sont que les alibis : si l'on s'aperçoit que l'histoire déraisonne, que les mensonges des propagandes sont là pour masquer les contradictions qui existent entre les faits et les idéologies qui les appuient, si l'on jette sur l'actualité un regard lucide, cela suffit pour nous empêcher de succomber aux « raisons » irrationnelles, et pour échapper à tous les vertiges.

Des partisans endoctrinés, de plusieurs bords, ont évidemment reproché à l'auteur d'avoir pris un parti anti-intellectualiste et d'avoir choisi comme héros principal un être plutôt simple. Mais j'ai considéré que je n'avais pas à présenter un système idéologique passionnel pour l'opposer aux autres systèmes idéologiques et passionnels courants. J'ai pensé avoir tout simplement à montrer l'inanité de ces terribles systèmes, ce à quoi ils mènent, comment ils enflamment les gens, les abrutissent, puis les réduisent en esclavage. On s'apercevra certainement que les répliques de Botard, de Jean, de Dudard ne sont que les formules clefs, les slogans des dogmes divers cachant, sous le masque de la froideur objective, les impulsions les plus irrationnelles et véhémentes. *Rhinocéros* aussi est une tentative de « démystification ».

> *A la demande des Optimates et Membres du Collège, nous reproduisons l'importante* Interview d'Ionesco par lui-même, *texte capital au point de vue doctrinal et qui fait heureusement le point sur les* distanciations *et autres* brechteries, *ainsi que sur la* non-participation *récemment brandie par M. Sartre*[1].

INTERVIEW DU TRANSCENDANT SATRAPE IONESCO PAR LUI-MÊME[2].

EGO. — Excusez-moi de vous réveiller de si bonne heure, mon cher Alter-Ego, voulez-vous m'interviewer?

ALTER-EGO. — *Je ne dormais pas, ne vous excusez pas. Je me suis réveillé à la même seconde que vous, mon cher maître.*

EGO. — Ne m'appelez pas mon cher maître. Entre nous, vous savez, ces formules trop cérémonieuses me semblent ridicules. Je suis loin, d'ailleurs, d'être un maître. Je ne suis pas vice-maître. Pas même un contre-maître. Un quartier-maître, peut-être, et encore!...

ALTER-EGO. — *Vous êtes bien modeste... Bref, qu'est-ce que c'est que cette histoire d'interview?...*

EGO. — *France Observateur*, par la voix d'un de ses rédacteurs, m'a gentiment proposé de présenter à ses lecteurs — avant la générale qui doit avoir lieu ces jours-ci, à l'Odéon-Théâtre de France, ma pièce *Rhinocéros* et moi-même. Cela est très important pour moi : c'est la raison pour laquelle je suis venu vous prier de me poser quelques questions...

ALTER-EGO. — *Pourquoi ne vous faites-vous pas interviewer par un journaliste professionnel, par un des collaborateurs de « France Observateur »? Moi, je ne suis guère compétent.*

EGO. — C'est parce que je pense qu'en m'adressant à vous je pourrai mener le dialogue à ma guise. Vous me pose-

---

1. Note du rédacteur des « Cahiers du Collège de Pataphysique ».
2. La « Satrapie » est la dignité la plus haute que confère le susdit Collège. Selon les membres dudit Collège, la Pataphysique est la science des sciences et la philosophie suprême. Le Docteur Faustroll, personnage d'Alfred Jarry, en est le Maître spirituel, visible et invisible. Les pataphysiciens, qui sont les disciples de Jarry (prophète de Faustroll) considèrent que nous sommes tous, consciemment ou non, pataphysiciens.

rez des questions plus faciles, auxquelles je répondrai
brillamment, des questions qui ne risqueront pas d'être
indiscrètes, en un mot, des questions que je crois pouvoir
prévoir.

ALTER-EGO. — *Nous nous connaissons moins bien que vous
ne le pensez. Et si j'étais méchant, je vous poserais des questions
bien embarrassantes...*

EGO. — Justement. Ne posez pas ces questions-là... Je
sais à quoi vous faites allusion!...

ALTER-EGO. — *Bon. Racontez-moi, alors, tout simplement,
le sujet de votre pièce.*

EGO. — Non!... Cette question n'est pas intéressante. Il
est difficile, d'ailleurs, de raconter une pièce. La pièce est
tout un jeu, le sujet n'en est que le prétexte, et le texte n'en
est que la partition.

ALTER-EGO. — *Dites-nous-en quand même quelque chose!...*

EGO. — Tout ce que je puis vous dire, c'est que *Rhinocéros* est le titre de ma pièce, *Rhinocéros*. Aussi, que dans ma
pièce *Rhinocéros*, il est question de beaucoup de rhinocéros;
que la « Bicornuité » caractérise certains d'entre eux : que
l' « Unicornuité » caractérise les autres; que certaines muta-
tions psychiques et biologiques peuvent parfois se produire
qui bouleversent...

ALTER-EGO (bâillant). — *Vous allez ennuyer les gens!*

EGO. — Vous ne vous imaginez tout de même pas que
je vais les distraire! Je fais un théâtre didactique.

ALTER-EGO. — *Vous m'étonnez. N'étiez-vous pas, récemment encore, l'ennemi juré de ce genre de théâtre?*

EGO. — On ne peut pas faire du théâtre didactique lorsqu'on est ignorant. J'étais ignorant, au moins de certaines
choses, il y a quelques mois encore. Je me suis mis au travail.
Maintenant, tout comme le Bon Dieu, le Diable, M. Sartre,
et Pic de la Mirandole, je sais tout... tout... tout... Et beaucoup d'autres choses encore. Ce n'est, en effet, que lorsqu'on
sait tout que l'on peut être didactique. Mais vouloir être
didactique sans tout connaître, serait de la prétention. Ce
n'est pas le cas d'un auteur!

ALTER-EGO. — *Vous savez tout, vraiment?*

EGO. — Bien sûr. Je connais, par exemple, toutes vos
pensées. Que savez-vous que je ne sache pas?

ALTER-EGO. — *Ainsi donc, vous écrivez un théâtre didactique, un théâtre antibourgeois ?*

EGO. — C'est cela même. Le théâtre bourgeois, c'est un théâtre magique, envoûtant, un théâtre qui demande aux spectateurs de s'identifier avec les héros du drame, un théâtre de la participation. Le théâtre antibourgeois est un théâtre de la non-participation. Le public bourgeois se laisse engluer par le spectacle. Le public non-bourgeois, le public populaire, a une autre mentalité : entre les héros et la pièce qu'il voit, d'une part, et lui-même, d'autre part, il établit une distance. Il se sépare de la représentation théâtrale pour la regarder lucidement, la juger.

ALTER-EGO. — *Donnez-moi des exemples.*

EGO. — Voici : on joue, en ce moment, à l'Ambigu, *Madame Sans-Gêne*, devant des salles archi-pleines. C'est un public d'intellectuels bourgeois, un public qui « participe ».

ALTER-EGO. — *Comment cela ?*

EGO. — Les spectateurs s'identifient aux héros de la pièce. Dans la salle on entend : « Vas-y, mon gars! », « T'as bien fait », « Tu l'as eu! » et ainsi de suite. Un public populaire est lucide, il ne pourrait avoir tant de naïveté. Jusqu'à nos jours, d'ailleurs, tout le théâtre a toujours été écrit par des bourgeois, pour les bourgeois, qui écartaient systématiquement le public populaire lucide. Vous avez lu, sans doute, comme moi, *Le Petit Chose*, d'Alphonse Daudet. Vous vous souvenez que le Petit Chose, devenu acteur, faisait partie d'une troupe qui allait jouer les mélos sur les tréteaux des faubourgs. A. Daudet nous raconte que le Petit Chose, qui jouait les intrigants, devait sortir par une porte dérobée car les spectateurs l'attendaient après la représentation devant le théâtre pour le lyncher : voilà encore un exemple de la stupidité « de la participation » des intellectuels bourgeois. Les bonnes gens « participaient » également du temps de Shakespeare : ils riaient, ils pleuraient au spectacle, bourgeoisement. Au moyen âge aussi, sur les parvis, il n'y avait que des spectateurs bourgeois puisqu'ils s'identifiaient, puisqu'ils « prenaient part ». La fameuse « catharsis » aussi supposait une identification avec l'action et avec les personnages tragiques, autrement il n'y aurait pas eu de purification; mais nous savons tous que tous les Grecs n'étaient que des bourgeois. Vous connaissez les chants spirituels nègres. Ils sont envoûtants. Entre les chanteurs et l'auditoire une communion dangereuse s'établit...

ALTER-EGO. — *Cela veut dire ?*

EGO. — Cela prouve que tous les noirs sont des bourgeois... Il y a des sortes de spectacles, des cérémonies magico-religieuses chez les peuplades primitives qui exigent encore la participation; nous savons tous aussi que les sauvages sont des intellectuels bourgeois. Le théâtre égyptien aussi était un théâtre de la participation. Et toute la préhistoire était bourgeoise!

ALTER-EGO. — *Je pense qu'il est risqué d'affirmer que le bourgeois vienne de si loin... il est le produit de la Révolution française, de la civilisation industrielle, du capitalisme. N'importe quel écolier vous le dira. Pouvez-vous prétendre, par exemple, que...*

EGO. — Je prétends qu'Abraham lui-même était bourgeois. N'élevait-il pas des brebis ? Il devait certainement avoir des fabriques de textiles.

ALTER-EGO. — *Le salaud !*

EGO. — Pour en revenir à mes *Rhinocéros* après ce tour d'horizon historique dont je m'excuse...

ALTER-EGO. — *C'était très instructif...*

EGO. — ...Je tiens à vous dire que j'ai su éviter magistralement le théâtre de la participation. En effet, les héros de ma pièce, sauf un, se transforment, sous les yeux des spectateurs (car c'est une œuvre réaliste) en fauves, en rhinocéros. J'espère en dégoûter mon public. Il n'y a pas de plus parfaite séparation que par le dégoût. Ainsi, j'aurai réalisé la « distanciation » des spectateurs par rapport au spectacle. Le dégoût c'est la lucidité.

ALTER-EGO. — *Vous dites que dans votre pièce un seul des personnages ne se transforme pas.*

EGO. — Oui, il résiste à la « rhinocérite ».

ALTER-EGO. — *Faut-il penser que les spectateurs ne doivent pas s'identifier avec le héros qui demeure humain ?*

EGO. — Au contraire, ils doivent absolument s'identifier avec lui.

ALTER-EGO. — *Alors vous retombez vous-même dans le péché de l'identification.*

EGO. — C'est vrai... Mais comme il y aura aussi la vertu
de la non-participation ou de la séparation, nous pourrons
considérer que cette pièce aura réalisé la synthèse d'un
théâtre à la fois bourgeois et antibourgeois, grâce à une
habileté instinctive qui m'est propre...

ALTER-EGO. — *Vous dites des sottises, mon cher.*

EGO. — Je le sais! Mais je ne suis pas le seul.

In « Cahiers du Collège de Pataphysique » (mars 1960), d'après
France-Observateur de janvier 1960.

RHINOCÉROS

Je me suis souvenu d'avoir été très frappé au cours de ma
vie par ce qu'on pourrait appeler le courant d'opinion, par
son évolution rapide, sa force de contagion qui est celle
d'une véritable épidémie. Les gens tout à coup se laissent
envahir par une religion nouvelle, une doctrine, un fanatisme, enfin par ce que les professeurs de philosophie et les
journalistes à oripeaux philosophiques appellent le « moment
nécessairement historique ». On assiste alors à une véritable
mutation mentale. Je ne sais pas si vous l'avez remarqué,
mais lorsque les gens ne partagent plus votre opinion,
lorsqu'on ne peut plus s'entendre avec eux, on a l'impression de s'adresser à des monstres...

— A des rhinocéros?

— Par exemple. Ils en ont la candeur et la férocité mêlées.
Ils vous tueraient en toute bonne conscience si vous ne
pensiez pas comme eux. Et l'histoire nous a bien prouvé au
cours de ce dernier quart de siècle que les personnes ainsi
transformées ne ressemblent pas seulement à des rhinocéros,
ils le deviennent véritablement. Or il est très possible, bien
qu'apparemment extraordinaire, que quelques consciences
individuelles représentent la vérité contre l'histoire, contre
ce qu'on appelle l'histoire. Il y a un mythe de l'histoire
qu'il serait grand temps de « démythifier » puisque le mot
est à la mode. Ce sont toujours quelques consciences isolées

qui ont représenté contre tout le monde la conscience universelle. Les révolutionnaires eux-mêmes étaient au départ
isolés. Au point d'avoir mauvaise conscience, de ne pas
savoir s'ils avaient tort ou raison. Je n'arrive pas à comprendre
comment ils ont trouvé en eux-mêmes le courage de continuer tout seuls. Ce sont des héros. Mais dès que la
vérité pour laquelle ils ont donné leur vie devient vérité
officielle, il n'y a plus de héros, il n'y a plus que des
fonctionnaires doués de la prudence et de la lâcheté qui
conviennent à l'emploi. C'est tout le thème de *Rhinocéros*.

— Parlez-nous un peu de sa forme.

— Que voulez-vous que je vous en dise ? Cette pièce
est peut-être un peu plus longue que les autres. Mais tout
aussi traditionnelle et d'une conception tout aussi classique.
Je respecte les lois fondamentales du théâtre : une idée
simple, une progression également simple et une chute.

Propos recueillis par
Claude Sarraute.
Le Monde, 19 janvier 1960.

NOTE SUR « RHINOCÉROS »

Dans un récent numéro de *Arts* mon critique et néan-
moins ami Pierre Marcabru considère que cette pièce est
l'expression « réactionnaire » du refus de l'aventure humaine
par un solitaire. Je dois dire que le propos de la pièce a bien
été de décrire le processus de la nazification d'un pays ainsi
que le désarroi de celui qui, naturellement allergique à la
contagion, assiste à la métamorphose mentale de sa collectivité. Originairement, la « rhinocérite » était bien un nazisme.
Le nazisme a été, en grande partie, entre les deux guerres,
une invention des intellectuels, idéologues et demi-intellectuels à la page qui l'ont propagé. Ils étaient des rhinocéros.
Ils ont plus que la foule une mentalité de foule. Ils ne pensent
pas, ils récitent des slogans « intellectuels ».

Rhinocéros, que l'on joue maintenant dans une quantité

de pays, frappe de façon surprenante tous les publics. Est-ce parce que cette pièce attaque indifféremment n'importe quoi et d'une façon vague comme on me le reproche, alors que d'autres me reprochent de n'attaquer, précisément, que le totalitarisme nazi? Et est-ce vraiment refuser l'aventure humaine que de s'opposer aux hystéries collectives, soutenues ou non philosophiquement, dont des peuples entiers deviennent périodiquement la proie? N'est-il pas étonnant, en effet, que l'aventure d'un personnage individualiste et solitaire, comme le héros de ma pièce, rencontre l'adhésion de tant de personnes dans le monde entier? Et n'est-ce pas dans cette solitude profonde qu'est le lieu de la communauté universelle, au-delà de toute les logomachies et séparations? Par-delà les bonnes raisons de tant d'objecteurs distingués il se produit entre mon personnage et les gens une rencontre qui prouverait plutôt que ce solitaire n'est pas retranché de l'aventure humaine mais que, par contre, les idéologues affolés le sont. Je me demande si je n'ai pas mis le doigt sur une plaie brûlante du monde actuel, sur une maladie étrange qui sévit sous différentes formes, mais qui est la même, dans son principe. Les idéologies, devenues idolâtries, les systèmes automatiques de pensée s'élèvent, comme un écran entre l'esprit et la réalité, faussent l'entendement, aveuglent. Elles sont aussi des barricades entre l'homme et l'homme qu'elles déshumanisent et rendent impossible *l'amitié malgré tout* des hommes entre eux; elles empêchent ce qu'on appelle la coexistence car un rhinocéros ne peut s'accorder avec celui qui ne l'est pas, un sectaire avec celui qui n'est pas de sa secte.

Je pense que Jean-Louis Barrault a parfaitement saisi la signification de la pièce et qu'il l'a parfaitement rendue. Les Allemands en avaient fait une tragédie, Jean-Louis Barrault une farce terrible et une fable fantastique. Les deux interprétations sont valables, elles constituent les deux mises en scène types de la pièce.

Arts, janvier 1961.

A PROPOS DE « RHINOCÉROS »
AUX ÉTATS-UNIS

Le succès public de *Rhinocéros* à New York me réjouit,
me surprend et m'attriste un peu, à la fois. J'ai assisté à une
répétition seulement, à peu près complète, avant la générale,
de ma pièce. Je dois dire que j'ai été tout à fait dérouté.
J'ai cru comprendre qu'on avait fait d'un personnage dur,
féroce, angoissant, un personnage comique, un faible
rhinocéros : Jean, l'ami de Bérenger. Il m'a semblé également que la mise en scène avait fait d'un personnage indécis,
héros malgré lui, allergique à l'épidémie rhinocérique, de
Bérenger, une sorte d'intellectuel lucide, dur, une sorte
d'insoumis ou de révolutionnaire sachant bien ce qu'il
faisait (le sachant, peut-être, mais ne voulant pas nous expliquer les raisons de son attitude). J'ai vu aussi, sur le plateau,
des matches de boxe qui n'existent pas dans le texte et que
le metteur en scène y avait mis, je me demande pourquoi.
J'ai souvent été en conflit avec mes metteurs en scène :
ou bien ils n'osent pas assez et diminuent la portée des
textes en n'allant pas jusqu'au bout des impératifs scéniques :
ou bien ils « enrichissent » le texte en l'alourdissant de
bijoux faux, de pacotilles sans valeur parce que inutiles.
Je ne fais pas de la littérature. Je fais une chose tout à
fait différente; je fais du théâtre. Je veux dire que mon
texte n'est pas seulement un dialogue mais il est aussi
« indications scéniques ». Ces indications scéniques sont à
respecter aussi bien que le texte, elles sont nécessaires, elles
sont aussi suffisantes. Si je n'ai pas indiqué que Bérenger
et Jean doivent se battre sur le plateau et se tordre le nez
l'un à l'autre c'est que je ne voulais pas que cela se fît.

J'ai lu des critiques américaines de la pièce et j'ai vu que
tout le monde s'accordait à dire que la pièce était drôle.
Or elle n'est pas drôle; bien qu'elle soit une farce, elle est
surtout tragédie. Il y a, de la part de la mise en scène, non

seulement une absence de style (comme dans tout ce qui se
fait sur le boulevard à Paris, ou sur Broadway; aussi bien
qu'à Moscou d'ailleurs ou le théâtre avancé est du vieux
théâtre 1900), mais il y a surtout tricherie intellectuelle. En
effet, nous assistons à la transformation mentale de toute
une collectivité; les valeurs anciennes se dégradent, sont
bouleversées, d'autres naissent et s'imposent. Un homme
assiste impuissant à la transformation de son monde contre
laquelle il ne peut rien, il ne sait plus si, il a raison ou non, il
se débat sans espoir, il est le dernier de son espèce. Il est
perdu. On trouve que cela est drôle. La critique de New York
est d'accord là-dessus, unanimement. D'autre part Barrault
en a fait une farce tragique, farce bien sûr, mais oppressante.
Moretti, l'acteur italien qui vient de mourir et qui était l'un
des plus grands acteurs du monde, en avait fait un drame
touchant et douloureux. Stroux, le metteur en scène de
Düsseldorf et son interprète Karl Maria Schley en avaient fait
une tragédie nue, sans concession, à peine teintée d'une
ironie mortelle; les Polonais en avaient fait une pièce grave.
Mais M. Antoni, conseillé par je ne sais qui, en tout cas pas
par l'auteur, en a fait une chose drôle et « anti-conformiste ».
Or, le conformisme est une chose trop imprécise. A proprement parler ma pièce n'est même pas une satire : elle est la
description, assez objective, d'un processus de fanatisation,
de la naissance d'un totalitarisme qui grandit, se propage,
conquiert, transforme un monde, et le transforme totalement, bien sûr, puisqu'il est totalitarisme. La pièce doit
suivre et marquer les différentes étapes de ce phénomène.
J'ai bien essayé de le dire au metteur en scène américain;
j'ai nettement indiqué dans les quelques interviews, que j'ai
pu donner qu'il s'agissait bien, dans cette pièce, de dénoncer,
de démarquer, de montrer comment une idéologie se transforme en idolâtrie, comment elle envahit tout, comment elle
hystérise les masses, comment une pensée, raisonnable au
départ, et discutable à la fois peut devenir monstrueuse
lorsque les meneurs, puis dictateurs totalitaires, chefs d'îles,
d'arpents ou de continents en font un excitant à haute dose
dont le pouvoir maléfique agit monstrueusement sur le
« peuple » qui devient foule, masse hystérique. J'avais bien
indiqué que je ne m'attaquais pas au conformisme, car il

y a un certain anti-conformisme qui est conformiste dans la
mesure où le conformisme auquel il s'attaque n'est qu'une
chose vague. Une pièce anti-conformiste peut être amusante;
une pièce anti-totalitariste, par exemple, ne l'est plus. Elle
ne peut être que douloureuse et sérieuse.

Certains critiques me reprochent d'avoir dénoncé le
mal mais de ne pas avoir dit ce qu'était le bien. On m'a
reproché de ne pas avoir fait dire à Bérenger, au nom de
quelle idéologie il résistait. On s'imagine que ce reproche
est fondamental : pourtant, il est si facile d'adopter un système plus ou moins automatique de pensée. Si je demandais
à M. Walter Kerr, le critique du *New York Herald Tribune*,
de me définir sa philosophie personnelle, il serait très embarrassé. Et pourtant c'est à lui et non pas à moi de trouver la
solution, à lui, aux autres critiques, et surtout aux spectateurs. Personnellement je me méfie des intellectuels qui,
depuis une trentaine d'années, ne font que propager les
rhinocérites et qui ne font que soutenir philosophiquement
les hystéries collectives dont des peuples entiers deviennent
périodiquement la proie. Les intellectuels ne sont-ils pas
les inventeurs du nazisme? Si j'opposais une idéologie
toute faite à d'autres idéologies toutes faites, qui encombrent
les cervelles, je ne ferais qu'opposer un système de slogans
rhinocériques à un autre système de slogans rhinocériques.
Il fut un temps où lorsqu'on prononçait le mot « juif » ou
« bolchevique » les gens se précipitaient têtes baissées pour
tuer le juif, le bolchevique et tous ceux qui étaient accusés
de pactiser avec le juif ou le bolchevique. Si on prononce
aujourd'hui le mot « bourgeois » ou, de par le monde,
« capitaliste impérialiste » tout le monde se précipite pour
tuer ce bourgeois ou ce capitaliste avec la même sottise
et le même aveuglement sans savoir ni ce qu'il y a derrière
ce mot injurieux, ni pourquoi ce mot injurieux a été lancé,
sans connaître non plus quelles sont les personnes, et les
raisons secrètes de ces personnes qui veulent faire des
autres les instruments de leur monstrueuse fureur. Il me
paraît ridicule de demander, à un auteur de pièces de théâtre,
une bible; la voie du salut; il est ridicule de penser pour
tout un monde et de donner à tout ce monde une philo-

sophie automatique; l'auteur dramatique pose des problèmes. Dans leur recueillement, dans leur solitude les gens doivent y penser et tâcher de le résoudre pour eux en toute liberté; une solution boiteuse trouvée par soi-même est infiniment plus valable qu'une idéologie toute faite qui empêche l'homme de penser.

D'ailleurs, moi, personnellement, j'ai ma solution : si je la donnais elle perdrait sa force, elle ne serait plus une clef, elle serait un passe-partout; elle serait un système de slogans pouvant mener à une autre rhinocérite.

Un des grands critiques de New York se plaint que, après avoir détruit un conformisme, n'ayant rien mis à la place, je laisse ce critique et les spectateurs dans le vide. C'est bien ce que j'ai voulu faire. C'est de ce vide qu'un homme libre doit se tirer tout seul, par ses propres forces et non par la force des autres [1].

Arts (1961).

---

1. *Rhinocéros* a eu jusqu'à présent plus de mille représentations en Allemagne; des centaines aux Amériques; en France. De nombreuses autres en Angleterre, Italie, Pologne, Japon, Scandinavie, Tchécoslovaquie. Yougoslavie. Hollande, etc..., etc... Le succès de cette pièce me stupéfie. Les gens la comprennent-ils comme il faut? Y voient-ils le phénomène monstrueux de la « massification »? En même temps qu'ils sont « massifiables », sont-ils aussi, et essentiellement, au fond d'eux-mêmes, tous, des individualistes, des âmes uniques?

Documents

Portrait de Eugène Ionesco par Jacqueline Feldine.

La Cantatrice chauve à la création, au théâtre des Noctambules. Mise en scène de Nicolas Bataille en 1950 (reprise au théâtre de la Huchette en 1957).

La Cantatrice chauve à Londres, au Arts Theater Club.
Mise en scène de Peter Wood, en 1956.

La Cantatrice chauve au Brésil. Mise en scène de Luis Da Lima, en 1955.

La Cantatrice chauve à Bâle en 1957.

La Cantatrice chauve à Cologne. Mise
en scène de Peter Zadek, en 1958.

La Leçon à la création au théâtre de Poche. Mise en scène de Marcel Cuvellier, en 1951 (reprise au théâtre de la Huchette en 1957).

Eugène Ionesco en compagnie de Jacques Mauclair et Tsilla Tchelton, au cours d'une répétition des *Chaises* au Studio des Champs-Elysées en 1956.

Les Chaises à la reprise au Studio des Champs-Elysées en 1961 (création au théâtre du Nouveau Lancry, mise en scène de Sylvain Dhomme en 1952).

Les Chaises en Pologne, au théâtre Poezji, de Cracovie.
Mise en scène Jerzy Grotowski et Aleksandra Mianowska, en 1957.

Jacques ou¹ a Soumission à la reprise au Studio des Champs-Elysées. Mise en scène de Robert Postec en 1961 (création au théâtre de la Huchette en 1955).

Jacques ou la Soumission à Berlin au théâtre Tribune à Berlin-Ouest.
Mise en scène Hermann Hery, en 1958, lors des Berliner Festnochen.

Amédée ou comment s'en débarrasser à la reprise au théâtre de l'Odéon.
Mise en scène de **J.M.** Serreau en 1961 (création au théâtre de **Babylone**
en 1956. Première reprise au théâtre d'Aujourd'hui en 1958).

Le Nouveau Locataire à Londres au Arts Theater
Club. Mise en scène de Peter Wood en 1957.

Le Nouveau Locataire à Helsinki au Lilla Theatern. Mise en scène
Vivica Bandler, lors de la première mondiale en 1955.

Le Nouveau Locataire à Hanovre, au Landesthea▮
Mise en scène Gerhard Reuter en 1957.

Le Rhinocéros à Naples au Piccolo Teatro di Napoli.
Mise en scène de Franco Enriquez, en 1960.

ur sans gages au théâtre Récamier.
e en scène José Quaglio, en 1959.

Le Rhinocéros à l'Odéon-Théâtre de France.
Mise en scène de Jean-Louis Barrault, en 1960.

Le Rhinocéros à Düsseldorf. Mise
en scène de K.H. Stroux, en 1959.

4

Vouloir être de son temps c'est déjà être dépassé

NOTES SUR LE THÉATRE
ET PAGES DE JOURNAL

Notes sur le théâtre

Dans ce monde, parfois, je suis comme au spectacle; ce sont des moments rares, bien entendu, de quiétude. Tout ce qui m'entoure est spectacle. Spectacle incompréhensible. Spectacle de formes, de figures en mouvement, de lignes de force s'opposant, s'entre-déchirant, se nouant, se dénouant. Quelle étrange machinerie! Non pas tragique, mais stupéfiante. L'étonnement est mon sentiment fondamental du monde. Pas tragique, bien, bien; peut-être comique, étrangement comique, certainement, dérisoire, ce monde. Tout de même, à le contempler plus longtemps, je me sens pris d'une certaine douleur, d'un déchirement. Cette douleur elle-même m'étonne; ce déchirement luimême plonge dans l'étrange. Infiniment surpris que des choses existent, et des événements et des passions, et des couleurs et des douleurs et de la nuit et du jour pourtant précaires, transparents, insaisissables : fruits du néant. Et toutes ces figures qui bougent s'entre-heurtent pour se détruire réciproquement.

Je regarde autour de moi, je regarde en moi, je murmure : cela n'est pas possible, cela est trop invraisemblable, ce n'est pas vrai, cela ne peut pas durer. Cela ne durera pas, en effet. C'est comme si j'assistais à la désintégration de ce complexe de mouvements, de figures, de ces semblants d'êtres et de choses. En écrivant des pièces de théâtre, j'ai l'impression que je contribue à l'accélération du processus de désintégration. Car tout ceci est devenu pour moi une obsession

pénible. Je voudrais me débarrasser, une fois, de ce monde
de rêve, de ce rêve d'un monde qui fait que finalement mon
étonnement se fatigue, s'évanouit dans l'habituel et que
j'atteins l'ennui, l'inquiétude, l'accablement.

Il m'arrive, parfois, d'aimer l'existence, le monde. J'y
découvre de la beauté. Je crois y découvrir la Beauté, je
m'y attache.

Je participe, sinon à telle ou telle de ses passions, du
moins à l'ensemble du dynamisme de l'existence, je suis
pris dans le mouvement, je me laisse faire, je suis comme
enveloppé par l'univers insolite et attrayant, le halo de la
création. L'incompréhensible, vaporeux spectacle, m'entoure
de tous les côtés.

... A vrai dire, j'aime cela de moins en moins, cela me
fatigue de plus en plus. Je sens quelquefois le besoin de
palper quelque chose de solide; lorsqu'on me heurte, qu'on
me blesse, il me semble qu'il y a vraiment quelque chose.
Pourtant je sais que tout n'est qu'évanescence, tout va vers
la dissolution, je meurs moi-même, rien de rien ne reste.
Réapparaîtront d'autres fruits du néant, d'autres fleurs du
rien, d'autres vapeurs de monde, mouvements, figures,
couleurs, sans raison, privés d'appui.

Rien n'est atroce, tout est atroce. Rien n'est comique.
Tout est tragique. Rien n'est tragique, tout est comique,
tout est réel, irréel, possible, impossible, concevable, inconcevable. Tout est lourd, tout est léger...

On a dit que j'étais un écrivain de l'absurde; il y a des
mots comme ça qui courent les rues, c'est un mot à la mode
qui ne le sera plus. En tout cas, il est dès maintenant assez
vague pour ne plus rien vouloir dire et pour tout définir
facilement. Si je ne suis pas oublié, dans quelque temps,
il y aura un autre mot courant les rues, un autre mot reçu,
pour me définir moi et d'autres, sans nous définir.

En réalité l'existence du monde me semble non pas absurde
mais incroyable, mais à l'intérieur de l'existence et du monde
on peut y voir clair, découvrir des lois, établir des règles
« raisonnables ». L'incompréhensible n'apparaît que lorsqu'on

remonte vers les sources de l'existence; lorsqu'on s'installe en marge et qu'on la regarde dans son ensemble.

NOTES SUR LE THÉÂTRE, 1953

Le drame pur, disons l'action tragique est donc bien ceci : une action prototype, une action modèle de caractère universel, dans laquelle se reconnaissent et viennent se fondre les histoires, les actions particulières appartenant à la catégorie de l'action modèle jouée. (L'universalité ou la permanence est niée à notre époque héraclito-hégéliano-marxiste. Je suis convaincu pourtant que par réaction à notre époque, comme cela se produit normalement, une nouvelle période avec une nouvelle mode intellectuelle viendra réhabiliter, un de ces jours, les idées universelles.)

Je voudrais pouvoir, quelquefois, pour ma part, dépouiller l'action théâtrale de tout ce qu'elle a de particulier; son intrigue, les traits accidentels de ses personnages, leurs noms, leur appartenance sociale, leur cadre historique, les raisons apparentes du conflit dramatique, toutes justifications, toutes explications, toute la logique du conflit. Le conflit existerait, autrement il n'y aurait pas théâtre, mais on n'en connaîtrait pas la raison. On peut parler de dramatisme, à propos de peinture, d'œuvres figuratives comme celle de Van Gogh, ou d'œuvres non figuratives. Ce dramatisme résulte tout simplement d'une opposition de formes, de lignes, d'antagonismes abstraits, sans motivations psychologiques. On parle du dramatisme d'une œuvre musicale. On dit aussi qu'un phénomène naturel (orages) ou un paysage est dramatique. La grandeur et la vérité de ce dramatisme résident dans le fait qu'il n'est pas explicable. Au théâtre on veut motiver. Et dans le théâtre d'aujourd'hui on veut le faire de plus en plus. De cette façon on le rabaisse.

Avec des chœurs parlés et un mime central, soliste (peut-être assisté de deux ou trois autres au plus), on arriverait par des gestes exemplaires, quelques paroles et des mouve-

ments purs à exprimer le conflit pur, le drame pur, dans
sa vérité essentielle, l'état existentiel même, son auto-déchi-
rement et ses déchirements perpétuels : réalité pure, a-logique,
a-psychologique (au-delà de ce qu'on appelle aujourd'hui
absurde et non-absurde), des pulsions, impulsions, expulsions.

Mais comment arriver à représenter le non-représentable ?
Comment figurer le non-figuratif, non figurer le figuratif ?

C'est bien difficile. Tâchons au moins de « particulariser »
le moins possible, de désincarner le plus possible ou, alors,
faire autre chose : inventer l'événement unique, sans rapports, sans ressemblances avec aucun autre événement ;
créer un univers irremplaçable, étranger à tout autre, un
nouveau cosmos dans le cosmos avec ses lois et concor-
dances propres, un langage qui ne serait qu'à lui : un monde
qui ne serait que *le mien*, irréductible mais finissant par se
communiquer, se substituer à l'autre, avec lequel les autres
s'identifieraient (je crains que cela ne soit pas possible).

Il est vrai cependant que le moi absolu c'est l'universel.

Surtout ne faire aucun effort dans le but de réaliser ce
qu'on appelle un théâtre populaire. Le théâtre « populaire »
est à rejeter au même titre que le théâtre dit « bourgeois »
ou de « boulevard ». Pourquoi ? Parce que aussi bien le
théâtre « bourgeois » que le théâtre « populaire » sont des
théâtres non-populaires. L'un et l'autre sont également
coupés des sources profondes de l'âme humaine. L'un et
l'autre sont les produits de gens vivants retranchés dans leur
petit monde, prisonniers de leurs obsessions idéologiques
qui n'expriment que leur propre schizophrénie et qu'ils
prennent pour des vérités fondamentales devant être absolument enseignées au monde entier. En réalité, leur théâtre
populaire est un théâtre d'édification et d'éducation politique.

Le théâtre de boulevard que l'on accuse d'être bourgeois,
c'est-à-dire, celui d'une minorité, est pourtant spontanément
et curieusement aimé par le grand public de toutes les
classes.

Une pièce de boulevard plaît au banquier, au fonctionnaire,
au petit employé, à ma concierge, à l'ouvrier, etc.

Je suis pour un anti-théâtre, dans la mesure où l'anti-

théâtre serait un théâtre anti-bourgeois et anti-populaire
(si l'on entend par théâtre anti-populaire, le théâtre didactique dont nous venons de parler). Vouloir délibérément
rendre le théâtre populaire c'est, en somme, le trivialiser,
le simplifier, le rendre rudimentaire. Le théâtre bourgeois
est lui aussi un théâtre trivial et simpliste... parce que
« populaire ».

Mais un théâtre issu du « peuple » c'est-à-dire des profondeurs extra-sociales de l'esprit, ne serait admis dans l'état
d'esprit actuel, ni par les bourgeois, ni par les socialistes, ni
par les intellectuels qui pullulent dans les cafés de Saint-
Germain-des-Prés et dans les salles de rédaction.

Il nous faudrait un théâtre mythique : celui-là serait universel. Le théâtre d'idées est aussi, malgré lui, un théâtre de
mythes... mais dégradés : des idées qui ne sont pas l'Idée.

Le théâtre vraiment issu de l'âme populaire serait primitif,
riche; le théâtre pseudo-populaire, didactique, n'est que
primaire, alphabétique. Je suis pour un théâtre primitif,
contre un théâtre primaire.

Tout le monde n'arrive évidemment pas à écrire pour
tout le monde. On n'arrive pas aisément aux sources communes, universelles de l'esprit. Il faut écrire pour soi, c'est
ainsi que l'on peut arriver aux autres.

AUTRES NOTES

On a dit, avec raison, que le théâtre est en retard sur les
autres manifestations littéraires et artistiques de notre
temps; la littérature et l'art modernes ne sont ce qu'ils
sont que pour s'être engagés sur des voies étroites, pour
être faits par des spécialistes pour des spécialistes, ou amateurs très éclairés; il y a un monde des lettres comme il y
a un monde de philatélistes, de numismates, de mathéma-
ticiens, etc... Albert Thibaudet disait bien que le cercle de
la littérature est aussi restreint que celui des mathématiques. Le théâtre non plus (d'autant plus qu'il est
en retard) ne peut rebrousser chemin. Le sens de son

évolution *ne peut* être autre (sous peine de dégradation)
que celui de la voie étroite suivie par la poésie, la peinture,
la musique actuelles. Béla Bartok, Schœnberg n'ont pas
écrit de musique pour la place Pigalle, accessible aux
midinettes; ils ont laissé ce travail aux Charles Trenet;
Picasso, les peintres abstraits, non plus, ne sont accessibles
pour le moment ni aux hommes d'affaires, ni aux midinettes,
ni aux épiciers, ni aux petits bourgeois communistes ou
anticommunistes; ni aux grossiers rusés et sots adjudants et
dictateurs; Henri Michaux ne peut faire des poèmes à mettre
en musique par les mêmes Trenet, etc. Personne n'est à
mépriser. Bien entendu, bien entendu. Il y a alors tout
simplement un problème d'initiation philosophique, mathé-
matique, musicale, plastique, littéraire, etc.

Il n'y a pas de barrières infranchissables dues à des menta-
lités différentes, il n'y a pas de séparations réelles : le théâtre
bourgeois est plus populaire que le théâtre « populaire »
fabriqué par des intellectuels ou demi-intellectuels. Un match
de football passionne le crémier, l'ouvrier et le ministre des
finances. L'initiation y est facile. Mais il n'y a pas une classe
de « footballeurs ». Il n'y a pas non plus une « classe »
d'amateurs-bourgeois de l'art bourgeois. Simplement des
gens initiés, qui ont la possibilité d'apprécier ce que n'importe quel esprit normal pourrait apprécier dans la mesure
où il est cultivé.

Il devrait y avoir différentes catégories de théâtre, bien
distinctes, réglementées par le Ministère des Beaux-Arts
ou par la Préfecture de Police pour les différentes sortes de
public, avec des pancartes à l'entrée : catégories A, B, C,
D, etc.

Ce que je reproche aux Brechtiens c'est qu'ils sont des
terroristes.

Je pense que plusieurs sortes de théâtre peuvent coexister
et que l'unité stylistique d'une époque résulte de la somme
de ses contradictions et de sa variété.

On peut avoir, on devrait avoir des théâtres de deux mille
ou même de quarante mille places pour les gens non-éclairés.
Ce serait un théâtre de patronage, allant de Brecht au scou-

tisme. Ou autre chose : des arènes avec des courses de chevaux, de chiens, de taureaux, de gladiateurs satisfaisant à la fois le chef d'État, le savant et l'ignorant.

On pourrait aussi avoir des théâtres de cinq cents à mille places pour un public initié au théâtre, initié moyennement, pouvant aimer Shakespeare, Molière, Ibsen, mais ne s'intéressant pas aux « expériences ».

On peut avoir enfin des théâtres de cinquante à cent places qui seraient destinés aux spécialistes ou demi-spécialistes des expériences artistiques.

Le tragique : lorsque dans une situation exemplaire tout le destin humain se joue (avec ou sans transcendance divine).

Le drame : cas particulier, conditions particulières, destin particulier.

Le tragique : destin général ou collectif; révélation de « la condition humaine ».

Je participe au drame : j'y vois reflété *mon* cas (ce qui arrive de douloureux sur scène peut m'arriver).

Tragédie : ce qui est sur scène peut *nous* arriver. Cela peut *nous* (et non plus *me*) concerner.

Le théâtre peut être le lieu où il semble que quelque chose se passe.

La présence des gens m'était devenue insupportable. Horreur de les entendre; pénible de leur parler; atroce d'avoir affaire à eux ou de les sentir dans les parages. A les voir suer, s'empresser, se ruer ou s'amuser stupidement ou jouer à la belote ou aux boules, j'en étais devenu malade. Et leurs engins, leurs engins : gros camions, motocyclettes, moteurs de toutes sortes, appareils électriques, ascenseurs, aspirateurs mêlés à leurs aspirations et leurs expirations, c'était le comble, c'était le comble : c'est de l'insolite brutal.

Le monde devrait m'intéresser moins. En réalité j'en suis obsédé. Ceux qui se proclament les amis des hommes sont en réalité des gens indifférents, détachés, et ils ne les aiment que dans l'abstrait.

Ah! si les hommes étaient des ânes ou des bœufs, ils ne

m'agaceraient pas! Je voudrais être le seul homme entouré d'une multitude d'ânes et de bœufs. Ah! si cela était possible!

Regardez ces jeunes. Ce sont exactement les jeunes du temps où j'étais jeune. Ils s'amusent tous de la même façon, exactement, depuis des siècles et des siècles : les mêmes chahuts, les mêmes mots d'esprit, la même insolence, la même fatuité, la même folie à laquelle succédera la même sagesse des gens mûrs depuis des siècles. Un beau jour ils vieilliront de la même façon avec la même révolte ou la même résignation ou la même façon de ne pas s'en rendre compte que les jeunes qui ont vieilli dans les générations précédentes. Les mêmes tics, les mêmes violences : je n'ai jamais aimé les jeunes, ni les vieux.

Ce n'est plus de l'archétype, c'est le stéréotype, la série. L'insolite devient ennuyeux, épouvantable : il ne peut plus être que réaliste, un cauchemar réaliste.

THÉÂTRE DU DEDANS

Sur un programme à l'occasion d'une reprise de Victimes du devoir *au Théâtre de Babylone* (1954).

Je ne plaide pas, je n'accuse pas, je crois que le théâtre dirigé en vue d'un but extérieur à lui-même, ne touche que la partie la plus superficielle de l'être humain. Je crois que l'épaisseur sociale, la pensée discursive cache l'homme à lui-même, le sépare de ses désirs les plus refoulés, de ses besoins les plus essentiels, de ses mythes, de son angoisse authentique, de sa réalité la plus secrète, de son rêve. Tout théâtre asservi à une cause quelconque dépérit au moment où se révèle l'inanité de l'idéologie qu'il représente.

Aucune obligation, aucune contrainte du dehors ne m'empêchera, un matin de juin, de me trouver seul face à la création dans une conscience renouvelée de l'étonnement d'être.

J'attends que la beauté vienne un jour illuminer, rendre

transparents les murs sordides de ma prison quotidienne. Mes chaînes sont la laideur, la tristesse, la misère, la vieillesse et la mort. Quelle révolution pourrait m'en délivrer?

Ce n'est que lorsque le mystère de mon existence ne m'inquiétera plus qu'il me restera un peu de loisir pour régler mes différends avec mes compagnons du voyage.

FRAGMENT D'UNE LETTRE, 1957

Il y a sept ans que l'on a joué ma première pièce, à Paris. Ce fut un petit insuccès, un médiocre scandale. A ma deuxième pièce, l'insuccès fut déjà un petit peu plus grand, le scandale légèrement plus important. C'est en 1952, avec *Les Chaises*, que les choses commencèrent à prendre de l'ampleur : huit personnes, mécontentes, assistaient tous les soirs au spectacle mais le bruit que faisait cette pièce était déjà entendu par un nombre bien plus grand de gens, à Paris, en France, jusqu'aux frontières allemandes. A mes troisième, quatrième, cinquième... huitième spectacles, les échecs grandissaient, à pas de géant, les protestations passèrent la Manche, franchirent les Pyrénées, s'étendirent en Allemagne, passèrent en Espagne et en Italie, par bateau en Angleterre. La quantité se transforme-t-elle en qualité? Je le pense, puisque dix échecs sont devenus le succès, aujourd'hui.

Si les insuccès continuent, ce sera vraiment le triomphe.

AUTRE FRAGMENT

J'ai déjà, derrière moi, un nombre assez grand de pièces de théâtre écrites et jouées : un monde, des mondes, des personnages. Je voudrais en faire d'autres encore. C'est, pour moi, la joie la plus grande, peut-être la seule. J'ai pris du goût à « écrire ». Comme c'est curieux. Mélange de

corvée et de plaisir. Ce n'est pas une évasion que d'écrire,
que de faire des pièces : mais le bonheur de créer. Mon
univers est frais, pour le moment. Il est vivant. A un
moment donné il ne dira, bien sûr, plus rien. Il sera
ou archi-connu, ou desséché, desséché comme les feuilles
mortes. Il est si fragile; il est évanescent. Mais l'Univers
du Bon Dieu Lui-Même est fragile, évanescent. Cela
n'empêche pas le Bon Dieu de créer des Univers voués
à la disparition; ou, plutôt, à la ré-inhibition! Si Lui fait de
tels univers — moi aussi j'ai raison d'en faire pour moi!
Je ne sais, pourtant je me dis, je commence à croire qu'avoir
fait des œuvres — c'est avoir fait mon devoir. Je ne sais
pourquoi, mais je commence à me dire cela. Que mes œuvres
aient ou non une grande valeur, cela n'entre pas en ligne de
compte. Elles sont ce qu'elles sont, mais elles sont.

AUTRES NOTES

Du moment que l'on peut affirmer d'une œuvre d'art, d'un
événement, d'un système d'État ou économique qu'il est aussi
bien ceci ou cela, du moment que plusieurs (c'est le cas)
interprétations peuvent coexister, qu'elles peuvent toutes
recouvrir à peu près les faits d'une façon valable pour notre
entendement; du moment que Hegel ou Spengler, ou Marx,
ou Toynbee, ou René Guénon, ou la théologie, ou la psychanalyse ou Lupasco m'expliquent l'histoire d'une façon satis-
faisante, si je suis objectif; du moment qu'aucune idéologie
n'est contraignante, convaincante; du moment que toute
idéologie n'est en somme qu'une affaire de choix et que le
choix peut être déraisonnable et que le raisonnable lui-même
peut se tromper, toutes les pensées, toutes les idéologies
s'annulent les unes les autres.

Mais alors? qu'est-ce qui peut nous offrir une image
« vraie » de l'univers? Eh bien, l'art et la science.

Très peu de personnes « pensent » : très peu par nation.
Et encore, ces penseurs étant tenus à l'écart des hauts

secrets de la politique aussi bien que des hauts secrets
de la science et de la recherche, à l'écart aussi des hauts
secrets de la police et de ceux qui dirigent secrètement
les propagandes, ces penseurs sont des journalistes ou
des marionnettes. Des mots d'ordre sont lancés : à partir
d'endroits cachés où quelques initiés ont discuté l'affaire :
coexistence, conflit évitable ou inévitable, paix, agression,
impérialisme ou le contraire. Immédiatement les « penseurs »
s'emparent de ces mots, s'excitent, idéologisent. Et à la
suite de ces quelques penseurs des peuplades entières, plus
ou moins primitives d'intellectuels et d'artistes leur font
confiance, répètent leurs dires, les suivent, ne remettent
pas en question. Ce sont des perroquets. Les premiers étaient
des marionnettes.

En somme toute idéologie peut être adoptée puisqu'elle
n'est jamais infirmée par les faits. Elle n'est pas vraiment
confirmée non plus, d'ailleurs. Elle est toujours discutable.
Une idéologie est un système d'hypothèses ou d'aperçus,
invérifiables ou toujours vérifiables selon qu'on est, passionnément, donc obscurément et de tout son être, pour ou
contre cette idéologie. Le savant, lui, est obligé de chercher,
de rechercher, d'expérimenter, de se soumettre à la vérifi-
cation objective. Les faits l'infirment ou le confirment. Il
doit toujours (se) ré-examiner. Il est forcé d'être objectif.

Mais un idéologuâtre n'est soumis à aucune contrainte
précise, effective, il peut dire tout ce qu'il veut, il peut
tout affirmer, il peut tout justifier et nous prouver que
tout entre dans son système. Tout semble entrer, en effet,
dans tout système.

Je ne suis pas un idéologuâtre car je suis de bonne foi, je
suis objectif. Je suis artiste, créateur de personnages : mes
personnages ne peuvent pas mentir, ils ne peuvent être que ce
qu'ils sont. Ils voudraient bien mentir, mais ils ne le peuvent
vraiment pas : car s'ils mentent on s'en aperçoit; car ils
devraient mentir au su et au vu du public. L'art ne ment
pas. L'art est vrai. (Même le mensonge, dans l'art, est
révélateur. Chez l'idéologue il masque les complexes de
celui-ci.)

L'œuvre d'art n'est pas le reflet, *l'image* du monde; mais elle est *à l'image du monde.*

J'ai toujours été obsédé par la mort. Depuis l'âge de quatre ans, depuis que j'ai su que j'allais mourir, l'angoisse ne m'a plus quitté. C'est comme si j'avais compris tout d'un coup qu'il n'y avait rien à faire pour y échapper et qu'il n'y avait plus rien à faire dans la vie.

Par ailleurs, j'ai toujours eu l'impression d'une impossibilité de communiquer, d'un isolement, d'un encerclement; j'écris pour lutter contre cet encerclement; j'écris aussi pour crier ma peur de mourir, mon humiliation de mourir. Ce n'est pas absurde de vivre pour mourir, c'est ainsi. Ces angoisses ne peuvent être taxées de bourgeoises ou d'anti-bourgeoises, elles viennent de trop loin.

Le plus souvent mes personnages disent des choses très plates parce que la banalité est le symptôme de la non-communication. Derrière les clichés, l'homme se cache.

Robert Kanters constate qu'il y a deux langages de théâtre chez moi : « les mots qui sont des phrases toutes faites, des choses simples et quelque chose de très extraordinaire, au bord du fantastique ou même tout à fait fantastique ».

En effet, un état vrai derrière des mots faux, et authentiques, non révélateurs, c'est la folie. C'est comme s'il y avait une réalité fondamentale qui ne peut s'exprimer que dans le langage parlé qui coexiste avec le texte ou le désarticule.

J'ai été étonné de voir qu'il y avait une grande ressemblance entre Feydeau et moi... pas dans les thèmes, pas dans les sujets; mais dans le rythme et la structure des pièces. Dans l'ordonnancement d'une pièce comme *La Puce à l'oreille,* par exemple, il y a une sorte d'accélération vertigineuse dans le mouvement, une progression dans la folie; je crois y voir mon obsession de la prolifération. Le comique est peut-être là, dans cette progression déséquilibrée, désordonnée du mouvement. Il y a une progression dans le drame, dans la tragédie, une sorte d'accumulation des effets. Dans le drame, la progression est plus lente, mieux freinée, mieux dirigée. Dans la comédie, le mouvement a l'air d'échapper à l'auteur. Il ne mène plus la machinerie, il est mené par elle. Peut-être c'est là que réside la différence. Le comique et le tragique.

Prenez une tragédie, précipitez le mouvement, vous aurez une pièce comique : videz les personnages de tout contenu psychologique, vous aurez encore une pièce comique ; faites de vos personnages des gens uniquement sociaux, pris dans la « vérité » et la machinerie sociales, vous aurez de nouveau une pièce comique ... tragi-comique.

NOTES RÉCENTES

Certains critiques m'accusent de défendre un humanisme abstrait, l'homme de nulle part. En réalité je suis pour l'homme de partout ; pour mon ennemi comme pour mon ami. L'homme de partout est l'homme concret. L'homme abstrait, c'est l'homme des idéologies : l'homme des idéologies qui n'existe pas. La condition essentielle de l'homme n'est pas sa condition de citoyen mais sa condition de mortel. Lorsque je parle de la mort, tout le monde me comprend. La mort n'est ni bourgeoise ni socialiste. Ce qui vient du plus profond de moi-même, mon angoisse la plus profonde est la chose la plus *populaire*.

Bernard Dort dans son livre sur Brecht constate que les théories brechtiennes s'étendent aussi au cinéma. Ce brechtianisme est, dit-il, une épidémie mais qui est hygiénique. Ce jeune critique délirant parle exactement comme mon personnage Dudard qui à propos du rhinocérisme déclarait qu'il y a des maladies qui sont saines.

La déchéance universelle est niée par la création scientifique ou artistique, même si, dans cette dernière, on nous présente

l'image de la décadence ou la réalité du marasme : en prendre
conscience, c'est déjà la dépasser.

Connaissance et création, imitation et invention, réel et
imaginaire se rejoignent, se confondent.

L'œuvre d'art que nous mettons au monde était déjà,
virtuellement en nous.

Elle n'a fait que guetter l'occasion de surgir.

Un autre genre de théâtre est encore possible. D'une
force, d'une richesse plus grandes. Un théâtre non pas
symboliste, mais symbolique; non pas allégorique, mais
mythique; ayant sa source dans nos angoisses éternelles; un
théâtre où l'invisible devient visible, où l'idée se fait image
concrète, réalité, où le problème prend chair; où l'angoisse
est là, évidence vivante, énorme; théâtre qui aveuglerait les
sociologues, mais qui donnerait à penser, à vivre au savant
dans ce qui n'est pas savant en lui; à l'homme commun, par-
delà son ignorance.

Je dois pourtant avouer qu'il me semble constater qu'une
chose assez étrange se passe de nos jours, — au sujet des
œuvres littéraires et dramatiques. J'ai bien l'impression que
la discussion porte rarement sur l'œuvre même; elle porte
surtout à côté. C'est comme si l'œuvre n'intéressait que dans
la mesure où elle est prétexte à la discussion. On demande
donc d'abord à un auteur de s'expliquer sur ses pièces de
théâtre, — et ses explications semblent passionner davantage
que l'œuvre qui est ce qu'elle est, qui doit s'expliquer par
elle-même : c'est donc à ceux qui lisent ou voient une pièce
de théâtre de l'expliquer, — à partir de la pièce elle-même.
Et y revenir. Éviter les commentaires ou se demander qu'elle
est l'intention secrète du commentaire des commentateurs.
On peut comme je le disais, demander à l'auteur des infor-
mations de détail sur ce qu'il a écrit, — mais cela en somme
est le signe soit d'une certaine insuffisance de l'œuvre, soit de
l'incapacité de compréhension de ses lecteurs ou spectateurs.

En réalité, — on veut en savoir plus; ou savoir autre chose.
Tout le monde veut recueillir des confidences; ou des aveux
forcés. On ne croit pas aux aveux spontanés qui sont vrais.

SUR LA CRISE DU THÉATRE

La crise du théâtre existe-t-elle? Elle finira par exister,
si l'on continue d'en parler. On pense qu'un théâtre ne peut
pas exister dans une société divisée. Il ne peut exister que
dans une société divisée. Il ne peut exister que lorsqu'il y
a conflit, divorce avec mes administrateurs ou mes administrés (ce qui dépasse la notion de classes sociales), ma femme
ou mon amante, mes enfants et moi, moi et mon ami, moi
et moi-même. Il y aura toujours division et antagonismes.
C'est-à-dire il y aura division tant qu'il y aura vie. L'univers
est en crise perpétuelle. Sans la crise, sans la menace de
mort, il n'y a que la mort. Donc : il y a crise au théâtre seulement lorsque le théâtre n'exprime pas la crise.

Il y a crise de théâtre lorsqu'il y a immobilité, refus de
recherche; pensée morte, c'est-à-dire dirigée. Deux dirigismes nous menacent : le dirigisme passif, celui de la
routine. Le dirigisme actif ou doctrinaire, apparemment
mobile, déjà automatique.

LE SOUS-RÉEL EST RÉALISTE

Pourtant, l'espace est immense à l'intérieur de nous-même.
Qui ose s'y aventurer? Il nous faut des explorateurs,
des découvreurs de mondes inconnus qui sont en nous,
qui sont à découvrir en nous.

Les adjudants de droite, de gauche, veulent vous donner
mauvaise conscience de jouer, c'est à eux d'avoir mauvaise
conscience de tuer l'esprit par l'ennui. Tout est politique,
nous dit-on? En un sens, oui. Mais tout n'est pas de la

politique. La politique professionnelle détruit les rapports normaux entre les gens, elle aliène; l'engagement ampute l'homme. Les Sartre sont les véritables aliénateurs des esprits.

Ce n'est que pour les faibles d'esprit que l'Histoire a toujours raison. Dès qu'une idéologie devient dominante, c'est qu'elle a tort.

L'avant-garde ne peut plaire ni à droite ni à gauche puisqu'elle est anti-bourgeoise. Les sociétés figées ou en train de se figer ne peuvent l'admettre. Le théâtre de Brecht est un théâtre qui achève d'installer les mythes d'une religion dominante défendue par les inquisiteurs et qui est en pleine période de fixation.

Il faut aller au théâtre comme on va à un match de football, de boxe, de tennis. Le match nous donne en effet l'idée la plus exacte de ce qu'est le théâtre à l'état pur : antagonismes en présence, oppositions dynamiques, heurts sans raison de volontés contraires.

Thèse abstraite contre antithèse abstraite, sans synthèses : l'un des adversaires a complètement détruit l'autre, l'une des forces a chassé l'autre ou bien elles coexistent sans se réunir.

BLOC-NOTES

Lundi.

Mes contemporains m'agacent. Je déteste mon voisin de droite, je déteste celui qui est à ma gauche. Je déteste surtout celui de l'étage du dessus. Autant, d'ailleurs, que celui du rez-de-chaussée. (Tiens, c'est moi qui habite au rez-de-chaussée.) Tout le monde a tort. J'envie les contemporains des gens qui vivaient il y a deux siècles... Non : ils sont encore trop près de nous. Je ne pardonne qu'à ceux qui vivaient bien avant Jésus-Christ.

Et pourtant, lorsque mes contemporains meurent, j'en ressens une peine énorme. Une peine? Une peur plutôt, une frayeur immense. C'est compréhensible. Je me sens de plus en plus seul. Que puis-je faire sans eux? Que vais-je faire parmi « les autres »? Pourquoi « les autres » ne sont-ils pas morts à leur place? Je voudrais décider moi-même. Choisir ceux qui doivent rester.

Mardi.

Au téléphone : « Oh, ma chère, vous êtes donc à Paris?... Quelle surprise, quelle merveilleuse surprise!... Nous sommes si heureux de vous revoir... il y a si longtemps... comme les années passent... ça fait si longtemps... Mais oui, mon mari est là... Le petit a grandi. Et les vôtres?... Vous n'êtes pas loin d'ici?... On vous attend. Mais venez... venez vite... Décommandez... Nous décommandons... Rien d'important, aujourd'hui, en dehors de vous... Comme vous nous avez manqué ces dernières années. On ne pouvait pas tout vous dire par lettres... oh, nous sommes si contents, vous savez, nous sommes tellement contents... Nous avons tellement de choses à nous dire! Tellement de choses!... »

Elle arrive avec lui. Effusions. Au bout d'une minute, on s'ennuie, on s'ennuie!... Et on a raté tous les rendez-vous de la journée... qui étaient intéressants.

On voudrait pouvoir lire ce fait divers dans le journal : l'avion qui transportait X... et sa famille s'est écrasé au sol. Les personnes susdites s'élevant au-dessus des décombres de l'appareil sont remontées au ciel. En attendant de leur trouver un logement définitif, on peut envoyer tout courrier, à leur nom, poste restante, numéro...

Les enfants de X..., qui préparent le baccalauréat, poursuivront leurs études par correspondance.

Mercredi.

L'histoire me paraît être une suite ininterrompue d'aberrations. Elle est ce qui s'oppose aux « vérités ». Dès qu'une idée, une intention consciente veut se réaliser historiquement, elle s'incarne en son contraire, elle est monstrueuse.

Les contradictions historiques et sociales pourraient n'être
que le reflet de celles qui s'établissent entre la pensée consciente et toutes les tendances obscures qui s'opposent à la
réalisation de cette pensée, de cette idée. Est-ce l'homme
qui se moque de lui-même? Est-ce un Dieu qui se moque
de l'homme? Est-ce que toute conscience est hypocrite
spontanément? Est-ce que l'homme déclare toujours vouloir
faire le contraire de ce qu'il désire profondément, obscurément mais vraiment faire, « l'idéologie » n'étant qu'un alibi
de sa mauvaise foi? Mais si l'on déclare vouloir telle chose,
si on exprime une pensée, une intention, cela veut dire aussi
qu'une partie de nous-mêmes a aussi vraiment cette intention, que nous sommes *sincèrement* nourris par notre idée,
que nous y croyons malgré tout. Cependant, nous ne croyons
croire qu'une partie de ce que nous croyons et ne vouloir
qu'une partie de ce que nous voulons : le *vouloir obscur*,
celui qui échappe à notre contrôle, semble être le plus puissant, le plus impérieux. C'est lui qui défigure, contredit
l'intention clairement exprimée, c'est lui qui, finalement,
l'emporte, c'est lui qui fait l'histoire. Comment prendre
conscience de nos contradictions, les rendre au moins égales?
Il faudrait réaliser historiquement, au même moment, une
sorte d'idée double, une intention et son contraire, savoir
que lorsqu'on désire une chose, c'est aussi (et même surtout) son contraire que l'on désire; et installer le tout dans
sa contradiction interne vivante.

Quelques consciences individuelles constituent les garants
d'une sorte de vérité. Laquelle? Difficile à définir. En tout
cas, de quelque chose qui s'oppose à l'Histoire, de façon
constante. La vérité pourrait être donc ce qui est contre
l'histoire. Sa vérité ou son anti-vérité. Les quelques consciences individuelles tentent de rectifier les aberrations de
l'Histoire, que le grand nombre considère être justice et
vérité. Le grand nombre aime admettre le fait acquis;
ils veulent arrêter, nier l'Histoire, tout en se réclamant
de l'Histoire, faire qu'il n'y ait plus d'Histoire. Mais la
vérité historique étant aberration, il faut croire que toute
vérité est trans-historique. Si on s'en tenait à l'Histoire, il
n'y aurait plus aucun point de repère, nous serions charriés
au gré des flots « historiques », au hasard des vents et

marées, sans direction : ou alors immobilisés dans l'Histoire pétrifiée. Je crois, toutefois, qu'il y a une étoile polaire qui peut nous aider à nous orienter. Elle est bien au-dessus des flots.

Jeudi.

Curieux : ce sont les ennemis de l'Histoire qui, finalement, la font. Les historicistes ne font que la justifier. Ils justifient toutes les erreurs. Où trouveraient-ils les modèles d'une vérité s'ils ne croyaient pas la trouver en eux-mêmes? Regarder au dehors, autour de soi? Mais rien n'est autour de soi, sinon une erreur. N'avons-nous pas le sentiment que ce n'est pas cela, que l'on est à côté?...

Vendredi.

Bon. On veut donc le contraire de ce qu'on veut. Il y a un vouloir et un anti-vouloir; un vouloir-ceci, un anti-vouloir ceci. Cet anti-vouloir se révèle (car nous ne le connaissons pas, il est caché) dans l'expérience des faits, dans la contradiction immédiate qu'il apporte.

Ainsi : la Révolution française déclarait vouloir établir (entre autres) l'égalité. Elle a fermement établi l'inégalité sociale.

Le tsar s'intitulait le « petit-père » du peuple : en fait, il était son bourreau.

Le christianisme voulait établir la charité, la paix. Il a renforcé la fureur, la guerre perpétuelle. Il a apporté de nouvelles raisons de haines.

Les révolutionnaires pensent vouloir abolir les classes : ils rétablissent une hiérarchie plus dure.

Samedi.

(Suite des contradictions).

Le peuple juif est le peuple « qui ne porte pas l'épée »; il est le peuple de la non-violence, de la paix. On a donc accusé les juifs de fomenter les guerres. Ils ne veulent rien conquérir : on les a donc accusés de vouloir dominer le monde entier. Et les nazis et assimilés, qui les accusaient

de vouloir la domination universelle, faisaient eux-mêmes,
pour leur propre compte, profession d'impérialisme.

Hitler déclarait vouloir conduire le peuple allemand au
triomphe, à la conquête totale du monde, à la plus grande
gloire : il l'a conduit, nous le savons, à la défaite, à la honte,
à la mort. Ce qui est remarquable, c'est la précision, la
sûreté avec laquelle il l'y a conduit : de main de maître!
Pas un faux geste, pas une erreur, pas une seconde perdue :
quelle extraordinaire habileté! On ne pouvait faire mieux.
L'ennemi le plus acharné de l'Allemagne n'aurait pas aussi
parfaitement réussi. Hitler a voulu ce qu'il ne voulait pas : sa
volonté était dans sa contre-volonté; son désir était son
anti-désir.

Il est vrai aussi qu'il a voulu exterminer des peuples
et des races humaines entières. Hélas, il y a presque
réussi. Il n'avait pourtant jamais manifesté le désir de les
sauver.

Sur le progrès : On dit que « ça » ne va pas. On admet
que « ça » ne va pas. Pourtant (dit-on toujours), cela va
mieux qu'avant et cela ira mieux demain. En réalité, il est
tout à fait évident que « ça » va de plus en plus mal; que la
condition humaine est de plus en plus difficile à supporter;
que, depuis quelque temps surtout, les dangers sont de plus
en plus graves et que jamais, comme aujourd'hui, la vie
universelle n'a été si menacée; la science, il est évident, qui
devait apporter la sécurité et le bonheur, nous a apporté
l'insécurité, des angoisses supplémentaires, que nul homme
n'aurait jamais pu imaginer. Du temps des patriarches,
cela allait « presque » bien. En tout cas, moins mal. Beaucoup mieux qu'aujourd'hui, c'est certain. Car, aujourd'hui,
« ça » va on ne peut plus mal : il n'y a qu'à jeter un coup
d'œil autour de nous. Ne nous laissons pas tromper par nos
rêves, par notre propre désir d'être dupes, et regardons bien,
par-delà les pensées établies et les doctrines : « ça » va *de plus
en plus* mal... Je sais : plus « ça » va mal, plus on dira que
« ça » va mieux. « Ça va tout de même un petit peu mieux »,
« ça va toujours de mieux en mieux... » et, de mieux en mieux,
nous arriverons au pire. Si on dit que « ça » va tout de même

mieux, c'est, indiscutablement, que ça ne peut aller que de plus en plus mal.

On dit que X... se repose. Cela veut dire aussi que X... dort.

Puis on dira : le cimetière où il repose.

Je ne comprends pas du tout pourquoi on a supprimé le personnel « se ». Pourquoi? Pourquoi? Oui, pourquoi? Pourquoi?

Deux catégories de gens : *a*) ceux qui donnent toujours raison au plus fort : c'est la catégorie de la majorité des gens. (Donner raison au plus fort, c'est donner raison à l'histoire; donner raison au plus fort, c'est aussi donner raison à celui ou à ce qui sera, estime-t-on, le plus fort prochainement); *b*) ceux qui donnent toujours tort au plus fort (tort à *l'Histoire*). Cette catégorie est bien plus rare, inutile de le souligner.

Dimanche.

Je pense à Boris Vian; à Gérard Philipe. Je pense à Jean Wall. Je pense à Camus : j'ai à peine connu Camus. Je lui ai parlé une fois, deux fois. Pourtant, sa mort laisse en moi un vide énorme. Nous avions tellement *besoin* de ce juste. Il était, tout naturellement, dans la vérité. Il ne se laissait pas prendre par le courant; il n'était pas une girouette; il pouvait être un point de repère.

La mort d'Emmanuel Mounier, il y a dix ou douze ans, avait laissé en moi ce même vide. Quelle lucidité chez Mounier! (Plus philosophe que Camus.) Dans chaque chose, il savait démêler le vrai du faux, le bien du mauvais, il ne se laissait pas emporter non plus, lui, qui savait donner à chaque fait sa valeur exacte, sa place. Il dissociait, distinguait, intégrait tout.

Et puis je pense à Atlan qui vient de mourir. Un des plus grands peintres actuels. Tout le temps, « on devait se voir, à très bientôt, sans faute ». On ne se verra plus. Je verrai ses tableaux, fugitivement encore; il y sera.

J'ai peur de la mort. J'ai peur de mourir, sans doute, parce que, sans le savoir, je désire mourir. J'ai peur donc du désir que j'ai de mourir.

(Arts, 1960.)

Le mot de « révolution » est mal choisi par les « révolutionnaires ». Il démasque, inconsciemment, l'action révolutionnaire, qui, elle-même, est synonyme de réaction puisque,
étymologiquement, la révolution qui veut dire retour s'oppose
à l'évolution. Pour moi, la révolution est la restauration d'une
structure sociale ou d'État archétypique : autorité, voire
tyrannie, hiérarchie, renforcement, sous une forme apparemment différente, des pouvoirs dirigeants; réhabilitation d'une
domination et d'un esprit de discipline qui s'étaient relâchés
parce que le langage usé de l'élite d'hier ne pouvait plus les
soutenir.

« Un Juif n'est pas un homme comme moi, disait le nazi.
J'ai le droit de le tuer. » « Un nègre est un être inférieur;
en plus, il me menace, je dois le tuer! » disait le raciste
blanc — car, lorsqu'on veut tuer quelqu'un, on doit se
déclarer en état de légitime défense. Pour les nègres, en
certaines régions africaines, le colporteur blanc est l'incarnation du mal, du non-humain, du diabolique. Il est à tuer.
« Un bourgeois n'est pas vraiment un homme; ou bien il
est un homme mauvais ou dangereux : il est à abattre »,
disent les petits-penseurs, petits-bourgeois marxistes. Le
bourgeois n'est-il pas, selon le marxisme, quelqu'un qui a
perdu, en quelque sorte, son humanité? M. Brecht prenait
la chose au pied de la lettre : dans une de ses pièces, les tyrans
sont des marionnettes géantes auxquelles on coupe la tête

sereinement, car le sang ne coule pas des gorges en carton
des marionnettes : tuons les bourgeois, n'ayez crainte, ils
ne sentent rien. Le même auteur a voulu nous montrer,
dans une autre pièce, qu'il est anti-naturel qu'un homme
d'une classe sociale inférieure éprouve de l'amitié pour un
autre appartenant à une classe supérieure; s'il a de l'amitié, il
en crèvera, et ce sera bien fait pour lui. Les chrétiens ont cru
qu'ils devaient tuer les païens et les hérétiques : parce qu'ils
sont possédés par le Démon; donc déshumanisés. Pour les
musulmans enragés, les chrétiens, à leur tour, ne sont-ils
pas *des chiens?* Et ainsi de suite. On a l'impression que, de
tout temps, les religions, les idéologies, les systèmes de
pensée de toutes sortes ont eu pour but unique de donner
aux hommes les meilleures raisons de se mépriser réciproquement et de s'entre-tuer.

Aujourd'hui, évidemment, nous avons enfin réussi
à « démystifier » les racismes et nous nous rendons compte
que les nobles idéaux guerriers étaient tout simplement
économiques. Que ferait-on s'il ne restait le *bourgeois* à
tuer; et le *petit-bourgeois* à ridiculiser? Et le petit-bourgeois
n'est pas un... « mythe », il n'est pas un leurre; il n'est pas
à démystifier, puisqu'il est lui-même... « démasqué ». Comment inventer un plus extraordinaire bouc émissaire? Il
est là, devant vous, à portée de la main, vous n'avez qu'à
piquer dans le tas. Autrefois, hélas, n'importe qui n'était
pas juif, n'était pas nègre. Il fallait trouver son juif, son
nègre. Aujourd'hui, n'importe qui peut être accusé d'être
un bourgeois ou un petit-bourgeois, si ses idées ne sont
pas exactement celles que vous voudriez, ou s'il vous
déplaît : petit-bourgeois, asocial, réactionnaire, mentalité
bourgeoise, voici les nouvelles injures, les nouvelles mises
au pilori. Et les accusateurs sont, le plus souvent, justement
les petits-bourgeois affolés. Par exemple | : X. et Z., qui
sont typiquement des petits-bourgeois, teintés de lectures
marxistes — car moi aussi je crois au « petit-bourgeois »...
et le déteste...

Ce n'est pas ce que pensent les gens qui m'intéresse, mais
de savoir pourquoi ils pensent ce qu'ils pensent, les raisons

psychologiques, privées, qui les ont déterminés à adopter
cette pensée ou cette autre. Le conditionnement subjectif
est seul à être révélateur — et objectivement vrai. Leurs
sentiments sont vrais; leurs idées, je les suspecte. Derrière
chaque pensée claire, derrière chaque comportement raisonnable, il y a une passion cachée.

La démystification est à la mode. Pourquoi ne démysti-
fierions-nous pas ce qui reste à démystifier?

Les « intellectuels », en réalité — tous ces *demi-intellectuels*
qui s'agitent dans ce domaine aux frontières imprécises,
à mi-chemin entre la philosophie et le journalisme, — sont
une véritable plaie de l'intellectualité : aucun d'entre eux
ne vaut le moindre pion de collège; aucun, encore moins,
ne vaut le plus petit chercheur de laboratoire. Et, cependant,
les voici se démenant, se pavanant, discutaillant, écrivaillant
de café en café, de salle de rédaction en salle de rédaction,
petits-bourgeois agités de la pensée, suiveurs voulant être
suivis, crânes bourrés, bourreurs de crânes à leur tour, anti-
conformistes conformistes, esprits confus se croyant lucides :
ce sont les mouches du coche; remorqués, ils voudraient
remorquer eux aussi; faibles et tyranniques, juges sans
clairvoyance, ils jettent des blâmes, excommunient, veulent
faire admettre une pensée pourtant instable car défaillante,
dirigée sans même qu'ils s'en aperçoivent — et leur désir
de domination « en esprit », « intellectuellement » et sous le
couvert des meilleures raisons, est d'autant plus grand qu'ils
sont eux-mêmes dominés, à la merci des quelques grands
tyrans qui n'ont qu'à lever souverainement le petit doigt
pour changer le cours des choses, la face de l'histoire,
sans s'embarrasser de leurs conseils, des lois historiques
établies, de leurs analyses bouleversées : le rôle des petits-
intellectuels n'est-il pas de trouver de nouvelles justifications?

Car il y a l'*Histoire*, parmi les obsessions des demi-intellectuels : « être dans le courant de l'Histoire ». L'Histoire,
qui était, récemment encore, la connaissance des événements
du passé, est devenue science du présent et de l'avenir,

technique des prophéties, Bible écrite et non écrite, Loi,
Divinité, Mythe : et mythe d'autant plus puissant que les
démystificateurs eux-mêmes non seulement le tolèrent,
mais veulent nous l'infliger.

L'Histoire est un mythe pour eux, justement parce que
les petits-intellectuels, impuissants rêvant la puissance,
ne font pas l'histoire : même les justifications des événements
ne sont pas inventées par eux. Un ou deux slogans, secrètement sécrétés par deux ou trois secrétaires anonymes des
grands chefs, dans les bureaux fermés de propagande des
gouvernements, ou d'autres organismes directeurs sont lancés.
Les petits-intellectuels les enregistrent, s'imaginent que
cela vient d'eux-mêmes, les développent, en font des articles,
des conférences, des cours, des livres, des doctrines. Ainsi se
répandent les justifications, ainsi elles emplissent le monde,
ainsi s'oublient leurs sources. Les mouches du coche peuvent
donc tout de même servir.

Et l'Histoire se fait, hors des lois : le chef d'État X. rencontre le chef d'État Z. qui rencontre le chef d'État W. qui
voit le chef Y., et ainsi de suite. Ils décident de l'orientation
générale de l' « Histoire » entre eux. Nous ne dépendons
que d'eux. Nous sommes à leur merci. La plupart sont des
adjudants, à moitié ignorants, plus ou moins rustres et durs
(à moins qu'ils ne soient trop fins — ce qui les rend faibles
et mauvais chefs), qui n'ont pas le complexe de l'Histoire
comme les petits-intellectuels parce qu'ils sont vraiment
puissants, eux, et créent les événements.

Certains des petits-intellectuels possédés par la *libido
dominandi* se mêlent aussi de théâtre. Ils prônent un théâtre
didactique, bien entendu, excellent moyen d'agir sur les autres,
d'exercer une influence. Mais ces staliniens ou ces calvinistes
n'écrivent pas eux-mêmes des pièces de théâtre : ils ne constituent qu'un groupe restreint de jeunes docteurs et cuistres —
avec leur revue, leur cercle, leurs débats, leurs entrées dans
quelques autres publications. Ils n'aiment pas tellement
une chose ou l'autre; ils détestent, surtout, le « petit-
bourgeois », bien entendu.

Ils ont défendu, pour les gagner à eux, et ont gagné à eux

deux ou trois auteurs. Qui sont les « petits-bourgeois »?
Vous, moi, tous ceux qui, comme moi, ont refusé de se laisser
faire et de faire leur jeu, malgré de pressantes propositions,
et qui sont aussi les rivaux littéraires de ces deux ou trois
auteurs. Sous le couvert d'une « noble idéologie » (qu'ils
ont assimilée mais qui ne leur doit rien), il ne s'agit, dans le
fond, que d'une mesquine rivalité littéraire chez ces auteurs
qui peuvent se permettre de répudier tous les autres au nom
de leur religion, à laquelle ils viennent, d'ailleurs, seulement
de se convertir; et, chez ces docteurs, de cette volonté de
puissance dont nous avons parlé. Ces mêmes docteurs
avaient également, au départ, pris ma défense, avec flamme :
puis, comme je n'ai pas voulu me soumettre tout à fait et
les suivre dans leurs ambitions éducatives, ils sont, brusquement, devenus mes ennemis acharnés. Il est vrai aussi que
je les attaque. Ils s'imaginent alors que si je les répudie,
eux, les petits-intellectuels, ce sont *les intellectuels* que je
conteste, car il ne peut y avoir, évidemment, d'autres incarnations qu'eux-mêmes de l'intellectualité, ils me traitent,
publiquement, de « poujadiste », d'après le nom, je crois,
d'un autre docteur dont les dogmes seraient différents des
leurs.

Ah! si ces gens-là avaient le pouvoir, une fois dans leur
vie : quels ravages, quel débordement de puissance, quels
autodafés! Le théâtre d'éducation s'épanouirait officielle-
ment... et qui dit éducation dit aussi « rééducation » pour ceux
qui refusent d'être éduqués... la surveillance..., le bagne...

Rien à faire, quoi qu'il puisse arriver, je ne peux avoir
l'immodestie de prétendre *éduquer* mes contemporains.
Je n'enseigne pas, je témoigne; je n'explique pas, je tâche de
m'expliquer.

Je n'écris pas du théâtre pour raconter une histoire. Le
théâtre ne peut être épique..., puisqu'il est dramatique.
Pour moi, une pièce de théâtre ne consiste pas dans la description du déroulement de cette histoire : ce serait faire un
roman ou du cinéma.

Une pièce de théâtre est une construction, constituée
d'une série d'états de conscience, ou de situations, qui

s'intensifient, se densifient, puis se nouent, soit pour se
dénouer, soit pour finir dans un inextricable insoutenable.

Et pourquoi tout ce débat?
Plus je vis, plus je me sens lié à la vie, évidemment.
Je m'y enfonce de plus en plus, je suis accroché, englué,
pris. Je mange, mange, mange : je me sens lourd, je m'endors
dans l'épaisseur. Autrefois, j'étais une lame de couteau
fendant le monde, traversant l'existence. L'univers ne me
semble plus étonnant, insolite, inattendu, comme autrefois.
Il me paraît tout à fait « naturel ». Que j'aurai du mal à
m'en arracher! Je m'y suis habitué; habitué à vivre. De moins
en moins préparé à mourir. Qu'il me sera pénible de me
défaire de tous ces liens accumulés pendant toute une vie.
Et je n'en ai plus pour trop longtemps, sans doute. La plus
grande partie du trajet est parcourue. Je dois commencer
dès maintenant à défaire, un à un, tous les nœuds.
L'existence est devenue un rêve obsédant, permanent;
elle « fait vrai »; elle semble réaliste. On rêve souvent lourdement, pris dans son rêve... On vous réveille brusquement,
on vous y arrache.
Ce rêve de l'existence universelle, ce rêve de « moi »,
de « moi et les autres », dont je ne me souviendrai plus.
« De quoi ai-je rêvé? », « Qui étais-je? », me dis-je souvent
en me réveillant avec le souvenir confus de choses attachantes,
passionnantes, *importantes* qui s'enfuient déjà bien que je
tente de les saisir, qui sombrent dans la nuit de l'oubli à
jamais — ne me laissant que le regret de ne pouvoir me
rappeler.
Arraché d'un seul coup au « réel », ce rêve — je mourrai :
je ne me souviendrai pas de ce théâtre, de ce monde, de
mes amours, de ma mère, de ma femme, de mon enfant. « Je »
ne se souviendra pas. Et « je » ne sera pas « je ».
Pourtant, tout cela aura été. Rien ne peut empêcher
l'existence d'avoir existé, d'être inscrite, quelque part, ou
d'être la substance assimilée de toutes les transformations
futures.

Ai-je fait de l'Anti-théâtre ?

Je crois que, dans l'histoire de l'art et de la pensée, il y a toujours eu, à chaque moment vivant de la culture, une « volonté de renouvellement ». Cela ne caractérise pas seulement la dernière décennie. Toute l'histoire n'est qu'une suite de « crises » — de ruptures, de reniements, d'oppositions, de tentatives de retour aussi à des positions abandonnées (mais avec de nouveaux points de vue, autrement les retours seraient « réactionnaires » ou « conservateurs »). S'il n'y a pas « crise », il y a stagnation, pétrification, mort. Toute pensée, tout art est agressif.

Le romantisme était également une volonté agressive de renouvellement : le simple désir d'épater le bourgeois, la bataille d'*Hernani*, les manifestes romantiques sur la façon de concevoir et d'exprimer une vérité opposée à la vérité universelle du classicisme, et surtout les œuvres elles-mêmes où un nouveau système d'expression s'affirmait (un « nouveau langage », comme on dirait aujourd'hui), tout exprime bien une volonté de renouvellement, et un renouvellement très réel.

Le parnassianisme s'opposait au romantisme en essayant un retour à un nouveau classicisme; le symbolisme s'opposait au parnassianisme; le naturalisme au symbolisme et ainsi de suite. L'histoire littéraire nous le dit très bien — au niveau de l'enseignement secondaire.

L'histoire de l'art.

Chaque mouvement, chaque génération nouvelle d'artistes apporte un nouveau style, ou essaie de l'apporter parce qu'elle constate, lucidement ou obscurément, qu'une certaine façon de dire les choses est épuisée, et qu'une nouvelle façon de les dire doit être trouvée, ou que l'ancien langage usé, l'ancienne forme doit éclater parce qu'elle est devenue incapable de contenir les nouvelles choses qui sont à dire.

Ce qui ressort donc des œuvres nouvelles, c'est la constatation, tout d'abord, qu'elles se différencient nettement des œuvres précédentes (s'il y a eu recherche, de la part des auteurs, évidemment, et non pas imitation, stagnation). Plus tard, les différences s'atténueront, et alors, ce sont surtout les ressemblances avec les œuvres anciennes, la constatation d'une certaine identité et d'une identité certaine qui pourront prévaloir, tout le monde s'y reconnaîtra et tout finira par s'intégrer dans... l'histoire de l'art et de la littérature.

On peut prétendre, je le sais, que finalement il n'y a peut-être rien eu de neuf. Qu'il n'y a eu aucun nouveau courant d'idées — dans ce que nous avons fait. Je crois qu'il est encore trop tôt pour se rendre compte s'il y a eu ou s'il n'y a pas eu du nouveau. Mais peut-être, par certains aspects de nos œuvres, nous rattachons-nous aux existentialismes; peut-être continuons-nous, chacun pour sa petite part, la grande révolution artistique, littéraire, de la pensée qui a commencé vers 1915 ou 1920, qui n'est pas encore achevée et qui s'est exprimée dans les découvertes scientifiques nouvelles, les psychologies des profondeurs, l'art abstrait, le surréalisme, etc. — on ne sait pas, on ne peut pas encore savoir si nous sommes ou non les ouvriers d'une transformation de la mentalité — il n'y a pas encore une suffisante perspective pour en juger.

Architectures de clichés.

Mais encore une fois — dans le neuf il y a de l'ancien et je crois même que cet « ancien » irréductible est peut-être le permanent, le fonds permanent de l'esprit humain qui justement peut donner du poids, de la valeur, une garantie que nous ne sommes pas hors de tout mais dans la suite d'une réalité fondamentale, qui change dans ses accidents mais, puisqu'elle est humaine, ne change pas dans son essence : les œuvres romantiques ne sont pas tellement « essentiellement » différentes, finalement, des œuvres classiques : à travers des systèmes d'expression différents, des « langages » différents — le fondamentalement humain reste... et les différences ne sont que peu de chose d'une décennie à l'autre, d'un demi-siècle à l'autre : la métamorphose historique est lente; les transformations visibles demandent bien plus longtemps que cela.

Si, dans ce que nous avons essayé de faire, il y a quelque chose de tout de même assez perceptible, c'est la dénonciation, dans certaines de nos œuvres, de l'inanité, de la vacuité, de l'irréalité des idéologies; nous avons constaté, peut-être, la fin des idéologies, de droite, de gauche, du centre. Je n'aime pas le mot crise ou critique du langage, ou du langage... bourgeois. C'est prendre les choses par leur mauvais côté, du dehors en quelque sorte. Il s'agit bien plutôt, par exemple, de la constatation d'une sorte de crise de la pensée, qui se manifeste bien sûr par une crise du langage — les mots ne signifiant plus rien, les systèmes de pensée n'étant plus eux-mêmes que des dogmes monolithiques, des architectures de clichés dont les éléments sont des mots comme nation, indépendance nationale, démocratie, lutte de classes aussi bien que Dieu, socialisme, matière, esprit, personnalité, vie, mort, etc.

Les systèmes de pensée, *de tous les côtés*, n'étant plus que des alibis, que ce qui nous cache le réel (encore un mot cliché), ce qui canalise irrationnellement nos passions — il est évident que nos personnages sont fous, malheureux, perdus, stupides, conventionnels, et que leur parler est absurde, que leur langage est désagrégé, comme leur pensée. Nous expérimentons en ce moment, il me semble, l'aventure renouvelée de la Tour de Babel.

Des « artisses ».

Et voilà, peut-être, le message, un message anti-message qu'aura apporté, en témoignage véridique de notre époque, *En attendant Godot*, de Beckett, aussi bien que les petites pièces ironiquement tragiques et insuffisamment connues de Jean Tardieu, aussi bien que les premières pièces de Roger Vitrac, que l'explosive *Akara* de Weingarten, aussi bien, principalement, que *La Parodie, Tous contre tous, La grande et la petite manœuvre,* d'Adamov; ces trois œuvres sont d'une vérité objective, d'une lucidité et d'une justesse extrêmes. Adamov a renié ces trois œuvres, bien sûr, il veut avoir une foi. Mais c'est l'avenir qui dira, mieux qu'Adamov, si celui-ci a eu raison ou non de les renier.

Et que reste-t-il de fondamental, de permanent, dans ces œuvres nouvelles, parmi les ruines des systèmes de pensée *de toutes sortes* (et non pas seulement de ceux de telle ou telle société)? La dérision, l'angoisse, le désarroi à l'état pur, la crainte — c'est-à-dire la réalité humaine essentiellement tragique que, de temps à autre, une doctrine, une foi parvient à recouvrir.

C'est pour cela qu'on peut (et qu'on doit) être à la fois neuf et ancien. Notre théâtre témoigne peut-être de cette crise (ressentie psychiquement plus que théoriquement, car après tout nous sommes des « artisses ») *universelle* de la pensée, des certitudes.

L'insolite.

J'ajoute que je voulais, en me mettant à écrire, bien sûr, bien sûr, « faire du nouveau »; mais que ce n'était pas là ma démarche, je voulais surtout dire des choses et je cherchais, au-delà des mots habituels ou à travers ou malgré les mots habituels, à les dire. On a trouvé que je faisais de « l'avant-garde », que je faisais de « l'anti-théâtre » — expressions vagues mais constituant bien la preuve que j'avais fait du nouveau.

Le renouvellement technique? Peut-être dans la tentative d'amplifier l'expression théâtrale en faisant jouer les décors, les accessoires et par un jeu simplifié, dépouillé, de l'acteur. Les comédiens ont su trouver un style plus naturel et plus excessif à la fois, un jeu se tenant entre le personnage réaliste et la marionnette : insolites dans le naturel; naturels dans l'insolite.

Dix ans... c'est trop peu pour savoir si l'on a fait vraiment quelque chose. Je ne le saurai donc jamais. Je puis donc mourir avec l'illusion que j'aurai fait quelque chose.

Mais je puis affirmer que ni le public ni la critique ne m'ont influencé.

Réponse à une enquête
publiée dans l'Express du 1ᵉʳ juin 1961.

« Pour défendre Roland Dubillard, Weingarten et quelques autres »

Je m'étonne souvent des indignations véhémentes de certains critiques dramatiques ou littéraires. Je m'amuse aussi de les voir donner de grands coups de poing dans le vide, car, passant souvent à côté des choses, ils ratent évidemment leur but. Je ne comprends guère non plus comment ils ne s'indignent pas, par exemple, du fait que les partisans de la paix deviennent, quand cela leur convient, les partisans de guerre; de voir que des âmes sensibles qui avaient protesté contre la bombe atomique se taisent, de peur ou d'admiration, lorsque, au nom de la paix, on fait éclater une bombe atomique plus forte que toutes les autres bombes qui avaient provoqué leur philanthropique réprobation; on ne s'indigne pas non plus de savoir que l'on persécute les amis de celui qui écrivit que l'on doit estimer même ceux qui ne pensent pas comme nous; si on s'indigne justement qu'un homme est torturé, on approuve les terrorismes et on admet que des villes entières soient emmurées, que des pays soient écrasés au nom du bonheur ou de la liberté; au nom de la raison, on approuve le déclenchement des hystéries collectives et l'on voit comment la haine et la fureur abêtissent l'« intelligentzia » empêtrée dans le labyrinthe de ses contradictions et de son incohérence. La mort happe les humains à tous les carrefours; la nostalgie, la tristesse, la peur, l'impuissance d'amour, l'ennui aussi rongent les cœurs; les partisans de la liberté se font geôliers; les bons apôtres, sous de nobles travestis, tâchent d'assouvir leurs envies et leurs jalousies au prix de n'importe quelle catastrophe; on fait semblant d'avoir pitié des assassinés et des victimes de sa propre cause, on crache sur les victimes des autres causes; on triche, on triche; on traite la vérité de mensongère; on ne peut plus la voir; les rapports humains se dégradent; le monde est en délire, plus rien ne peut le retenir sur ce tobogan de la folie; la planète est prête à sauter et le critique — ne s'indignant pas de tout cela — s'indigne de voir que les poètes s'en indignent, s'indignent de voir que les œuvres de ceux-ci reflètent l'incohérence et la dénoncent, avec les images mêmes de l'incohérence et du délire.

Des œuvres dramatiques avaient déjà *parlé* de l'absurde, du désespoir, de la détresse. Je dis : elles en avaient parlé. D'autres œuvres, plus récentes, comme celle de Romain Weingarten, *Les Nourrices*, que l'on joue en ce moment, ne parlent plus de la détresse : elles sont l'expression même de la détresse; la pièce de Weingarten est la détresse même et la peur, vécues et vivantes, horribles, sanglantes avec, toutefois, s'y entremêlant, le regard lucide et ironique du poète qui fustige et donne ainsi une violence plus grande au malheur qui devient comique, grotesque, grandiose, à force d'être sinistre et bête. Ce qu'on appelait l'unité de l'action est détruite au profit d'une autre sorte de construction : la progression dramatique résulte (et c'est en cela, aussi, que Weingarten apporte du nouveau), de l'enchaînement des images obsessionnelles, du langage des gestes, de la liberté des jeux de scène qui prennent le pas sur le mot devenu un simple soutien de l'imagerie dynamique. Il me semble qu'il y a, au théâtre (chez Amos Kenan, chez Weingarten, chez Roland Dubillard), une évolution très intéressante de l'expression dramatique, aboutissant à l'annulation de la littérature pour le plus grand bien de la force théâtrale. Le même processus a eu lieu dans la peinture, dans la poésie. Lamartine *parlait* de la douleur, de la mélancolie. Il était un rhéteur. Plus tard, avec les grands symbolistes, les néo-symbolistes, les poètes modernes, la poésie était devenue elle-même douleur, mélancolie ou délire. Le langage discursif avait complètement éclaté devenant image, expression directe, miroir brisé ou non. C'est cette pureté de l'expression, dégagée de ce qui lui est impropre, littérature, philosophie, discours, que le théâtre semble atteindre aujourd'hui avec des auteurs allant de Boris Vian à Weingarten, à Dubillard.

Bien sûr, ne pas être « sain d'esprit », c'est-à-dire ne pas écrire des pièces « amusantes » ou « positives » n'est pas toujours bien vu : on reproche au poète d'être « névrosé » sans que l'on s'aperçoive que c'est dans la névrose que réside la vérité. Elle est bien due à quelque chose, cette névrose. On devrait parler de la tranquillité d'esprit des imbéciles, c'est-à-dire de leur inconscience calme, de leur aveuglement, de leur surdité au milieu des catastrophes.

A chaque fois, c'est la même chose : les poètes secouent les gens qui dorment pendant que la maison brûle et les engourdis les engueulent, mal réveillés de leur sommeil.

Mais les poètes pensent, figurez-vous; et le langage de leur pensée est bien celui de la poésie, par-delà les schèmes des philosophes, langage d'essai, d'audace, de recherche, de découverte, saisissant la vérité sur le vif. Parmi les morts et les dogmatiques, quelques artistes sont là qui s'opposent à la mort, aux dogmes, à ceux qui ne veulent plus avancer, soit par fainéantise, soit par criminel acharnement; car la vie est plus vaste que l'intelligence étroite des idéologues, les réalités sont plus complexes que les schémas, les solutions débordées par les problèmes.

Si la pièce de Weingarten est, comme nous l'avons vu, l'expression exacte et justifiée de la terreur, la pièce admirable de Roland Dubillard (*Naïves Hirondelles*, au théâtre de Poche), est celle de la détresse de vivre sans pouvoir aimer, de vivre sans but ou pour de faux buts. Que faire d'une telle vie qui nous vieillit, de l'ennui de laquelle nous ne pouvons échapper? C'est une pièce de colère, encore, d'une colère qui se brise contre les murs de l'impossible. Cette colère n'est pas du tout la colère sans raison de *La Paix du dimanche*, de John Osborne et celle de tant d'autres actuelles niaiseries anglaises que la pitoyable jeune critique anglaise défend, par patriotisme, politique ou médiocrité d'esprit.

Comme je voudrais pouvoir rendre compte de la beauté de cette œuvre, avec la précision, la puissance par lesquelles Dubillard rend compte de l'atrocité de l'ennui. Car on ne s'ennuie pas à cette pièce sur l'ennui; on ne ricane pas non plus, on pleure peut-être, bien que cette œuvre n'ait rien de sentimental. Dubillard ne piétine pas un instant, l'intérêt du spectateur ne faiblit jamais. J'essaie de connaître la science par laquelle l'auteur fait éclore l'atroce de l'ennui, par laquelle il l'intensifie, le densifie, le cerne, le fait éclater.

Des personnages sont là, ensemble, qui s'aiment un peu et se détestent beaucoup, qui veulent se séparer et ne peuvent se passer les uns des autres; ils se détestent quand ils sont ensemble, ils souffrent de l'absence de celui et de celle qui, finalement, s'échappent vers un nouveau désert d'ennui peut-être. Et ceux qui s'échappent semblent, à ceux qui restent, avoir été les seuls à pouvoir les sauver.

Mais cette façon qu'ils ont de s'accrocher les uns aux autres, de vouloir se décrocher les uns des autres, de haïr celui qui est là, de rêver, dans le désespoir, à ceux qui ne sont plus là, cela donne une acuité à leur besoin d'amour en détresse qui éclaire le spectateur lui-même et sur les conditions de pauvreté dans lesquelles nous vivons.

Oui, nous avons pris l'habitude de rire de ce qui doit faire pleurer et nous en rions, au moins au départ. Je dois dire aussi que c'est parce que rien ne se passe, que tout passe et que tant de choses se passent et que le tableau est complet de la dérision et du tragique.

Les « gags » visuels d'un comique sombre sont nombreux. Le dialogue qui, au début, est à côté des personnages et hors de la question comme si ces personnages voulaient cacher à eux-mêmes leur propre désarroi (mais les « lapsus » et les actes manqués sont là, révélateurs, démasquant le drame) se précise soudain, les personnages parlent, s'exposent et tout se renoue inextricablement.

On a écrit que les pièces de Dubillard et de Weingarten ressemblaient à mes pièces. J'en suis flatté. Je dois préciser toutefois qu'elles ne proviennent pas de moi. J'ai lu une œuvre de Weingarten en 1953. Heureusement, car si je l'avais lue plus tôt, j'aurais pu me demander si ce que j'écrivais n'était pas influencé par lui. J'ai vu, en 1953 encore, Roland Dubillard jouer un « sketch » de lui, au théâtre du Quartier Latin : j'ai reconnu un parent.

On a pu dire aussi que la pièce de Boris Vian *Les Bâtisseurs d'Empire* était inspirée par ma pièce *Comment s'en débarrasser.* Personne, en réalité, ne s'inspire de personne, sinon de sa propre personne et de sa propre angoisse.

Mais ce qu'il y a de frappant c'est que si nous sommes plusieurs à voir les choses d'une manière semblable, si les uns confirment les autres, si un style se dessine, c'est que ce que nous écrivons a du vrai, objectivement conduit.

Certains peuvent s'en réjouir ou non, mais on ne peut rien contre un mouvement qui se développe, contre une expression *libre* et *spontanée* — par-delà le dirigisme des pions et des curés laïcs — d'une vérité du temps, d'un art vivant.

C'est ainsi que naissent les écoles sans chefs, sans maîtres d'école.

(Combat, décembre 1961.)

En guise de postface

Dans les Armes de la Ville *on peut trouver, je pense, une des clés essentielles de la pensée de Kafka. Il s'agit là d'une interprétation, aussi brève que pénétrante, de la légende de la Tour babylonienne. Pourquoi la Tour doit-elle être détruite, selon cette interprétation ? Pourquoi celle-ci suscite-t-elle le courroux céleste ? Non pas, comme on pourrait le croire, parce que les hommes ont voulu construire la Tour mais, bien au contraire, parce qu'ils ne veulent plus vraiment la construire : les hommes se désintéressent du but qu'ils s'étaient, pourtant, eux-mêmes proposé. Ils se sont arrêtés en chemin, et s'organisent pour un provisoire qu'ils veulent faire durer le plus longtemps possible. Ils pensent trop « aux poteaux indicateurs, aux interprètes, aux abris pour les travailleurs ». Des conflits surgissent : « chaque corporation voulait avoir le plus beau quartier » et des « combats sanglants » s'ensuivent à ce sujet. Des buts secondaires masquent donc le But principal et les préoccupations d'embellissement de la ville et du confort font, finalement, perdre complètement de vue l'essentiel, le problème des fins dernières. Le But est oublié : on ne sait plus pourquoi on voulait faire construire la Tour, l'humanité s'est embourbée, elle est égarée dans un labyrinthe, le labyrinthe du monde.*

Ce thème de l'homme égaré dans le labyrinthe, sans fil conducteur, est primordial, comme on le sait, dans l'œuvre de Kafka : si l'homme n'a pas de fil conducteur, c'est que lui-même ne voulait plus en avoir. D'où son sentiment de culpabilité, son angoisse, l'absurdité de l'histoire. Est absurde ce qui n'a pas de but : et ce but final ne peut se trouver qu'au-delà de l'histoire, il est ce qui doit guider l'histoire humaine, c'est-à-dire lui donner sa signification. Qu'on le veuille

*ou non, ceci révèle le caractère profondément religieux de tout Kafka ;
coupé de ses racines religieuses ou métaphysiques, l'homme est
perdu, toute sa démarche devient insensée, inutile, étouffante.*

*Mais pourquoi l'homme kafkaïen souffre-t-il ? Parce que, en
fin de compte, il existe pour autre chose que pour le confort matériel,
que pour l'éphémère : sa véritable vocation, dont il s'est détourné,
ne peut être que la recherche du non-corruptible. C'est le monde
désacralisé que dénonce Kafka ; c'est cela, justement, le monde sans
But ; dans le labyrinthe ténébreux du monde, l'homme ne cherche
plus qu'inconsciemment et à tâtons, une dimension perdue qu'il ne
peut même plus entrevoir.*

*Sans doute, Kafka doit en vouloir à une certaine identification
sociale de l'homme à une fonction aliénante, celle qui brime, refoule
une part entière (considérée essentielle par Kafka) de l'être humain.
En effet, lorsque le général ou le juge, ou l'employé de bureau est
réduit à sa fonction de général (ou de juge, etc.), à son uniforme ;
lorsqu'il couche avec son uniforme, n'a plus que des rêves d'uniforme,
qu'il ne sait plus qu'il est aussi autre chose qu'un uniforme ; lorsque
l'employé de bureau n'est plus qu'une machine à enregistrer des
requêtes ; lorsque chacun de nous est empêché d'être autre chose
qu'un « emploi » dans l'administration, il est déshumanisé ou
déspiritualisé. Mais comme la réalité profonde de l'homme, sa
liberté, bien que brimée, ne peut pas être tout à fait méconnue et
détruite, elle se venge : non intégrée dans la cité, elle se révolte, se
retourne contre la cité et c'est elle (« le poing » des « armes de la
ville ») qui finira par détruire la cité. L'organisation de la cité
ne peut pas être le véritable, le dernier But ; elle peut (selon Kafka,
si je le comprends bien), tout au plus, être un des moyens en vue du
But qui est la réalisation de la personnalité pluri-dimensionnelle
de l'être humain : l'homme n'est pas l'ingénieur, le mécanicien, le
garde champêtre, le maire, le notaire, etc., il est celui qui, simplement, fait,* entre autres, *fonction de mécanicien, etc., fonction qui
ne le contient pas, qui ne peut pas, totalement, l'absorber.*

Paru dans les Cahiers
Madeleine Renaud-Jean-Louis Barrault,
sous le titre « Dans les armes de la ville »...
Octobre 1957.

Au-delà du théâtre

PORTRAIT ANECDOTIQUE
DE BRANCUSI

J'ai connu personnellement Brancusi très tard, dans les toutes dernières années de sa vie, chez le peintre Istrati dont l'atelier se trouvait Impasse Ronsin, juste en face de celui du sculpteur, séparé par une ruelle large d'un mètre.

« Qui est ce Ionesco qui écrit des pièces de théâtre ? » avait demandé Brancusi à Istrati. « Amenez-le un soir, je veux le connaître. »

Bien entendu, j'admirais depuis longtemps les œuvres du maître. J'avais aussi entendu parler de l'homme. Je savais qu'il était hargneux, pas commode, bougon, presque féroce. Il chassait, en les couvrant d'injures, les marchands ou collectionneurs qui venaient le voir pour lui proposer d'acheter ses sculptures. Il éloignait aussi, en les menaçant de son gourdin, les admirateurs sincères et naïfs qui l'importunaient. Il y avait, toutefois quelques rares privilégiés et privilégiées que Brancusi, ne pouvant vivre toujours absolument seul, accueillait et choyait : ceux-ci ou celles-ci étaient invités à partager ses repas, à la fois frustes et raffinés, dans la composition desquels entraient un extraordinaire yaourt que Brancusi préparait lui-même, du choux aigre cru, des concombres salés, de la polenta et du champagne, par exemple. Parfois, après le dessert, quand il était de très bonne humeur, Brancusi faisait une démonstration de danse du ventre, devant ses hôtesses qui dégustaient le café turc.

J'ai mauvais caractère. C'est, sans doute, la raison pour laquelle je déteste les mauvais caractères des autres. J'ai longuement hésité d'aller voir Brancusi : contempler ses œuvres me suffisait, d'autant plus que je connaissais ses théories fondamentales, très souvent dites à ceux qui l'écoutaient, très souvent répétées par ceux-ci. On m'avait fait part de sa détestation, de son mépris pour la sculpture des « biftecks », que l'on appellerait aujourd'hui la sculpture figurative, c'est-à-dire à peu près toute la sculpture connue depuis les Grecs jusqu'à nos jours. Je savais qu'il chérissait cette formule et qu'il adorait aussi la lancer à la tête de quiconque l'écoutait. Le pittoresque de sa personne ne m'attirait pas particulièrement : il ne voulait plus serrer la main à Max Ernst parce que celui-ci, prétendait Brancusi, aurait le mauvais œil et qu'il l'aurait fait tomber et se fouler la cheville, en le regardant haineusement. Picasso aussi répugnait à Brancusi car, d'après ce dernier, « Picasso ne faisait pas de la peinture mais de la magie noire ».

Un soir d'hiver, j'étais allé rendre visite à Istrati. Nous étions tranquillement assis autour du poêle lorsque la porte s'ouvrit. Brancusi entra : un petit vieillard de quatre-vingts ans, le gourdin à la main, de blanc vêtu, coiffé d'un haut bonnet de fourrure blanche, une barbe blanche de patriarche et, naturellement, « les yeux pétillants de malice », comme le dit si bien la formule. Il s'assit sur un tabouret, on me présenta. Il fit semblant de n'avoir pas compris mon nom. On le lui répéta, deux ou trois fois. Puis, me montrant du bout de sa canne :

— « Qu'est-ce qu'il fait dans la vie ? »

— Il est auteur dramatique! répondit Istrati, qui l'avait pourtant bien prévenu.

— « Il est quoi ? » redemanda Brancusi.

— « Il écrit des pièces, ... des pièces de théâtre! »

— « Des pièces de théâtre? » s'étonna Brancusi.

Puis, se tournant triomphalement vers moi et me regardant en face :

— « Moi, je déteste le théâtre. Je n'ai pas besoin de théâtre. J'emmerde le théâtre! »

— « Moi aussi, je le déteste et l'emmerde. C'est pour m'en moquer que j'écris du théâtre. C'est bien l'unique raison », lui dis-je.

Il me regarda de son œil de vieux paysan rusé, surpris, incrédule. Il ne trouva pas sur le champ une réplique assez offensante. Il revînt à la charge au bout de cinq minutes :

— « Que pensiez-vous de Hitler ? » me demanda-t-il.

— « Je n'ai pas d'opinion sur la question », répondis-je avec candeur.

— « C'était un brave homme ! » s'écria-t-il, comme pour me lancer un défi. « Un héros, un incompris, une victime ! »

Puis, il se lança dans un extraordinaire, métaphysique, confus éloge de l'« aryanisme ».

Istrati et sa femme étaient atterrés. Je ne bronchai pas. Je savais que, pour irriter ses interlocuteurs, prenant le contrepied de ce qu'il croyait être leur pensée, il avait, tour à tour, manifesté tantôt sa détestation du nazisme, tantôt celle de la démocratie, du bolchevisme, de l'anti-communisme, de l'esprit scientifique, du modernisme, de l'anti-modernisme et ainsi de suite.

S'imaginant, peut-être, qu'il avait affaire à un admirateur ingénu, avide de la moindre de ses paroles ou bien se rendant compte qu'il ne parviendrait pas à m'exaspérer, Brancusi y renonça. Il se lança dans un grand discours contre, je m'y attendais, les biftecks ; il raconta des souvenirs, comment il était venu à Paris depuis les bords du Danube en faisant une grande partie du chemin à pied ; il nous parla aussi des « ions », principes de l'énergie cosmique qui traversent l'espace et qu'il disait apercevoir, à l'œil nu, dans les rayons du soleil. Il se tourna vers ma femme, lui reprocha sévèrement de ne pas porter les cheveux assez longs, puis son agressivité se calma. Il fut pris, tout à coup, d'une joie enfantine, son visage se détendit, il se leva, sortit en s'aidant de son bâton, laissa la porte ouverte sur le froid, revint au bout de quelques minutes, une bouteille de champagne à la main : il ne nous en voulait plus, il avait de la sympathie pour nous.

Il me fût donné, par la suite, de revoir Brancusi, quatre ou cinq fois encore avant sa mort. Après avoir été en clinique pour soigner une jambe fracturée, il ne quitta plus son atelier. Il avait un aspirateur, dernier modèle. Mais quand il y avait une femme parmi ses visiteurs, il en profitait pour la prier de balayer son atelier, avec un vrai balai. Il avait le téléphone, sur sa table de chevet, et aussi un sac plein de petits cailloux. Lorsqu'il s'ennuyait trop et désirait bavarder avec son

voisin, il prenait une poignée de cailloux, ouvrait sa porte
et la jetait contre la porte du voisin pour l'appeler : il ne lui
venait pas à l'esprit de téléphoner.

Il était tout près de sa fin, lorsque ma femme et ma fille
qui avait onze ans, allèrent le voir. Il était couché, son
bonnet de fourrure sur la tête, le bâton à sa portée. Ma femme
est encore très émue au souvenir de cette dernière entrevue.
Brancusi, apercevant ma fille, fut pris d'une grande émotion.
Il lui fit, moitié par jeu, moitié sincèrement, un discours
d'amour. Il la loua de porter de longs cheveux, il vanta ses
beaux yeux. Ce vieillard à barbe blanche lui dit, tendrement,
la tenant par la main : « Ma petite promise, ma fiancée, je
t'attendais depuis toujours, je suis heureux que tu sois
venue. Tu vois, je suis tout près du bon Dieu, maintenant.
Je n'ai qu'à tendre le bras pour l'attraper. »

Puis il fit déboucher du champagne pour fêter les fian-
çailles.

On aurait pu croire que Brancusi était un artiste primaire,
instinctif, rustique. Son œuvre, en même temps élémentaire
et subtile, est l'expression d'une pensée artistique (et par
là philosophique) infiniment lucide, élaborée, profonde.
Son art est l'expression d'une vision créatrice très intel-
lectualisée. Création avant tout, cependant. Dénué de ce
qu'on appelle « la culture »; à l'écart de ce qui se prend
pour « la vie intellectuelle d'une époque » et qui n'est que
du journalisme ou son expression livresque, Brancusi
était cependant, par ailleurs, incomparablement plus cultivé
que les hommes de lettres, les « penseurs », les pions qui
accrochent sur leurs poitrines le brevet d' « intellectuel »
et n'y comprennent rien, ahuris qu'ils sont par les slogans,
simples ou complexes qu'ils prennent pour des vérités
ou pour leurs réflexions personnelles. Brancusi était bien
plus fort que tous les Docteurs. C'était le connaisseur
le plus averti des problèmes de l'art. Il avait assimilé
toute l'histoire de la sculpture, l'avait dominée, dépassée,
rejetée, retrouvée, purifiée, réinventée. Il en avait dégagé
l'essence.

Bien sûr, on est arrivé en ce siècle à redécouvrir l'essence
de la peinture. Peut être y est-on arrivé par approximations
successives, par l'élimination, l'une après l'autre, des impu-

retés, de l'a-pictural. Ce fut un travail issu d'une pensée, plutôt extérieure, de peintres qui étaient à la fois des critiques regardant les œuvres des autres et arrivant à la pureté à force de gommer, par l'abstraction, sans toujours arriver à saisir la peinture dans son essence, comme Brancusi avait saisi l'essence de la sculpture. Ce fut, en tout cas, pour la peinture, un long chemin bordé d'erreurs, où, souvent, les trouvailles se faisaient par chance, au hasard de la chasse, en essayant, à l'aventure, tantôt une direction, tantôt une autre. Et ce fut, surtout, le résultat des efforts d'une grande quantité de peintres, deux ou trois générations d'artistes, mêlant la précision à l'imprécision.

Il n'y a pas eu d'imprécisions, pas de tâtonnements, chez Brancusi : la progression de son œuvre est d'une sûreté parfaite. C'est en lui-même, et tout seul, qu'il a trouvé ses propres modèles, les archétypes sculpturaux. Il s'est agi chez lui d'une concentration, d'une purification intérieure. Il a aussi regardé au dehors : non pas des tableaux, non pas des statues, mais des arbres, des enfants, des oiseaux en vol, le ciel ou l'eau.

Il a su saisir l'idée du mouvement en écartant tout réalisme particulier au profit d'un réel universel. Son art est vrai; le réalisme peut ne pas l'être; sûrement, il l'est moins. Mais c'est bien sa propre pensée, son expérience personnelle qui fut l'école de Brancusi, non pas les ateliers des maîtres : les autres ne l'ont pas aidé. Il devait beaucoup se méfier des autres.

On a parlé de Brancusi comme de l'un des créateurs d'une sculpture non figurative. Brancusi prétendait ne pas être non figuratif. En effet, il ne l'était pas. Ses œuvres sont des figures essentielles, les images concrètes d'idées, l'expression d'un réel universel anti-abstrait. Rien de plus concret que son oiseau en vol, forme dynamique palpable du dynamisme. Rodin a pu exprimer le mouvement en donnant, à tel corps, à ses membres, les attitudes suggestives d'un déploiement dans l'espace. Cela était encore lié au particulier. Brancusi s'est dégagé de tout particularisme, comme il s'est aussi dégagé de tout psychologisme pour atteindre les essences concrètes.

Une direction importante de la peinture non figurative

arrive à exprimer le tempérament du peintre, son indivi-
dualité, son pathétisme, sa subjectivité. On peut donc
distinguer un tableau d'un autre, d'après l'angoisse particulière à celui qui l'a peint, angoisse qui est devenue le
langage même du peintre. L'œuvre de Brancusi exprime
uniquement des idées et des formes sculpturales. Nous
savons que la poésie de Mallarmé ou de Valéry était une
réflexion sur la poésie. En grande partie, la sculpture de
Brancusi est aussi une réflexion sur la sculpture; en même
temps, une méthode purement sculpturale de penser le
monde, traduit en formes et lignes de forces vivantes.

Anti-psychologique, l'art de Brancusi est d'une objectivité absolue : il exprime des évidences que l'on ne peut pas
ne pas admettre, des évidences sculpturales au-delà de l'allégorie.

Sa volonté de ne pas céder à la tentation de la sentimentalité est apparue très vite chez Brancusi, aussi bien que
son dégoût de l'anecdote ou de l'interprétation. Je comprends qu'il ne pouvait pas aimer le théâtre.

Dans ses toutes premières œuvres, la tête de Laocoon,
par exemple, c'est surtout l'exactitude des détails qui le
préoccupe plutôt que l'expression de la douleur qui n'en
ressort pas moins, mais indirectement; son « nu » d'un
homme (étude pour le concours du diplôme final des Beaux-
Arts), « son réalisme » est tellement poussé qu'il en paraît
inhumain, par son indifférence totale pour la psychologie
du personnage sculptural; la même chose pour « l'Écorché »
où n'apparaît que son souci de la connaissance du corps,
poursuivie avec une sorte de cruauté objective, à peine
ironique.

Dès 1907 (dans sa *Prière*) ce qui reste d'affectif disparaît
grâce à la stylisation, un peu byzantine qui transpose,
intègre la sentimentalité. Vu rapidement, « l'Œuf » ressemble
assez au « nouveau-né » dans ses langes. A partir de 1910,
« l'Oiseau Magique » a, depuis longtemps, dépassé, dans
le merveilleux, l'oiseau réaliste, non miraculeux; on peut
se rendre compte, peut-être, encore, en suivant les étapes
de sa simplification, que l'Œuf a pour point de départ
le nouveau-né; on peut suivre encore les stylisations des
différentes « Mademoiselle Pogany » pour arriver à l'étape

ultime qui est une hardie, féerique transfiguration. Mais,
bientôt, dans la mesure où le style est, malgré tout, anecdote,
Brancusi aura dépassé la stylisation pour aboutir à un
langage au-delà du langage, au-delà du style même. Et tout
aura été un jaillissement des sources profondes de son être,
une série de révélations continuelles extra conscientes,
saisies par une lucidité, une conscience, une exactitude,
une puissance intellectuelle qui font que Brancusi est le
contraire d'un douanier Rousseau. A contempler, dans sa
pureté, « l'Oiseau dans l'espace », nous sommes étonnés
de l'acuité de la vision sculpturale; nous nous étonnons
de sa simplicité et nous nous étonnons aussi de ce que nous
n'avons pas pu voir ce qui est l'évidence même.

Bien surprenantes, incroyables, ces synthèses : folklore
sans pittoresque, réalité anti-réaliste; figures au-delà du
figuratif; science et mystère; dynamisme dans la pétrification; idée devenue concrète, faite matière, essence visible;
intuition originaire, par-delà la culture, l'académie, les
musées.

Paru dans « le Musée de Poche ».

GÉRARD SCHNEIDER ET LA PEINTURE

Vous voulez faire de la peinture ? C'est très simple.

Pour la peinture en bâtiment, vous prenez un gros pinceau
et un pot de couleurs. Vous trempez le gros pinceau dans
le pot et vous en badigeonnez le plafond ou les murs. Il y
a toutefois, bien sûr, une légère difficulté dont vous devez
tenir compte. Il faut que la couleur soit bien étalée, unie,
d'un même ton. La monochromie doit être parfaite. Si
vous peignez votre appartement en rose-saumon, il est
préférable d'avoir le même rose-saumon autour des fenêtres et au-dessus de la cheminée. Si vous avez un rose-
saumon ici, un rose-fraise là, c'est raté : à moins de l'avoir
fait exprès ou de prétendre, après coup, que vous l'avez
fait exprès. Mais on vous croira difficilement. Il est donc

préférable de prendre des leçons de peinture en bâtiment
chez Klein.

Pour la peinture figurative, que vous fassiez un portrait
ou un paysage, c'est, déjà, plus facile. Vous n'avez pas à
craindre, en effet, les embûches de la monochromie, de
l'unité. Le paysage et le portrait peuvent, et même doivent,
être polychromes, la polychromie engendre tout naturellement des valeurs. Pour faire votre tableau, vous regardez
donc très simplement et très attentivement le sujet à peindre
et vous n'avez qu'à reproduire ce que vous voyez. C'est
ainsi que procédaient Vélasquez, Rembrandt, Fra Angelico,
Courbet et beaucoup d'autres. C'est presque enfantin.

Si vous pensez que vous ne peignez que ce que vous
croyez voir, c'est que vous êtes déjà arrivé à une subtilité
très grande, et, peut-être, assez dangereuse, car vous pouvez,
au nom de votre subjectivité, au nom de la liberté optique
et interprétative qui en résultent, vous permettre toute
sorte de tricheries vis-à-vis du réel. C'est ainsi que l'on va
à l'encontre de la vérité. Et l'art, imaginez-vous, c'est la
vérité. La photographie, est, dit-on, un art mineur : pourquoi? Parce que la photographie triche, justement. Cela
est assez long à expliquer. Pour me faire comprendre, il
suffit peut-être de rappeler que la photographie est surtout
un document. Tout le monde sait que les documents sont
naturellement et volontairement faux.

Maintenant, si vous voulez faire une œuvre du genre que
l'on entend par non-figuratif, c'est encore plus simple.
Plus de soucis d'égalité monochromique, plus besoin non
plus d'observer un modèle extérieur quelconque.

Voici comment l'on procède, ou plutôt voici comment
procède, par exemple, Gérard Schneider.

Il part d'une tache de couleur, d'un ton qui lui chante,
d'un thème, d'une base; cette tache de couleur en appelle
nécessairement une autre, complémentaire ou opposée.
Un dialogue s'esquisse. D'autres voix ou personnages
chromatiques s'interposent, entrent dans ce jeu, dans cette
combinaison ou cette composition, ou cette construction
qui se complique graduellement et toujours tout simplement, si je puis dire, et où tout s'entrecroise, se ramifie,
de nouveau s'unifie : on se parle, la rumeur des flots ou

des foules s'accroît, des forces s'organisent et se font face,
on se combat, on s'appuie réciproquement, on se sépare,
tout se fait écho, se répercute, croît, se transforme, s'arrête,
se solidifie, se contrôle l'un l'autre, constitue un univers
de sonorités, de voix, de passions, de formes, de puissances, de volumes, de couleurs, se constitue en tout un
monde hors du monde, dans le monde, un monde dont
l'équilibre se réalise dynamiquement par l'opposition des
éléments ou des événements, un *édifice* qui n'est donc pas
le monde, imitation du monde, mais monde, cependant,
comme le monde cristallisé à l'image idéale du monde.

Mes lecteurs éventuels, j'en suis sûr, ne sauront certainement pas très bien si, dans ces dernières lignes, j'ai essayé
de parler de la structuration de l'œuvre picturale, musicale,
architecturale, dramatique, ou d'un plan stratégique de
bataille.

Pour moi, analogiquement, c'est à peu près de la même
façon que je tente spontanément de procéder pour construire une pièce de théâtre. Le processus créateur et la
composition archétype des œuvres d'art, des mondes imaginaires, est identique essentiellement : les matériaux seuls
diffèrent qui servent à construire; ou les langues qui expriment la même idée. Comme nous sommes tous, au fond
de nous-mêmes, peintres, musiciens, architectes, nous
n'avons qu'à choisir les matériaux qui nous conviennent,
ou les moyens d'expression, et à les employer selon des lois
innées que nous n'avons, *tout simplement*, qu'à découvrir
dans notre propre esprit.

Pour faire comme Schneider, c'est donc encore très
très simple : il suffit de regarder en vous-mêmes, jamais à
l'extérieur; mais d'extérioriser, de laisser parler, s'épancher, ce qui est à l'intérieur, ce que vous y avez vu et entendu.
De cette façon, c'est le monde même, tel qu'il est, que vous
arriverez à révéler, authentiquement, tandis que si vous
ne regardiez qu'au dehors de vous, vous ne feriez que tout
mélanger, vous aliéneriez les deux aspects de la réalité et
la rendriez incompréhensible aux autres, à vous-mêmes.

Et c'est ainsi que l'on s'aperçoit que l'intérieur est l'extérieur, que l'extérieur est l'intérieur; que le non-figuratif
n'est qu'une façon de parler car il est tout simplement une

autre sorte de figuratif, plus dépouillé mais tout aussi concret. Tous les tableaux sont figuratifs, tous les tableaux sont non-figuratifs, puisque ce sont les rapprochements, les contrastes, les valeurs, les profondeurs, la froideur ou la chaleur des tons que tous les peintres recherchent, organisent, expriment. Car il est clair que le paysagiste faisait seulement semblant de regarder ce qu'il voyait à l'extérieur : en fait, il regardait en lui. De même, le peintre non-figuratif, tout en regardant en lui, regarde au dehors, l'univers de tous les hommes dont il surprend, dégage, exprime les lignes de force, les événements énergétiques purs.

Et nous nous apercevons, bien sûr, que ce qui paraissait simple ne l'est pas. Qu'il est difficile de se révéler à soi-même; qu'il est malaisé d'écarter l'appris par cœur — ce cholestérol des artères de l'esprit — le su qui est mal su tant qu'il n'est pas une redécouverte intime, la soi-disant objectivité, trompeuse, tendancieuse.

Gérard Schneider laisse donc surgir, dire, prendre forme, s'intégrer dynamiquement dans un ensemble qui le contient dans sa poussée, une sève ardente, un flot large de vie dont la violence n'est, non pas retenue, mais équilibrée par des contre-poussées égales en puissance.

C'est dans sa subjectivité profonde que se cache, puis se dévoile, purifiée, l'objectivité authentique, nécessaire, de Gérard Schneider.

Car le grand artiste est vrai. L'art est vérité. Seuls, l'art et la science sont vérité. Le reste est littérature, politique, idéologie, morale : vérités particulières ou tendancieuses, mauvaise foi.

La maîtrise de Schneider consiste, entre autre chose, à laisser s'épancher, libre et pure, une énergie spirituelle qui se développe, s'intensifie en se développant, à la fois devenir et construction. Mais son élan ne se fige pas, il n'est pas statique; il ne va pas s'égarer, s'écouler non plus dans un devenir informe, sans détermination et sans loi. Il ne tourbillonne pas non plus sur lui-même, ce qui est une autre façon de s'enfermer à l'écart du mouvement illimité de l'esprit. En effet, dans ce qui nous apparaît, au premier abord, chaotique, nous relevons, en y regardant avec un peu d'attention, des constantes dans la variété des formes et des couleurs en mouvement. Ce sont des formes qui sont des couleurs, des couleurs qui sont des formes.

Schneider saisit donc le mouvement sur le vif ou plutôt le suit et nous sentons que le tableau s'étend au-delà des cadres du tableau, nous sentons que les mêmes variantes se répercuteront, qu'elles se répondront dans d'autres espaces, dans une transformation qui doit cependant conserver les mêmes constantes des rapports.

La peinture de Schneider est ainsi d'une objectivité absolue, universelle, elle échappe à l'historicité car elle est l'histoire elle-même dans sa monumentale orchestration. L'art de Schneider est à la fois le moi qui se regarde et le moi qui est regardé.

Quand nous disons que Schneider part d'un ton et qu'il attend tout simplement le surgissement d'un autre ton qui réponde spontanément au premier et ainsi de suite, c'est vrai. Quand nous disons qu'il organise lucidement l'orchestration des tonalités et qu'il sait comment cela va se faire, comment il va faire, cela est vrai également. Car tout est calculé et rien n'est calculé. L'art de Schneider est une exploration, une prise de conscience à mesure même qu'il explore. Sa peinture est à la fois contradictoirement ordre et chaos, elle va de l'un à l'autre.

Son art étant l'expression de la réalité ne peut être réaliste puisque le réalisme n'est qu'une expression particulière et conformiste, peu profonde, du réel. Chacun de ces tableaux est son âme et un monde.

Si j'étais critique d'art, je pourrais dire peut-être non seulement que la peinture de Schneider me paraît être l'expression de la force mais aussi comment il se fait que cette force nous soit plastiquement rendue, Je dirais peut-être comment il se fait qu'il n'y ait aucun espace détendu ou mort dans ses tableaux. Je dirais peut-être comment les blancs soulignent les jaillissements des hautes formes noires, comment les tons jaunes les exaltent, comment les gris les modèrent ou les rythment. Je dirais comment un jaune et un rouge propulsent une forme verte dont l'élan est décuplé par d'immobiles, mais tendues longues taches noires et grises qui les attirent. J'expliquerais comment il se fait que le noir est puissant, implacable, lorsqu'il est

souligné par le rouge mais que le blanc est plus puissant
encore et le repousse. Je dirais aussi que cet élan, ce mouvement, est possible parce qu'il se manifeste, explose, dans
un espace qui a de la profondeur, et juste la profondeur
qu'il faut. Je dirais aussi comment il se fait que, parfois,
comme dans cette toile que je regarde, les couleurs ne
s'opposent plus, ou ne s'opposent et se complètent que
d'une façon subtile, ce qui donne à l'ensemble une aisance,
dans une sorte de desserrement, de liberté dans la coexistence des puissances dégagées. Car la force que dégagent
ces tableaux est dure mais sereine, image de la réalité universelle objective, impitoyable mais sans férocité, équilibrée
dans une violence sans stridence, tragique et enjouée.

Pourquoi l'œuvre de Gérard Schneider est-elle une
œuvre majeure? Nous espérons l'avoir pu fait comprendre.
Parce qu'elle nous donne — et par des moyens proprement picturaux — une vision objective du monde, découverte dans sa profonde subjectivité, c'est-à-dire dans l'esprit
qui reflète le monde ou qui est lui-même à l'image du monde.
Comme nous tentions de le dire au début, les révélations
de l'art rejoignent, en leur point culminant, celles de la
philosophie ou des sciences dont les vérités, différemment
exprimées, mais essentiellement identiques, ne peuvent
que se confirmer mutuellement.

Paru dans la revue « Le XXe siècle » janvier 1961.

PRÉFACE.

Première Partie : Expérience du théâtre.

Deuxième Partie : Controverses et témoignages.

DISCOURS SUR L'AVANT-GARDE.

TOUJOURS SUR L'AVANT-GARDE.

PROPOS SUR MON THÉATRE.

MES CRITIQUES ET MOI.

CONTROVERSE LONDONIENNE.

Ionesco : homme du destin ? par Kenneth Tynan......... 69
Le rôle du dramaturge, par Eugène Ionesco............ 71
Ionesco et le fantôme, par Kenneth Tynan............ 76
Une attitude devant la vie, par Philip Toynbee......... 79
Deux lettres à l'Observer 80
L'artiste et le critique, par Orson Welles............ 81
Le cœur n'est pas sur la main, par Eugène Ionesco...... 83

ENTRETIENS

Entretien Les Cahiers libres de la jeunesse 1960   91
Entretien avec Edith Mora   98
Bouts de réponses à une enquête   103
Finalement je suis pour le classicisme   107
Bouts de déclarations pour la Radio   112

PORTRAITS

Portrait de Caragiale   117
Présentation de trois auteurs   121

COMMUNICATION POUR UNE RÉUNION D'ÉCRIVAINS FRANÇAIS
ET ALLEMANDS.

TÉMOIGNAGES

Lorsque j'écris   130
Je n'ai jamais réussi   135
Celui qui ose ne pas haïr devient un traître   137
Mes pièces et moi   140
On m'a souvent prié   143

Intermèdes : Les Gammes.

Troisième Partie : Mes pièces.

« LA CANTATRICE CHAUVE »

La tragédie du langage   155
A propos de La Cantatrice chauve (Journal)   160
Naissance de La Cantatrice   162

« LES CHAISES »

Texte pour le programme du Théâtre du Nouveau Lancry   165
Lettre à un metteur en scène, Hiver 1951-1952   165

Table 247

Lettre à un metteur en scène, janvier 1952 169

Notes sur Les Chaises, juin 1951 170

A PROPOS DE « JACQUES »; *L'Express,* octobre 1955.

A PROPOS DE « COMMENT S'EN DÉBARRASSER »

« RHINOCÉROS »

Préface pour Rhinocéros (Édition scolaire américaine en français) 177

Interview du transcendant Satrape Ionesco par lui-même .. 179

Propos recueillis par Claude Sarraute sur Rhinocéros 183

Notes sur le Rhinocéros pour Marcabru 184

A propos du Rhinocéros aux États-Unis 186

Quatrième Partie : Vouloir être de son temps c'est déja être dépassé.

NOTES SUR LE THÉÂTRE

Théâtre et anti-théâtre 193

Cerisy-La-Salle. Août 1953 195

Notes sur le théâtre 1953 197

Notes sur le théâtre 200

Théâtre du dedans 203

Fragment d'une lettre 1957 204

Fiesole, 10 juillet 1959 204

Notes sur le théâtre 1959-1960 205

Notes 1960 207

Notes récentes 209

Notes-journal 210

Note de théâtre 210

Notes 210

Notes sur la crise du théâtre 211

Note. Le sous-réel est réaliste 211

Bloc-Notes 212

AUTRES PAGES DE JOURNAL 215

AI-JE FAIT DE L'ANTI-THÉATRE? 221

Pour défendre Roland Dubillard, Weingarten et quelques autres 225

EN GUISE DE POSTFACE. 231

AU-DELA DU THÉATRE

Portrait anecdotique de Brancusi 233

Gérard Schneider et la peinture 329

ŒUVRES D'EUGÈNE IONESCO

nrf

THÉATRE I : La Cantatrice chauve - La Leçon - Jacques ou la Soumission - Les Chaises - Victimes du devoir - Amédée ou Comment s'en débarrasser.

THÉATRE II : L'Impromptu de l'Alma - Tueur sans gages - Le Nouveau Locataire - L'Avenir est dans les œufs - Le Maître - La Jeune Fille à marier.

RHINOCÉROS.

ACHEVÉ D'IMPRIMER
LE 26 JANVIER 1962
PAR FIRMIN-DIDOT ET Cie
LE MESNIL - SUR - L'ESTRÉE
(EURE)

Imprimé en France
N° *d'édition* : 8606
Dépôt légal : 1er trimestre 1962. — 8949